xFinity...

new August. 15th.

8771100191771128

652-3446

(855) 800-8376.

→ Number For
Activation.

NEW.
} ACCOUNT
#.

Call Before 8ᵗʰ @ 4pm.

Henry.

Delicias

del horno con amor

Pastel de zanahoria y nuez de Brasil (pág. 135)

Delicias
del horno con amor

Más de 200 recetas dulces y sabrosas
Pasteles, tartas, panes, pizzas y más

Reader's
Digest

Buenos Aires • Madrid • México • Nueva York

Delicias
del horno con amor

Corporativo Reader's Digest México, S. de R.L. de C.V.
Departamento Editorial Libros

Editores: Arturo Ramos Pluma y Cecilia Chávez Torroella
Asistente editorial: Susana Ayala
Título original de la obra: *Baking with Love*
© 2006 Reader's Digest (Australia)

Edición en español propiedad de Reader's Digest México,
S.A. de C.V., preparada con la colaboración de
Alquimia Ediciones, S.A. de C.V.

D.R. © 2007 Reader's Digest México, S.A. de C.V.
Edificio Corporativo Opción santa Fe III,
Av. Prolongación Paseo de la Reforma 1236, piso 10,
Col. Santa Fe, Delegación Cuajimalpa, México, D.F.
C.P. 05348

Portada: *imagen principal,* Brownies (pág. 80); *ar. iz.,* Tartaletas de salmón souflé (pág. 218); *ar. centro,* Shortcake de fresa (pág. 153); *ar. der.,* Pay de calabaza (pág. 139).

Contraportada: *ar. izq.,* Hogaza mediterránea (pág. 200); *ar. centro,* Gugelhupf (pág. 13); *ar. der.,* Magdalenas de jengibre (pág. 44); *ab. izq.,* Estrellas de mermelada (pág. 75); *ab. der.,* Pizza a la napolitana (pág. 269).

Esta primera edición se terminó de imprimir el 2 de enero de 2007, en los talleres de Leo Paper Products Ltd. 7/F Kader Building, 22 Kai Cheung Road, Kowloon Bay, Kowloon, Hong Kong, China.

La figura del pegaso, las palabras Selecciones, Selecciones del Reader's Digest y Reader's Digest son marcas registradas.

ISBN 968-28-0411-6

Impreso en China
Printed in China

Biscotti de arándano (pág. 73)

contenido

introducción

Abrir la puerta al aroma de un pastel recién horneado es una de las más agradables bienvenidas imaginables. La vista, los sabores y los olores del horneado son gratificantes y alentadores, y el proceso de hornear es muy satisfactorio. También, el traqueteo de los recipientes y la textura sedosa de la harina que escurre entre los dedos cuando se hace repostería aseguran que los cinco sentidos se utilizan en el proceso.

El título del libro, *Delicias del horno con amor*, realza el factor de satisfacción que se siente al reunir los ingredientes para crear pays, muffins o algún otro bocadillo que complacerá al que tenga la suerte de probar los resultados de su dedicación.

Hornear no es difícil. Toma tiempo y dedicación y, al adquirir experiencia y ganar confianza, esos toques de creatividad convierten la receta básica en algo especial y la hacen suya.

Este libro incluye recetas de pasteles clásicos, bocadillos para ocasiones especiales, repostería para vacaciones y días de fiesta, panes rápidos, galletas, muffins, pizzas y pays dulces y salados. La sección de técnicas paso a paso explica cómo dominar ese arte. La sección de preguntas y respuestas da consejos prácticos y soluciones a problemas comunes. Un glosario cubre la terminología esencial del horneado.

Con tal riqueza de consejos y fotografías, esperamos que esta recopilación de recetas inspire al repostero que llevas dentro.

Los Editores

Quiche Lorraine (pág. 250)

pasteles
clásicos

Pastel marmoleado

El polvo de cacao le da a este pastel un rico sabor a chocolate, pero para mejorarlo puedes agregar un poco de chocolate triturado a la mezcla.

250 g (1 taza/9 onzas) de mantequilla

230 g (1 taza/8 onzas) de azúcar blanca (granulada)

Unas gotas de extracto de vainilla

4 huevos

500 g (4 tazas/1 libra 2 onzas) de harina

1 ½ cditas. de polvo de hornear

150 ml (²/₃ de taza/5 onzas) de leche

3 cdas. de polvo de cacao

PORCIONES 8-12

TIEMPO DE PREPARACIÓN 20 minutos

TIEMPO DE COCCIÓN 60-70 minutos

1 Usa un molde para pan de 30 x 11 cm (12 x 4¼ pulgadas). Engrasa y enharina ligeramente, eliminando el exceso. Precalienta el horno a 180°C (350°F, marca 4).

2 Pon la mantequilla en un bol y bate hasta que esté cremosa. Agrega el azúcar (reserva 1 cdita.) y el extracto; bate hasta que esté bien mezclada, ligera y esponjosa. Agrega los huevos, uno a uno, moviendo hasta incorporar bien. Aparte, cierne la harina y el polvo de hornear. Añade la leche, reserva 2 cditas., alternando con la harina. Vierte las dos terceras partes en el molde.

3 Esparce en la masa el polvo de cacao, 1 cdita. de azúcar y la leche restante y extiéndela sobre la que está en el molde.

4 Gira un tenedor por las capas de masa para dar un efecto veteado. Alisa la parte superior y hornea de 60 a 70 minutos hasta que un palillo salga limpio. Coloca el pastel en una rejilla para enfriar.

También, prueba esto...

Para aumentar su delicioso sabor, esparce chocolate derretido y chispas de chocolate sobre el pastel frío.

Gugelhupf

Para lograr la correcta apariencia y textura, este pastel necesita cocinarse en un recipiente especial. El molde gugelhupf tiene una chimenea en medio, para permitir que la mezcla se cueza pareja.

40 g (¼ de taza/1½ onzas) de almendras

250 g (1 taza/9 onzas) de mantequilla

125 g (1 taza/4½ onzas) de azúcar glass

4 yemas de huevo y 3 claras

1 cda. de ron

Ralladura de 1 limón

60 g (½ taza/2 onzas) de pasas sultana (sin semillas)

220 g (1¾ tazas/7½ onzas) de harina

40 g (⅓ de taza/1½ onzas) de fécula de maíz

1 cda. de polvo de hornear

125 ml (½ taza/4 onzas) de leche

1 Usa un molde gugelhupf de 2 litros (8 tazas). Engrasa y enharina el molde, eliminando el exceso. Precalienta el horno a 180°C (350°F, marca 4). Sumerge las almendras en un bol con agua hirviendo. Pélalas y pícalas.

2 Bate la mantequilla y el azúcar glass hasta formar una mezcla ligera y esponjosa. Incorpora las yemas de huevo. Agrega el ron, la ralladura de limón y las pasas.

3 Cierne la harina, la fécula de maíz y el polvo de hornear. Vierte en la mezcla, poco a poco, alternando con la leche. Bate las claras de huevo hasta que estén

firmes e incorpóralas a la mezcla usando una cuchara de metal.

4 Vacía la mezcla en el molde preparado, hornea de 55 a 60 minutos. Sácalo del horno y déjalo enfriar en el molde por unos minutos. Desmolda y colócalo en una rejilla para enfriar. Espolvorea azúcar glass.

PORCIONES 12

TIEMPO DE PREPARACIÓN 25 minutos

TIEMPO DE COCCIÓN 1 hora

Pastel Selva Negra de cereza

Vale la pena el esfuerzo de preparar este favorito insuperable. Si tienes prisa pero quieres esa combinación de chocolate, cerezas y crema, haz el pastel sin la base de pasta para hojaldre. De todos modos será delicioso.

PARA LA PASTA

125 g (1 taza/4½ onzas) de harina

½ cdita. de polvo de hornear

60 g (4 cdas./2 onzas) de mantequilla

2 cdas. de azúcar

2 yemas de huevo

PARA EL PAN

7 huevos

250 g (1 taza/8 onzas) de azúcar

60 g (¼ de taza/2 onzas) de mantequilla

155 g (5½ onzas) de harina

40 g (⅓ de taza/1½ onzas) de fécula de maíz

40 g (⅓ de taza/1½ onzas) de cacao en polvo

PARA EL RELLENO

800 g (4 tazas/1 libra 12 onzas) de cerezas agrias sin hueso (morello)

5 g (1½ cditas.) de grenetina

Una pizca de clavos de olor

1 raja de canela

100 g (⅓ de taza/3½ onzas) de mermelada de cereza agria

60 ml (¼ de taza/2 onzas) de Kirsch

750 ml (3 tazas/26 onzas) de crema

Unas gotas de extracto de vainilla

PARA LA DECORACIÓN

Chocolate de buena calidad

PORCIONES 14

TIEMPO DE PREPARACIÓN 1½ horas

TIEMPO DE COCCIÓN 30 minutos, más 10-12 minutos

1 Usa un molde desmontable de 25 cm (10 pulgadas). Forra la base y los lados con papel para hornear. Para hacer la pasta, vierte todos los ingredientes en un procesador de alimentos y mezcla hasta que la masa se haga bola. Envuélvela en un lienzo limpio y refrigérala por 30 minutos.

2 Para hacer el pan, usa un bol y ponlo a baño María. Pon los huevos y el azúcar y bate hasta que la mezcla esté pálida y cremosa. Retira el bol del baño María y bate hasta enfriar.

3 Derrite la mantequilla y déjala enfriar. Precalienta el horno a 180°C (350°F, marca 4). Cierne la harina, la fécula de maíz y el cacao en polvo, y vierte en la mezcla de los huevos usando una cuchara de metal. Agrega la mantequilla derretida.

4 Vierte la mezcla en el molde, empareja y hornea por 30 minutos. Sácala del horno y déjala por unos minutos. Voltéala en una rejilla y déjala enfriar. Reduce la temperatura del horno a 160°C (315°F, marca 2-3). Corta el pan en 3 capas horizontales.

5 Desenvuelve la pasta enfriada, corta un círculo de masa de 25 cm de diámetro (10 pulgadas). Pon la pasta base en una charola cubierta con papel para hornear y pícala varias veces con un tenedor. Hornea de 10 a 12 minutos hasta que esté dorada. Sácala del horno y déjala enfriar.

6 Para el relleno, retírale el jugo a las cerezas. En un poco de agua fría espolvorea la grenetina, déjala reposar 10 minutos. Calienta 250 ml del jugo de las cerezas (1 taza/9 onzas) en una cacerola con los clavos de olor y la canela. Retira la canela. Vierte la grenetina en el jugo caliente para disolverla; deja enfriar.

7 Esparce la mermelada sobre la pasta base. Pon una capa de pastel encima. Rocía un poco de Kirsch; unta la mitad del jugo espeso de cerezas y coloca la mitad de las cerezas encima. Bate la crema y el extracto de vainilla hasta que espese y se pueda untar. Reparte un cuarto sobre las cerezas.

8 Pon la segunda capa de pastel encima. Rocíala con un poco de Kirsch y cubre con el jugo espeso restante. Coloca cerezas encima; aparta 14 para la decoración. Vierte otra cuarta parte de la crema sobre las cerezas. Pon encima la tercera capa de pastel; rocía con Kirsch. Esparce crema a los lados del pastel. Con una cuchara, pon el resto en una manga o dulla pastelera.

9 Ralla chocolate sobre el pastel y a los lados. Encima forma rosetas con la crema de la manga o dulla y pon las cerezas restantes sobre cada una.

Pastel Dundee

Cáscara caramelizada, frutas secas, almendras molidas y vino de jerez dan como resultado un pastel que mejora con el tiempo. La cubierta de almendras es tradicional.

375 g (3 tazas/13 onzas) de harina

1 cdita. de polvo de hornear

250 g (9 onzas) de mantequilla

285 g (1¼ tazas/10 onzas) de azúcar extrafina

4 huevos, ligeramente batidos

Unos 80 ml (⅓ de taza/2½ onzas) de jerez dulce o leche

225 g (8 onzas) de grosellas

185 g (1½ tazas/6½ onzas) de uvas pasas sultanas (sin semilla)

180 g (¾ de taza/6 onzas) de cerezas glaseadas

3 cdas. de cáscara de naranja, limón y lima caramelizada, picada

80 g (¾ de taza/2¾ onzas) de almendras molidas

Ralladura de 1 naranja y 1 limón

155 g (5½ onzas) de almendras enteras, peladas

1 Utiliza un molde de 20 cm (8 pulgadas) Engrasa ligeramente; cubre la base con papel para hornear. Precalienta el horno a 160°C (315°F, marca 2-3).

2 Cierne la harina y el polvo de hornear en un plato. Pon la mantequilla y el azúcar en un bol y bate hasta formar una mezcla ligera y esponjada. Bate los huevos gradualmente, un poco a la vez, batiendo bien después de cada adición. Si la mezcla empieza a cuajarse, agrega un poco de harina. Vierte la harina sobrante y mezcla suavemente. Añade el jerez hasta lograr una consistencia suave. Agrega la fruta, la cáscara, las almendras molidas y la ralladura.

3 Vierte la mezcla con una cuchara en el bol preparado y alisa. Coloca las almendras en círculos concéntricos sobre el pastel, dejándolas caer, sin presionarlas, en su lugar.

4 Hornéalo durante 2-2½ horas o hasta que esté firme al tacto; un palillo insertado en el centro debe salir limpio. Después de 1 hora cubre con papel aluminio para impedir que se doren demasiado las almendras. Saca del horno y deja enfriar en el molde. Desmolda y guárdalo en un contenedor hermético durante 2 o 3 días antes de servirlo, para permitir que madure y desarrolle los sabores.

PORCIONES 12

TIEMPO DE PREPARACIÓN 30 minutos

TIEMPO DE COCCIÓN 2¼-2½ horas

Pastel helado de zanahoria

Es conveniente tener en tu repertorio un pastel delicioso y bueno para tu salud.

450 g (3¾ tazas/1 libra) de harina preparada con levadura

1½ cdas. de pimienta inglesa

1½ cditas. de bicarbonato de sodio

500 ml (2 tazas/17 onzas) de suero de leche

125 ml (½ taza/4 onzas) de aceite vegetal

330 g (1½ tazas/11½ onzas) de azúcar blanca (granulada)

3 huevos grandes

2 cdas. de extracto de vainilla

450 g (3 tazas/1 libra) de zanahorias finamente ralladas

225 g (1 taza/8 onzas) de queso crema bajo en grasas, a temperatura ambiente

1 cda. extra de suero de leche

250 g (2 tazas/9 onzas) de azúcar glass cernida

1 Usa un molde redondo acanalado de 25 cm (10 pulgadas). Cúbrelo ligeramente con aceite en aerosol y espolvorea la harina, eliminando el exceso. Precalienta el horno a 180°C (350°F, marca 4).

2 Cierne la harina, las especias y el bicarbonato de sodio en un bol grande y forma un volcán. Mezcla el suero de leche, el aceite, el azúcar, los huevos y 2 cdas. de extracto de vainilla en otro bol hasta que esponje. Vacíala en la mezcla de harina e incorpora sólo hasta que esté combinada. Agrega las zanahorias ralladas.

3 Vacía la mezcla en el molde; emparéjala. Golpea ligeramente en una superficie plana para eliminar las burbujas. Hornea por unos 50 minutos, o hasta que al meter en el centro un palillo, éste salga limpio. Saca el pastel del horno, déjalo enfriar 10 minutos, desmóldalo y ponlo en una rejilla, voltéalo; deja enfriar por completo.

4 En un bol mediano, bate el queso crema con el extracto de vainilla sobrante y el suero de leche hasta suavizar. Pon el pastel en el plato y cúbrelo con el azúcar glass, dejando que corra por los lados. Refrigera hasta el momento de servir.

PORCIONES 12

TIEMPO DE PREPARACIÓN 20 minutos

TIEMPO DE COCCIÓN 50 minutos

Panqué de limón y amapola

Este sencillo clásico no sólo sabe bien, sino que es una rica fuente de vitaminas B.

1 ½ cdas. de semillas de amapola

60 ml (¼ de taza/2 onzas) de aceite vegetal

1 ½ cdas. de mantequilla sin sal

250 g (1 taza/9 onzas) de azúcar blanca (granulada)

2 huevos

1 clara de huevo

3 cditas. de ralladura de limón

1 cdita. de bicarbonato de sodio

250 g (1 taza/9 onzas) de yogur natural bajo en grasa

150 g (1 taza/5 ½ onzas) de harina de maíz amarilla

155 g (1 ¼ tazas/5 ½ onzas) de harina

1 Usa un molde para pan de 20 x 13 cm (8 x 5 pulgadas) Engrásalo. Precalienta el horno a 180°C (350°F, marca 4). Pon las semillas de amapola en un bol para hornear y hornéalas por 5 minutos o hasta que estén ligeramente tostadas y crujientes.

2 Pon el aceite, el azúcar y la mantequilla en un bol mediano y con una batidora eléctrica mezcla todo. Agrega los huevos completos y la clara de huevo, uno a la vez, batiendo bien. Incorpora la ralladura de limón.

3 Mezcla el bicarbonato de sodio y el yogur en un bol pequeño. Revuelve la harina de maíz y la harina en un plato. Incorpora las

harinas y el yogur alternando en la mezcla de los huevos, empezando y terminando con la harina de maíz. Incorpora las semillas de amapola.

4 Vierte con una cuchara la mezcla en el molde. Hornea durante 55 minutos o hasta que el palillo insertado en el centro salga limpio. Deja enfriar por 10 minutos; desmolda y ponlo en una rejilla para que se enfríe por completo.

PORCIONES 12

TIEMPO DE PREPARACIÓN 10 minutos

TIEMPO DE COCCIÓN 55 minutos

Pastel de mantequilla

Este rico pastelito se empapa en mantequilla cuando se cocina, y se come mientras está caliente. Si quedaran sobrantes, también saben muy bien fríos.

160 g (²/₃ de taza/5 ½ onzas) de mantequilla suave

115 g (½ de taza/4 onzas) de azúcar extrafina

3 huevos grandes

210 g (1 ²/₃ tazas/7 ½ onzas) de harina

2 cditas. de polvo de hornear

60 g (½ taza/2 onzas) de uvas pasas sultanas (sin semilla)

1 cdas. de leche

2 cdas. de azúcar morena

½ cdita. de canela molida

PORCIONES 8

TIEMPO DE PREPARACIÓN 30 minutos

TIEMPO DE COCCIÓN 15-20 minutos

1 Usa un molde desmontable de 18 cm (7 pulgadas). Engrásalo con mantequilla y cubre la base con papel para hornear. Precalienta el horno a 170°C (325°F, marca 3).

2 Pon aproximadamente dos terceras partes de la mantequilla y todo el azúcar en un bol y bate hasta que la mezcla esté ligera y esponjada.

3 Agrega los huevos, uno a la vez; bate para combinar. Mezcla la harina y el polvo de hornear en un plato y vierte en la mezcla de los huevos. Incorpora las uvas pasas y la leche.

4 Vierte la mezcla en el molde y alisa la superficie. Hornea por 15-20 minutos o hasta que el pastel haya levantado bien, esté firme al tacto y con un color marrón dorado.

5 Mezcla la mantequilla restante con el azúcar morena y la canela molida.

6 Saca el pastel del horno. Déjalo en el molde y vierte de inmediato la mezcla de mantequilla sobre él, dejando que se impregne por unos minutos. Sírvelo mientras esté caliente.

Pastel de chabacano

La fruta seca le agrega un sabor intenso a este pastel y las manzanas cocidas le dan una consistencia maravillosa. Sírvelo con crema batida para darle un toque extra.

300 g (1 ½ tazas/10 onzas) de chabacanos secos, picados

200 g (¾ de taza/7 onzas) de manzanas hechas puré sin endulzar

1 ½ cdas. de mantequilla sin sal

1 ½ cdas. de aceite de oliva

60 ml (¼ de taza/2 onzas) de suero de leche

3 huevos

2 cditas. de extracto de vainilla

2 cdas. de ralladura de naranja

350 g (1 ½ tazas/12 onzas) de azúcar extrafina

425 g (3 ½ tazas/15 onzas) de harina

1 cdita. de polvo de hornear

½ cdita. de bicarbonato de sodio

PORCIONES 12

TIEMPO DE PREPARACIÓN 20 minutos

TIEMPO DE COCCIÓN 1 ½ horas

1 Usa un molde redondo de 23 cm (9 pulgadas). Engrásalo ligeramente y cúbrelo con papel para hornear. Precalienta el horno a 180°C (350°F, marca 4).

2 Pon 60 g (⅓ de taza/2 onzas) de chabacanos secos, todo el puré de manzana y 120 ml (½ taza/4 onzas) de agua en una cacerola. Hierve a fuego lento por 5 minutos o hasta que se suavicen los chabacanos. Pasa la mezcla a la batidora o a un procesador de alimentos. Agrega la mantequilla, el aceite y el suero de leche y bate hasta que esté suave. Deja enfriar ligeramente la mezcla, luego agrega los huevos,

el extracto de vainilla y la ralladura de naranja, batiendo hasta que esté uniforme. Pásala a un bol grande e incorpora el azúcar.

3 Cierne la harina, el polvo de hornear y el bicarbonato en un bol y viértelo en la mezcla de chabacano. Incorpora los demás chabacanos y ponla en el molde preparado.

4 Hornea por 1 ½ horas o hasta que un palillo insertado en el centro salga limpio. Sácalo del horno y déjalo 10 minutos en el molde. Desmolda y pásalo a una rejilla para enfriar.

Consejo práctico

Usa tijeras de cocina para picar más fácilmente los chabacanos, rociándolas primero con aceite en aerosol. Corta la fruta en tiras y luego en cubos.

Pastel de limón

Para un sabor limón más intenso, pique el pastel con un tenedor asador varias veces inmediatamente después de hornear y vierta una mezcla de jugo de limón y azúcar glass, 3 cucharadas de cada uno.

200 g (1 ²/₃ tazas/7 onzas) de harina

40 g (¹/₃ de taza/1 ¹/₂ onzas) de fécula de maíz

2 cditas. de polvo de hornear

140 g (²/₃ de taza/5 onzas) de azúcar blanca (granulada)

2 huevos

125 g (¹/₂ taza/4¹/₂ onzas) de mantequilla suave

Jugo y ralladura de 1 limón

180 g (1 ¹/₂ tazas/6¹/₂ onzas) de azúcar glass

1 Usa un molde para pan de 24 x 15 cm (9 ¹/₂ x 6 pulgadas). Engrásalo y enharínalo. Precalienta el horno a 180°C (350°F, marca 4). Para hacer la mezcla, incorpora la harina, la fécula de maíz y el polvo de hornear en un bol.

2 Agrega el azúcar, los huevos, la mantequilla y el jugo y la ralladura de limón (separando 2 cditas. para el glaseado) a la mezcla de harinas. Bate con una batidora eléctrica hasta que suavice y esté pálida.

3 Pon la mezcla en el molde, empareja. Hornea por 45 minutos o hasta que un palillo insertado en el centro salga limpio. Saca el pastel del horno y déjalo enfriar un poco, desmóldalo y ponlo en una rejilla.

4 Mezcla las 2 cditas. de jugo restante con el azúcar glass. Viértelo sobre el pastel mientras está caliente. Deja enfriar.

PORCIONES 12

TIEMPO DE PREPARACIÓN 25 minutos

TIEMPO DE COCCIÓN 45 minutos

21

Panqué frutal

El panqué de grosellas negras es un excelente pastel de verano con sabor a frutas sin ser demasiado dulce. La menta agrega un toque de frescura herbal. Cuando las grosellas negras estén baratas, compra suficientes para hacer algunos panqués; se conservan bien en el refrigerador por dos meses.

340 g (2³⁄₄ tazas/12 onzas) de harina preparada con levadura

45 g (3 cdas./1¹⁄₂ onzas) de mantequilla sin sal, cortada en pedazos pequeños

115 g (¹⁄₂ taza/4 onzas) de azúcar morena

125 g (1 taza/4 onzas) de grosellas negras frescas

3 cdas. de menta fresca picada

125 ml (¹⁄₂ taza/4 onzas) de jugo de naranja

PORCIONES 12

TIEMPO DE PREPARACIÓN 20 minutos

TIEMPO DE COCCIÓN 1¹⁄₄ horas

1 Usa un molde para pan de 30 x 11 cm (12 x 4¹⁄₄ pulgadas); engrásalo y cúbrelo con papel para hornear. Precalienta el horno a 180°C (350°F, marca 4). Vacía la harina en un recipiente grande, incorpora la mantequilla removiendo hasta que la mezcla parezca pedacitos de pan. Revuelve el azúcar y forma un volcán.

2 Pon las grosellas negras y la menta en el hueco y vierte el jugo de naranja. Incorpora poco a poco los ingredientes secos a la mezcla hasta que esté bien combinada; debe quedar suave. Agrega un poco más de jugo de naranja, si se necesita.

3 Pasa la mezcla al molde preparado y alisa. Hornea por 1¹⁄₄ horas o hasta que se haya esponjado, dorado y esté firme al tacto. Si la superficie se ve como si se hubiera dorado demasiado después de unos 50 minutos, tápalo ligeramente con papel de aluminio.

4 Deja enfriar el pastel en el molde por 5 minutos, luego desmolda y ponlo en una rejilla para que se enfríe por completo. Para dar un mejor sabor, sírvelo al día siguiente. El pastel puede conservarse en un recipiente hermético durante 3 días.

También, prueba esto...

Para hacer un panqué de nuez de pacana y chabacano, delicioso para desayunar o como bocadillo a media mañana, usa chabacanos frescos picados en lugar de grosellas negras. Sustituye la menta con 1 cdita. de canela molida, mezclándola en la harina. Agrega 125 g (1 taza/4 onzas) de nueces picadas al azúcar.

Consejo práctico

Si te sobran bayas (grosellas, zarzamoras, etc.), puedes conservarlas para después. Ponlas en una bandeja poco profunda formando una sola capa. Congélalas hasta que estén duras, luego mételas en bolsas plástico. Muchas recetas no requieren que se descongelen previamente.

Pastel vienés

Para este pastel, usa el mejor chocolate oscuro que puedas comprar. Si te es posible, guarda el pastel por un día, para permitir que se desarrolle totalmente el sabor.

150 g (1 taza/5½ onzas) de chocolate oscuro (semiamargo)

150 g (²/₃ de taza/5½ onzas) de mantequilla

150 g (1¼ tazas/5½ onzas) de azúcar glass

Unas gotas de extracto de vainilla

6 huevos (por un lado las claras, y por otro, las yemas)

125 g (1 taza/4½ onzas) de harina

¼ de cdita. de polvo de hornear

3-4 cdas. de mermelada de chabacano

200 g (1⅓ tazas/7 onzas) de chocolate oscuro (semidulce)

PORCIONES 8

TIEMPO DE PREPARACIÓN 30 minutos

TIEMPO DE COCCIÓN 60-70 minutos

1 Usa un molde desmontable de 23 cm (9 pulgadas). Cubre la base con papel para hornear. Precalienta el horno a 150°C (300°F, marca 2).

2 Haz pedazos el chocolate. Derrítelo a baño María. Usando una batidora eléctrica, bate el chocolate, la mantequilla, el azúcar glass, el extracto de vainilla y las yemas de huevo en un bol mediano hasta que estén bien mezclados. Incorpora la harina y el polvo de hornear. Bate las claras de huevo hasta que estén a punto e incorpóralas a la masa con una cuchara de metal.

3 Pon la mezcla en el molde y empareja, haciendo que la mezcla se alce un poco hacia los lados. Hornea por 60-70 minutos. Saca del horno; deja reposar por 5 minutos. Quita el anillo exterior del molde.

4 Cubre el pastel con papel para hornear. Presiona con una tabla pequeña y deja enfriar por completo. Pásalo a una rejilla y quita la base del molde.

5 Cuela la mermelada en una cazuela, agrega un poco de agua y calienta ligeramente. Cubre uniformemente sobre el pastel y deja que se asiente. Derrite el chocolate a baño María y espárcelo sobre el pastel. Para impedir que se rompa, pasa el pastel al plato antes de que se endurezca el chocolate.

Pastel del Medio Oriente

La combinación del jugo de naranja y las almendras molidas humedecen este pastel. El yogur es un buen acompañamiento porque su ligera acidez compensa la riqueza del pastel.

5 naranjas grandes

6 huevos, ligeramente batidos

225 g (2¼ tazas/8 onzas) de almendras molidas

285 g (1¼ tazas/10 onzas) de azúcar extrafina

1 cda. de polvo para hornear

Yogur natural, para servir

PORCIÓN 12

TIEMPO DE PREPARACIÓN 2½ horas

TIEMPO DE COCCIÓN 1 hora

1 Usa un molde desmontable de 23 cm (9 pulgadas). Pon 2 naranjas en una cacerola y cúbrelas de agua. Tápalas y hiérvelas por 2 horas. Déjalas enfriar, ábrelas y quítales las semillas, la membrana y la piel. Machaca un poco la pulpa.

2 Precalienta el horno a 180°C (350°F, marca 4). Engrasa y enharina el molde. En un procesador de alimentos bate las naranjas, los huevos, las almendras, el azúcar y el polvo de hornear.

3 Vierte la mezcla en el molde preparado. Hornea por 1 hora o hasta que el centro esté firme. Enfría en el molde. Desmolda y colócalo en un plato: queda muy húmedo y necesita manejarse con cuidado para impedir que se rompa.

4 Pela las naranjas restantes. Córtalas a lo largo, dividiendo la membrana y separando los gajos. Sirve el pastel con los gajos y el yogur.

Pastel ángel de vainilla

Casi sin calorías, este pastel se hace usando las claras de huevo, no las yemas. Mientras está en el horno desarrolla una deliciosa costra dorada que esconde el blanco puro del interior.

115 g (1 taza/4 onzas) de harina

85 g (²/₃ de taza/3 onzas) de azúcar glass

8 claras de huevo grandes, a temperatura ambiente

150 g (²/₃ de taza/5 ½ onzas) de azúcar extrafina

Una pizca de sal

1 cdita. de crémor tártaro

1 cdita. de extracto de vainilla

225 g (1 ½ tazas/8 onzas) de fresas, frambuesas y moras azules (de cada una)

Yogur natural bajo en grasa, para servir

PORCIONES 12

TIEMPO DE PREPARACIÓN 15 minutos

TIEMPO DE COCCIÓN 35 minutos

1 Usa un molde con forma de anillo antiadherente de 25 cm (10 pulgadas). Precalienta el horno a 180°C (350°F, marca 4). Añade la harina y el azúcar glass en un plato y separa.

2 Pon las claras de huevo en un bol grande y bate hasta que se esponjen. Agrega el azúcar, la sal, el crémor tártaro y la esencia de vainilla, y sigue batiendo hasta que la mezcla forme picos.

3 Agrega la mezcla de la harina a las claras de huevo y, usando una cuchara grande de metal, remueve suavemente hasta que esté bien mezclada.

4 Con una cuchara pasa la mezcla al molde. Golpea éste sobre una superficie plana para eliminar las burbuja. Hornea por 35

minutos o hasta que haya levantado bien, esté dorado y sea resistente al tacto.

5 Todavía en el molde, voltea el pastel en una rejilla: déjalo enfriar completamente. Pasa un cuchillo por los lados del molde para despegar el pastel, luego voltéalo para ponerlo en el plato.

6 Justo antes de servir revuelve las fresas, las frambuesas y las moras azules y con una cuchara ponlas en el centro del pastel. Sírvelo con el yogur. Este pastel es mejor cuando se come el mismo día. Sin embargo, si se guarda en un bol hermético o se envuelve en película autoadherente, durará de 1 a 2 días.

Rollo suizo con duraznos

Deja reposar el esponjoso rollo por 30 minutos antes de servirlo para que maduren los sabores.

PARA LA MEZCLA

4 claras de huevo

75 g (¹/₃ de taza/2¹/₂ onzas) de azúcar extrafina

4 yemas de huevo

90 g (³/₄ de taza/3¹/₄ onzas) de harina

PARA EL RELLENO

1 limón

500 g (1 libra 2 onzas) de duraznos maduros

250 ml (1 taza/9 onzas) de crema para batir

¹/₂ cdita. de extracto de vainilla

2 cdas. de miel

PORCIONES 8

TIEMPO DE PREPARACIÓN 40 minutos

TIEMPO DE COCCIÓN 12-15 minutos

1 Usa un molde para rollo suizo de 33 x 23 cm (13 x 9 pulgadas) Cúbrelo con papel para hornear. Precalienta el horno a 180°C (350°F, marca 4). Bate las claras de huevo con 1 cdita. de agua hasta que se formen picos suaves. Agrega el azúcar. Con una cuchara de metal incorpora suavemente las yemas. Añade la harina a la mezcla y bate con un batidor de mano.

2 Esparce la mezcla en el molde; hornea por 12-15 minutos. Voltéalo en toallas de papel y cúbrelo con otra toalla; deja enfriar completamente.

3 De un limón ralla 1 cdita. de cáscara y exprime 1 cdita. de jugo. Pon los duraznos en un bol y cúbrelos con agua hirviendo. Con cuidado saca los duraznos, pélalos, pártelos en mitades y machácalos. Corta la piel muy finamente; mezcla con el jugo.

4 Bate la crema con la vainilla y la ralladura hasta que esté dura. Mezcla 1 cdita. de miel con la crema; suavemente incorpórala a la fruta. Quita las toallas y el papel para hornear. Esparce las dos terceras partes de la crema de durazno sobre el pan. Enrolla el esponjado. Esparce el resto de la crema sobre el rollo y rocía el remanente de miel.

Rosca helada de chocolate

El pastel de chocolate siempre es popular. Esta interesante versión está enriquecida con un puré dulce de ciruela pasa y con una cubierta de crema helada. Sírvelo como bocadillo o postre matutino. Es perfecto con zarzamoras frescas al lado.

140 g (²/₃ de taza/5 onzas) de ciruelas pasas, sin semilla

150 ml (½ taza/5 onzas) de agua hirviendo

60 g (¼ de taza/2 onzas) de mantequilla sin sal, a temperatura ambiente

140 g (¾ de taza/5 onzas) de azúcar morena

1 cdita. de extracto de vainilla

2 huevos, ligeramente batidos

100 g (¾ de taza/3½ onzas) de harina preparada con levadura

100 g (¾ de taza/3½ onzas) de harina integral con levadura

1 cdita. de polvo de hornear

4 cdas. de cacao molido

250 g (1 taza/9 onzas) de queso ricotta

1 cda. de azúcar glass

PORCIONES 10

TIEMPO DE PREPARACIÓN 25 minutos, más 30 minutos de reposo

TIEMPO DE COCCIÓN 25 minutos

1 Usa un molde profundo en forma de anillo de 20 cm (8 pulgadas). Engrásalo. Pon las ciruelas pasas en un bol, cúbrelas con agua hirviendo y déjalas reposar por 30 minutos. Precalienta el horno a 180°C (350°F, marca 4).

2 Bate la mantequilla hasta que esté suave y pálida. Incorpora el azúcar gradualmente. Muele las ciruelas pasas con el líquido en una licuadora para hacer un puré suave, luego agrega la mezcla de azúcar y mantequilla con ½ cdita. de extracto de vainilla y bate hasta que esté bien mezclado. Incorpora los huevos.

3 Cierne la harina blanca y la integral, el polvo de hornear y el cacao molido sobre la mezcla, dejando cualquier salvado que quede en el cernidor. Incorpora totalmente los ingredientes secos. La mezcla debe gotear, agrega agua si es necesario. Con una cuchara vierte la mezcla al molde y nivélala.

4 Hornea por unos 25 minutos o hasta que se esponje, esté ligeramente agrietado por encima y firme al tacto. Déjalo en el molde por 10 minutos, luego pasa un cuchillo alrededor del molde para despegar el pastel. Voltéalo en una rejilla para enfriar. Este pastel se puede conservar en un recipiente hermético por tres días antes de ponerle la cubierta.

5 Pasa por un cernidor el ricotta y ponlo en un bol. Agrega ½ cdita. de extracto de vainilla y el azúcar glass, bate hasta que la mezcla esté suave.

6 Pon el pastel en un plato y con una cuchara esparce el ricotta congelado sobre el pastel. Con un cuchillo forma ligeros remolinos en el queso, llevándolos un poco hacia abajo, por los lados. Añade algo de cacao molido en un cernidor y espolvoréalo encima. Sírvelo lo más pronto posible.

También, prueba esto...

Para un sabor a nuez y textura, agrega 90 g (¾ de taza/3¼ onzas) de nueces finamente picadas después de cernir la harina. Decora por encima con unas cuantas mitades de nuez.

Para un anillo lleno de fruta, corta el pastel horizontalmente en dos capas y forma un sándwich con la mitad del ricotta helado y algunas rebanadas de fresas o moras azules enteras. Cubre el pastel con el queso congelado sobrante y decóralo con fresas y moras azules.

Salvación de chocolate

Un pastel que no esponja es una mala noticia; pero éste tiene un gran éxito por su rico sabor.

170 g (³/₄ de taza/6 onzas) de azúcar extrafina

60 g (¹/₂ taza/2¹/₄ onzas) de polvo de cacao sin azúcar

60 ml (¹/₄ de taza/2 onzas) de agua fría

3 cdas. de chispas de chocolate oscuro (semidulce)

1¹/₂ cditas. de extracto de vainilla

1 huevo grande (la yema se aparta), más 4 claras de huevo grandes

30 g (¹/₄ de taza/1 onza) de harina

25 g (¹/₄ de taza/1 onza) de germen de trigo tostado

¹/₄ de cdita. de crémor tártaro

Unos 550 g (3²/₃ tazas/1 libra 4 onzas) fresas frescas o congeladas (descongeladas)

80 ml (¹/₃ de taza/2¹/₂ onzas) de jugo de naranja

750 g (3 tazas/1 libra 10 onzas) de yogur de vainilla congelado

PORCIONES 12

TIEMPO DE PREPARACIÓN 15 minutos

TIEMPO DE COCCIÓN 25 minutos

1 Usa un molde desmontable de 23 cm (9 pulgadas); cúbrelo con papel para hornear y cúbrelo con aceite en aerosol. Precalienta el horno a 190°C (375°F, marca 5)

2 Mezcla 115 g (¹/₂ taza/4 onzas) de azúcar, el cacao y el agua fría en una cacerola y bate hasta que suavice. Agrega las chispas y cocina a fuego lento, moviendo hasta que las chispas se derritan. Vierte 1 cda. de extracto de vainilla. Enfría a temperatura ambiente. Incorpora la yema, la harina y el germen.

3 Bate las 5 claras de huevo en un bol hasta que espumen. Agrega el crémor tártaro; sigue batiendo hasta que se formen picos suaves. Agrega el azúcar sobrante, una cucharada a la vez, batiendo hasta que se formen picos firmes.

4 Con una cuchara de metal, vierte un cuarto de las claras de huevo en la mezcla de chocolate para aligerar su textura. Vierte ésta en las claras de huevo restantes, sólo hasta combinar. Pasa la mezcla al molde. Hornea por unos 25 minutos o hasta que un palillo insertado en el centro salga limpio. Pon el molde en una rejilla dejando que el pastel se enfríe dentro del mismo.

5 Mientras, en un procesador de alimentos bate las fresas, el jugo de naranja y el extracto de vainilla restante.

6 Quita la parte lateral del molde. Corta el pastel y sirve con la salsa de fresa y yogur congelado.

Consejo práctico

¿Necesitas una excusa para darte el gusto de este pastel? Toma en consideración lo siguiente. Esta receta usa chocolate oscuro y cacao en polvo, lo que le da un rico sabor. Este chocolate es una buena fuente de cobre y de hierro, mientras que el cacao tiene cinco veces más hierro que el chocolate.

El chocolate oscuro contiene valiosas cantidades de fenoles, sustancias que trabajan como antioxidantes y ayudan a prevenir el dañino colesterol LBD (el malo), que obstruye las arterias.

Pastel esponjado genovés

Este esponjado es perfecto para la hora del té o del café, a media tarde. Debes usar mermelada de buena calidad o guarda la que tenga un completo sabor afrutado.

4 huevos

110 g (½ taza/3¾ onzas) de azúcar extrafina, y un poco más para espolvorear

½ cdita. de extracto de vainilla

100 g (⅔ de taza/3½ onzas) de harina

60 g (¼ de taza/2¼ onzas) de mantequilla, derretida

115 g (⅓ de taza/4 onzas) de mermelada de fresa

325 ml (1¼ tazas/11 onzas) de crema para batir

1 Usa dos moldes de lados rectos de 20 cm (8 pulgadas) para hacer un sándwich. Engrásalos y cubre las bases con papel para hornear. Precalienta el horno a 190° C (375°F, marca 5).

2 Bate los huevos y el azúcar en un bol grande a baño María hasta lograr un batido grueso y cremoso. Cierne la harina en el bol y, usando una cuchara de metal, incorpórala con cuidado en la mezcla cremosa. Lentamente vierte la mantequilla derretida fría.

3 Divide la mezcla en partes iguales entre los dos moldes y esparce uniformemente. Hornea por 20 minutos o hasta que los pasteles se hayan esponjado bien y se hayan reducido un poco a los lados de los moldes. Enfría por 5 minutos. Voltéalos en una rejilla y déjalos enfriar por completo.

4 Coloca uno de los pasteles boca abajo en un plato y úntale uniformemente la mermelada. Bate la crema hasta que esté lo suficientemente dura para sostenerse y espárcela sobre la mermelada, sólo hasta la orilla esponjada. Pon el segundo pastel encima del relleno y cierne el azúcar por encima.

También, prueba esto…

Para un esponjado de crema de maracuyá, omite la mermelada del relleno y el azúcar para espolvorear. Bate la crema con 1 cdita. de azúcar glass hasta que conserve su forma. Incorpora 2 cditas. de pulpa de maracuyá fresca y úsala para el relleno y la cubierta del sándwich esponjado. Cúbrelo con 2 cditas. de pulpa de maracuyá.

PORCIONES 8

TIEMPO DE PREPARACIÓN 25 minutos más 30 minutos de reposo

TIEMPO DE COCCIÓN 20 minutos

Pastel chiffon de capuchino

Muy fácil de preparar, esta dulce golosina es la más baja en calorías de todas.

280 g (2¼ tazas/10 onzas) de harina

345 g (1½ tazas/12 onzas) de azúcar extrafina

1 cda. de polvo de hornear

1 cdita. de canela molida

2 huevos grandes, más 2 claras de huevo grandes

125 ml (½ taza/4 onzas) de aceite de nuez

185 ml (¾ de taza/6 onzas) de café expreso colado (a temperatura ambiente)

2 cdas. de cacao molido sin azúcar

1 cdita. de extracto de vainilla

½ cdita. de crémor tártaro

2 cdas. de azúcar glass

PORCIONES 16

TIEMPO DE PREPARACIÓN 15 minutos

TIEMPO DE COCCIÓN 45 minutos

1 Usa un molde de anillo de 25 cm (10 pulgadas) No lo engrases. Precalienta el horno a 160°C (315°F, marca 2-3) Pon la harina, el azúcar, el polvo de hornear y la canela en un bol mediano y mezcla. Separa las yemas de las claras. Mezcla el aceite de nuez, las yemas, el café expreso, el cacao en polvo y la vainilla en un bol grande hasta suavizar. Incorpora bien la mezcla de harina a la de los huevos.

2 Bate seis claras de huevo en un bol mediano hasta espumar. Añade el crémor tártaro y sigue batiendo hasta que se formen picos duros. Incorpora lentamente las claras de huevo a la mezcla.

3 Pon la mezcla en el molde y hornea por unos 45 minutos o hasta que un palillo insertado en el centro salga limpio.

4 Deja el pastel en el molde y voltéalo en una rejilla para enfriar. (Si se enfría boca arriba se hundirá). Pasa un cuchillo por la orilla y desmolda. Pon el pastel en un plato. Espolvorea azúcar glass.

Consejo práctico

El aceite de nuez es una valiosa fuente de grasas monoinsaturadas y poliinsaturadas buenas para el corazón, además de vitamina E antioxidante. Puede ayudar a bajar el riesgo de enfermedades del corazón al aumentar el LAD o colesterol "bueno". Si prefieres, usa aceite de oliva extravirgen.

Pastel de queso de fruta

Este postre tiene la consistencia cremosa de un pastel de queso, pero usa un queso suave con un contenido en grasas más bajo de lo normal. Agrega una base de bizcocho amaretti sin mantequilla, pero con fresas y kiwis ricos en vitamina C, para un resultado saludable que realce el sabor.

125 g (1 taza/4½ onzas) de galletas amaretti, trituradas

450 g (1¾ de taza/1 libra) de queso o crema ricotta

3 huevos (separa las yemas de las claras)

120 g (½ taza/4 onzas) azúcar extrafina

La ralladura fina de 1 naranja pequeña

125 ml (½ taza/4 onzas) de crema para batir

2 cdas. de harina

PARA LA CUBIERTA

300 g (2 tazas/10½ onzas) de fresas, en mitades

2 kiwis, pelados y rebanados

1 cda. de azúcar glass, cernida

PORCIONES 8

TIEMPO DE PREPARACIÓN 30 minutos

TIEMPO DE COCCIÓN 1¼ horas

1 Usa un molde desmontable de 20 cm (8 pulgadas) Engrásalo y cubre la base con papel para hornear. Espolvorea las migas de las galletas amaretti uniformemente sobre el papel y sepáralo. Precalienta el horno a 160°C (315°F, marca 2-3).

2 Pon el ricotta, las yemas, el azúcar, la ralladura de naranja y la crema en una licuadora o procesador de alimentos. Muele hasta lograr una mezcla suave. Viértela en un bol. (Otra alternativa, bate los ingredientes usando una batidora eléctrica). Cierne la harina sobre la superficie e incorpora.

3 En un bol por separado, mezcla las claras de huevo hasta que estén firmes. Con una cuchara de metal, incorpóralas suavemente en la mezcla de queso. Vierte ésta en el molde, cuidando de no revolver las migas. Alisa la superficie.

4 Hornea por 1 hora o hasta que se haya leventado y asentado ligeramente, y obtenga un color marrón dorado. Apaga el horno y deja el pastel adentro por 15 minutos. Sácalo y déjalo enfriar. Si lo deseas, refrigéralo antes de servirlo.

5 Saca el pastel de queso del molde y ponlo en el plato. Apila las fresas y los kiwis sobre el pastel y espolvorea encima azúcar glass.

También, prueba esto...

En lugar de las galletas, usa la misma cantidad de galletas digestivas o de avena machacadas para la base.

Usa la ralladura fina de 1 toronja rosada pequeña o de 1 limón real en lugar de la cáscara de naranja.

Cubre la tarta de pastel de queso con una mezcla de duraznos frescos rebanados o de nectarina y moras azules.

Para un pastel de queso de frambuesa, esparce migas de galletas de jengibre sobre la base del molde en lugar de las amaretti. Para la mezcla del pastel de queso, usa azúcar morena en lugar de la extrafina. En lugar de la cáscara de naranja puedes usar de limón agrio. Cubre el pastel con unos 250 g (2 tazas/9 onzas) de frambuesas, luego cierne azúcar glass sobre ellas.

Pastel volteado de pera

A todos les gustará este pastel con sabor a jengibre, volteado y cubierto de fruta.

2 cdas. de azúcar morena oscura

3 peras firmes y maduras

155 g (1 ¼ tazas/5 ½ onzas) de harina

1 cda. de jengibre molido

¾ de cdita. de polvo de hornear

¼ de cdita. de bicarbonato de sodio

60 ml (¼ de taza/2 onzas) de aceite de oliva extravirgen

165 g (¾ de taza/5 ¾ onzas) de azúcar blanca (granulada)

1 ½ cditas. de ralladura de lima

1 huevo grande, más 1 clara de huevo grande

185 ml (¾ de taza/6 onzas) de suero de leche

PORCIONES 10

TIEMPO DE PREPARACIÓN 15 minutos

TIEMPO DE COCCIÓN 35 minutos

1 Usa un molde redondo antiadherente para pastel de 23 cm (9 pulgadas) Cubre la base con aceite en aerosol. Esparce el azúcar morena sobre él, sacude el molde para cubrirlo uniformemente. Precalienta el horno a 180°C (350°F, marca 4).

2 Pela las peras, quítales el centro y pártelas en mitades. Córtalas diagonalmente en rebanadas de 5 mm (¼ de pulgada). Espárcelas en el molde, asegurándote de que la base esté cubierta por completo.

3 Cierne la harina, el jengibre y el bicarbonato en un plato. En un bol vacía el aceite de oliva, el azúcar blanca y la ralladura de lima y bate con una batidora eléctrica.

Incorpora el huevo completo y la clara hasta que la mezcla esté dura.

4 Con una espátula de hule o una cuchara de metal larga, incorpora, alternando, la mezcla de harina y el suero de leche en la mezcla de huevo, empezando y terminando con la harina.

5 Pon la mezcla sobre las peras y alisa la superficie, asegurándote de cubrir las peras. Hornea por 35 minutos o hasta que un palillo insertado en el centro salga limpio. Pasa el pastel a una rejilla y déjalo en el molde por 10 minutos para que se enfríe. Voltéalo en un plato y déjalo enfriar un poco más antes de rebanarlo.

Pan de jengibre glaseado

Toques de melaza y de una mezcla de especias le dan capas extras de sabor a este pastel.

165 g (1 ½ tazas/6 onzas) de harina

1 ½ cditas. de mezcla de canela, nuez moscada y pimienta negra, molidas

¾ de cdita. de bicarbonato de sodio

½ cdita. de sal

135 g (½ taza/4¾ onzas) de puré de manzana sin azúcar

90 g (½ taza 3¼ onzas) de melaza

1 huevo grande, ligeramente batido

4 cdas. de mantequilla

115 g (½ taza/4 onzas) de azúcar morena

2 cditas. de jengibre fresco pelado y rallado

3 cdas. de jengibre cristalizado finamente picado

90 g (¾ de taza/3¼ onzas) de azúcar glass

PORCIONES 8-10

TIEMPO DE PREPARACIÓN 30 minutos

TIEMPO DE COCCIÓN 45 minutos

1 Usa un molde cuadrado de 20 cm (8 pulgadas); cúbrelo con aceite en aerosol. Precalienta el horno a 180°C (350°F, marca 4). Mezcla la harina, las especias, la sal y el bicarbonato en un bol mediano. En otro mezcla el puré de manzana y el huevo.

2 Con la batidora a nivel alto, bate la mantequilla y el azúcar morena en un bol mediano unos 4 minutos. Baja la velocidad y añade el puré de manzana. Con una cuchara de madera vierte la mezcla de harina y mueve sólo para combinar. Añade el jengibre fresco.

3 Pon la mezcla en el molde y hornea por unos 45 minutos o hasta que un palillo insertado en el centro salga con migas húmedas. Enfría el pan en el molde sobre una rejilla por 10 minutos. Desmóldalo y ponlo en la rejilla boca arriba. Déjalo enfriar completamente.

4 Esparce el jengibre cristalizado en la cubierta del pan. Mezcla el azúcar glass con un poco de agua para hacer un glaseado suave. Esparce el glaseado sobre el jengibre cristalizado, dejando que algo caiga por los lados.

Consejo práctico

La combinación de jengibre fresco con cristalizado da al pastel un sabor intenso. Al comprar jengibre fresco, asegúrate de que esté muy firme y liso. La piel debe estar tersa y con un color rosado. El jengibre fresco no debe verse seco ni rugoso.

muffins
y galletas

Muffins de chocolate

Usa chocolate con un contenido del 60% de cacao por lo menos. Si puedes, congela los muffins horneados y decóralos con chispas de chocolate para un regalo extra.

100 g (²/₃ de taza/3 ½ onzas) de chocolate amargo, sin azúcar

125 g (4 ½ onzas) de mantequilla

150 g (²/₃ de taza/5 ½ onzas) de azúcar extrafina

2 huevos, ligeramente batidos

175 g (³/₄ de taza/6 onzas) de crema agria

60 ml (¼ de taza/2 onzas) de brandy

¼ de cdita. de canela molida

1 pizca de cardamomo molido

210 g (1 ²/₃ tazas/7 ½ onzas) de harina

1 cdita. de polvo de hornear

3 cdas. de cacao en polvo

PORCIONES 12

TIEMPO DE PREPARACIÓN 25 minutos

TIEMPO DE COCCIÓN 20-25 minutos

1 Usa un molde para muffin de 12 unidades (80 ml/¹/₃ de taza/2 ½ onzas) y cúbrelo con moldes de papel. Precalienta el horno a 180°C (350°F, marca 4). Derrite el chocolate y la mantequilla en un bol a baño María. Enfría. Incorpora la harina cernida, los huevos, la crema agria, el brandy y las especias.

2 Cierne los demás ingredientes en un bol. Agrega la mezcla de chocolate con los ingredientes secos y bate sólo hasta combinar.

3 Llena los moldes de papel sólo las dos terceras partes. Hornea los muffins por 20-25 minutos. Pon el molde en una rejilla, deja que los muffins se enfríen antes de servirlos.

También, prueba esto...

Para muffins de chocolate con cerezas, prepara la mezcla igual que la receta principal, agregando 4 cdas. de Kirsch en lugar de brandy. Quítale los huesos a 200 g (1 taza/7 onzas) de cerezas. Vierte la mezcla de chocolate en los moldes de papel. Esparce las cerezas sobre la masa y presiona suavemente. Esparce 50 g (¹/₃ de taza/2 onzas) de almendras picadas encima. Hornea como se indica en la receta principal.

Consejo práctico

Para asegurarte de que los muffins sean ligeros, no mezcles con fuerza la mantequilla. Para lograr un mejor resultado, mezcla el líquido y los ingredientes secos con una cuchara de madera, no con la batidora eléctrica. Mezcla ligeramente hasta que apenas se incorporen.

Muffins de moras azules

Una combinación de frutas como arándanos, frambuesas o zarzamoras puede usarse en esta receta clásica.

400 g (14 ½ onzas) de moras azules

125 g (4 ½ onzas) de mantequilla

3 huevos

140 g (5 onzas) de azúcar morena

1 cdita. de extracto de vainilla

150 g (²/₃ de taza/5 ½ onzas) de crema agria

350 g (2 ³/₄ de taza/12 onzas) de harina

1 cda. de polvo de hornear

Azúcar glass para espolvorear

PORCIONES 24

TIEMPO DE PREPARACIÓN 25 minutos

TIEMPO DE COCCIÓN 20 minutos por charola

1 Usa 2 moldes para muffins de 12 unidades (80 ml/¹/₃ de taza/2 ½ onzas); cubre con moldes de papel. Precalienta el horno a 180°C (350°F, marca 4).

2 Lava las moras azules, deja que se sequen sobre toallas de papel.

3 Pon la mantequilla, los huevos, el azúcar, el extracto de vainilla y la crema agria en un bol; mezcla para combinar. Cierne la harina y el polvo de hornear en otro bol. Agrega la mezcla de mantequilla; mezcla sólo para combinar. Incorpora las moras azules.

4 Llena sólo las dos terceras partes de los moldes de papel. Hornea por unos 20 minutos. Pon las charolas en una rejilla y deja enfriar. Espolvorea con azúcar glass justo antes de servir.

Consejo práctico

Los muffins pueden hornearse sin moldes de papel. Engrasa bien los huecos de la charola y espolvorea la harina, retirando el exceso.

Muffins de plátano y maple

He aquí la forma perfecta para usar los plátanos maduros.
Su suavidad contribuye a la textura no seca de los muffins.

300 g (2⅓ tazas/10½ onzas) de harina preparada con levadura

40 g (⅓ de taza/1½ onzas) de harina

½ cdita. de bicarbonato de sodio

115 g (½ taza/4 onzas) de azúcar morena

60 ml (¼ de taza/2 onzas) de jarabe de maple

250 g (⅔ de taza/9 onzas) de plátanos machacados

2 huevos, ligeramente batidos

250 ml (1 taza/9 onzas) de suero de leche

80 ml (⅓ de taza/2½ onzas) de aceite vegetal

1 Usa 1 bandeja de 12 moldes (80 ml/⅓ de taza/2½ onzas) para muffins. Engrásala. Precalienta el horno a 200°C (400°F, marca 6).

2 Cierne las harinas, el bicarbonato de sodio y el azúcar en un bol grande: revuelve el jarabe, el plátano, los huevos, el suero de leche y el aceite sólo hasta formar una pasta.

3 Con una cuchara vierte la mezcla en la bandeja de los muffins. Hornea por unos 20 minutos. Pon los muffins en una rejilla para que se enfríen.

También, prueba esto…

Agrégale sabor a nuez añadiendo 55 g (½ taza/2 onzas)de nueces picadas a la mezcla.

Usa un endulzante distinto y prueba con miel o jarabe de maíz ligero en lugar del de maple.

PORCIONES 12

TIEMPO DE PREPARACIÓN 10 minutos

TIEMPO DE COCCIÓN 25 minutos

Muffins de mazapán y naranja

La triple combinación de ingredientes almendrados –mazapán, licor de almendras y hojuelas de almendras– dan a estos muffins una textura y sabor deliciosos.

175 g (6 onzas) de pasta de mazapán

2 huevos, ligeramente batidos

80 g (⅓ de taza/3 onzas) de mantequilla suave

200 ml (¾ de taza/7 onzas) de suero de leche

80 g (2¾ onzas) de azúcar

2 cditas. de ralladura de cáscara de naranja

2 cdas. de licor de almendras

210 g (7½ onzas) de harina

1 cdita. de polvo de hornear

1 naranja grande

Hojuelas de almendras, para decorar

PORCIONES 24

TIEMPO DE PREPARACIÓN 30 minutos

TIEMPO DE COCCIÓN 20 minutos

1 Usa 2 bandejas de 12 moldes (80 ml/⅓ de taza/2½ onzas) de muffins; cúbrelas con moldes de papel. Precalienta el horno a 180°C (350°F, marca 4).

2 Bate el mazapán, los huevos y la mantequilla con una cuchara de madera hasta alisar. Incorpora el suero de leche, el azúcar, la ralladura de naranja y el licor; revuelve con la cuchara hasta lograr una mezcla ligera y esponjada.

3 Cierne la harina y el polvo de hornear en un bol grande. Agrega la mezcla de mazapán y remueve sólo hasta que se incorpore.

4 Pela la naranja (quítale la membrana), sepárala en gajos y parte éstos a la mitad.

5 Pon 1 cda. de la mezcla en cada molde de papel y coloca una mitad de gajo de naranja encima. Vierte más mezcla hasta cubrir las dos terceras partes. Esparce las hojuelas de almendras.

6 Hornea por unos 20 minutos hasta dorar. Pon las charolas en una rejilla para que se enfríen los muffins.

También, prueba esto...

Para hacer muffins de chocolate y manzana, reemplaza la ralladura de naranja y el licor por ½ cda. de canela molida, 2 cdas. de avellana y ½ cda. de cacao en polvo. Pela, parte en mitades y quita el corazón a 2 manzanas ácidas. Córtalas en cubos y agrégalas a la mezcla antes del paso 3. Continúa según la receta original.

Magdalenas de jengibre

La combinación del jengibre molido, el fresco y el cristalizado, le da a estas deliciosas Magdalenas un sabor por capas que resulta irresistible.

165 g (1 ⅓ tazas/5 ¾ onzas) de harina

1 cda. de jengibre molido

1 cda. de mostaza en polvo

1 cda. de bicarbonato de sodio

½ cdita. de canela molida

1 pizca de clavos de olor molidos

95 g (½ taza/3 ¼ onzas) de azúcar morena

90 g (¼ de taza/3 ¼ onzas) de melaza

2 cdas. de aceite vegetal

2 claras de huevo

125 ml (½ taza/4 onzas) de suero de leche

1 jengibre fresco de 5 cm (2 pulgadas)

60 g (½ taza/2 ¼ onzas) de azúcar glass

2 cdas. de jengibre cristalizado picado

PORCIONES 12

TIEMPO DE PREPARACIÓN 15 minutos

TIEMPO DE COCCIÓN 20 minutos

1 Usa 1 bandeja de 12 moldes (80 ml/⅓ de taza/ 2½ onzas) para muffins y cúbrela con moldes de papel. Precalienta el horno a 180°C (350°F, marca 4). Cierne la harina, el jengibre, la mostaza, el bicarbonato de sodio, la canela y los clavos de olor en un bol.

2 Pon el azúcar, la melaza y el aceite en un bol grande y bate hasta combinar. Incorpora las claras de huevo, una a una, hasta que la mezcla tenga una textura ligera. Vierte, alternando, la mezcla de harina y el suero de leche en la del azúcar; empieza y termina con la harina. Vierte con una cuchara la mezcla en los moldes. Hornea por 20 minutos o hasta que un palillo insertado en el centro de uno de los pasteles salga seco. Coloca la bandeja en una rejilla y déjalos enfriar completamente.

3 Pela el jengibre fresco y rállalo finamente. Exprímelo y obtén 2 cdas. de jugo. Combínalo con el azúcar glass en un bol y haz un glaseado. Añade un poco de agua si es necesario. Esparce el glaseado sobre las Magdalenas y luego el jengibre cristalizado.

Consejo práctico

Para extraer la máxima cantidad de jugo del jengibre fresco rallado, presiónalo con los dedos, contra un colador de té o una muselina y exprime. El jengibre puede ayudar a aliviar enfermedades de locomoción y acidez gástrica.

Muffins de chabacano y nuez

Los muffins son buenos en el desayuno y la merienda;
también son un gran acompañamiento a la hora del café.
Esta delicada versión con especias está llena del sabor de frutas frescas y frutos secos.

335 g (12 onzas) de harina

3 cditas. de polvo de hornear

100 g (3½ onzas) de azúcar morena

1 cdita. de canela molida

3 cdas. de salvado de trigo

1 cdita. de ralladura de cáscara
de limón

240 ml (1 taza/8 onzas) de leche

2 huevos, ligeramente batidos

60 g (¼ de taza/2 onzas) de
mantequilla, derretida

225 g (8 onzas) de chabacanos
maduros, sin hueso y en cubos

55 g (2 onzas) de nueces picadas

PORCIONES 12

TIEMPO DE PREPARACIÓN 25 minutos

TIEMPO DE COCCIÓN 20-25 minutos

1 Usa 1 bandeja para muffins de 12 moldes (80 ml/⅓ de taza/ 2½ onzas). Engrásala un poco. Precalienta el horno a 200°C (400°F, marca 6).

2 Cierne la harina, el polvo de hornear, el azúcar y la canela en un bol. Añade el salvado de trigo y la ralladura de limón. Vacía la leche, los huevos y la mantequilla en un tazón; mezcla bien. Incorpora los ingredientes secos; agrega los chabacanos y nueces. Mezcla hasta combinar.

3 Con cuchara llena las dos terceras partes de los moldes con la mezcla. Hornea por 20-25 minutos o hasta que se esponjen y doren y que un palillo insertado en el centro de un muffin salga limpio. Déjalos en la bandeja por 2-3 minutos; luego desmóldalos y déjalos enfriar por completo en una rejilla. Sírvelos el mismo día.

También, prueba esto...

Para muffins de frambuesa, usa 220 g (1⅔ tazas/8 onzas) de frambuesas frescas en lugar de chabacanos. Usa cáscara de naranja en lugar de la de limón y omite las nueces.

Panecillos de arándanos secos

Estos panecillos de frutas se deshacen en la boca.

375 g (13 onzas) de harina preparada con levadura

55 g (2 onzas) de azúcar extrafina

310 g (1 1/4 tazas) de crema agria

30 g (1 onza) de mantequilla, derretida

1 huevo grande, ligeramente batido

150 g (1 taza/5 1/2 onzas) de arándanos secos endulzados

60 g (2 onzas) de azúcar glass

1 cdita. de ralladura de cáscara de naranja

1 cda. de jugo de naranja recién exprimido

PORCIONES 18

TIEMPO DE PREPARACIÓN 5 minutos

TIEMPO DE COCCIÓN 15 minutos

1 Usa 2 bandejas grandes para hornear y cúbrelas con papel para hornear. Precalienta a 200°C (400°F, marca 6). Mezcla la harina y el azúcar en un bol grande; forma un volcán. Mezcla la crema agria, la mantequilla y el huevo en un bol pequeño y vierte todo en el hueco. Revuelve con un tenedor; incorpora los arándanos. Con las manos enharinadas, amasa suavemente en el bol hasta formar una pasta homogénea.

2 Pon la masa en una superficie enharinada y forma un cuadrado de unos 23 cm (9 pulgadas) y de 2.5 cm (1 pulgada) de espesor. Corta 9 piezas cuadradas de 7.5 cm (3 pulgadas).

Córtalas en dos triángulos. Coloca éstos en las bandejas para hornear a unos 2.5 cm (1 pulgada) de distancia. Hornea hasta dorar, unos 15 minutos.

3 Pon una rejilla sobre un papel para hornear. Mezcla el azúcar glass, la ralladura y el jugo para el glaseado. Coloca los panecillos sobre la rejilla y mientras estén calientes, cúbrelos con glaseado por encima.

También, prueba esto...

Si no consigues arándanos secos, usa uvas pasas o cerezas secas y sustituye la ralladura de naranja por de limón.

Muffins para desayunar

Estos muffins son perfectos para desayunar, pues proporcionan la energía que el cuerpo necesita por la mañana. Ofrecen mucha fibra por la harina integral, el germen de trigo y las uvas pasas.

85 g (½ taza/3 onzas) de harina integral

150 g (1 ¼ tazas/5 ½ onzas) de harina

2 cditas. de bicarbonato de sodio

1 pizca de canela molida

45 g (¼ de taza/1 ½ onzas) de azúcar morena

30 g (⅓ de taza/1 onza) de germen de trigo

165 g (1 ⅓ tazas/6 onzas) de uvas pasas

220 g (1 taza/9 onzas) de yogur natural bajo en grasas

80 ml (⅓ de taza/2 ½ onzas) de aceite de girasol

1 huevo

Ralladura de cáscara de ½ naranja

60 ml (¼ de taza/2 onzas) de jugo de naranja

PORCIONES 12

TIEMPO DE PREPARACIÓN 15 minutos

TIEMPO DE COCCIÓN 15-20 minutos

1 Usa 1 bandeja de 12 moldes (80 ml/⅓ de taza/2½ onzas) para muffins. Engrásala. Precalienta el horno a 200°C (400°F, marca 6).

2 Cierne las harinas, el bicarbonato de sodio y la canela en un bol; integra las cáscaras del cernidor. Incorpora el azúcar, el germen de trigo y las pasas; forma un volcán.

3 Pon el yogur, el aceite, los huevos, la ralladura y el jugo de naranja en un bol y mezcla ligeramente. Vierte los ingredientes en el hueco. Mezcla todo hasta combinar.

4 Pon la mezcla en los moldes para muffins. Hornea de 15-20 minutos o hasta que se esponjen y estén firmes al tacto. Déjalos enfriar en la charola 2-3 minutos.

5 Es mejor comerlos recién horneados. Sin embargo, se pueden dejar enfriar por completo. Guárdalos en un recipiente hermético por 2 días.

También, prueba esto...

Sustituye las uvas pasas por ciruelas pasas o dátiles secos picados.

Para muffins de zanahoria y especias, usa 1 cda. de mezcla de especias (pimienta inglesa) en lugar de canela. Mezcla 100 g (⅔ de taza/3½ onzas) de zanahoria rallada con germen de trigo y reduce la cantidad de uvas pasas a 125 g (1 taza/4½ onzas).

Consejo práctico

El germen de trigo es el embrión del grano de trigo; contiene una alta concentración de nutrientes para alimentar a la planta. Para la dieta humana, 1 cda. de germen de trigo proporciona cerca del 25 por ciento del promedio diario requerido de vitamina B6.

Magdalenas de cereza

Conserva cerezas frescas en el congelador sin tallo ni semillas. Primero, congélalas en una bandeja en una sola capa. Luego ponlas en bolsas y guárdalas en el congelador.

500 g (1 libra 2 onzas) de cerezas dulces o agrias

185 g (¾ de taza/6½ onzas) de mantequilla

165 g (¾ de taza/5¾ onzas) de azúcar extrafina

1 cdita. de ralladura de cáscara de limón

1 cda. de Kirsch

4 huevos

280 g (2¼ tazas/10 onzas) de harina autoleudante

PORCIONES 24

TIEMPO DE PREPARACIÓN 35 minutos

TIEMPO DE COCCIÓN 20-25 minutos por charola

1 Usa 2 bandejas de 12 moldes (80 ml/⅓ de taza/ 2½ onzas) para muffins y cúbrelas con moldes de papel. Quita el tallo y las semillas a las cerezas. Precalienta el horno a 180°C (350°F, marca 4).

2 Usa una batidora eléctrica, bate la mantequilla, el azúcar, el Kirsch y la ralladura de limón en un bol hasta obtener una mezcla pálida y cremosa.

3 Incorpora los huevos poco a poco. Añade 250 g (1 taza/9 onzas) de harina cernida y revuelve bien. Pon la demás harina en un platón. Asegúrate de que las cerezas estén secas, luego pásalas sobre la harina.

4 Con cuidado, incorpora las cerezas y llena las dos terceras partes de los moldes de papel con la mezcla.

5 Hornea las Magdalenas por unos 20-25 minutos hasta que se doren. Pon las bandejas en una rejilla y déjalas enfriar. Si quieres, sírvelas con crema batida, el mismo día del horneado.

También, prueba esto...

Para Magdalenas de cereza y chocolate, en un bol pon 150 g (⅔ de taza/5½ onzas) de mantequilla y 75 g (½ taza/2½ onzas) de chocolate amargo (70% de cacao) derretidos a baño María. Deja enfriar. En otro bol pon 100 g (½ taza/3½ onzas) de azúcar, unas gotas de vainilla, 2 cdas. de vino tinto y el chocolate. Agrega los huevos y la harina como en la receta original. Añade 1 cda. de cacao en polvo y las cerezas. Vacía la mezcla en los moldes de papel y hornea. Deja enfriar las Magdalenas y báñalas con chocolate blanco derretido.

Consejo práctico

De preferencia, compra cerezas sueltas para almacenar algunas. Las cerezas frescas deben ser firmes y brillantes con tallos verdes y flexibles. Evita las frutas pegajosas o abiertas. Puedes usar un clip para quitar las semillas. En algunas tiendas de cocina venden mondacerezas.

Popovers de mora

Los *popovers* son un clásico norteamericano, y esta versión dulce es ideal para el desayuno o la merienda. La masa se hornea, con moras azules, en moldes hondos para muffins o en uno para preparar budín. Los *popovers* se sirven con bayas dulces y frescas para agregar más vitamina C.

PARA LA MASA

125 g (1 taza/4 1/2 onzas) de harina

1 cdita. de azúcar extrafina

2 huevos

250 ml (1 taza/9 onzas) de leche

80 g (1/2 taza/2 1/2 onzas) de moras azules

1 cda. de azúcar glass

PARA LA ENSALADA DE BAYAS

160 g (1/2 taza/2 1/2 onzas) de frambuesas

100 g (2/3 de taza/3 1/2 onzas) de moras azules

200 g (1 1/3 tazas/7 onzas) de fresas, en rebanadas gruesas

1 cda. de azúcar glass

PORCIONES 8

TIEMPO DE PREPARACIÓN 20 minutos

TIEMPO DE COCCIÓN 20-35 minutos

1 Usa 1 bandeja de 12 moldes hondos (80 ml/1/3 de taza/2 1/2 onzas) para muffins y engrasa 8 de ellos. Precalienta el horno a 220°C (425°F, marca 7).

2 Para hacer la masa, cierne la harina y el azúcar en un bol y forma un volcán. Rompe los huevos y vacíalos en el hueco; añade la leche y mezcla con un tenedor.

3 Usando un batidor, incorpora poco a poco la harina en el líquido para hacer una masa lisa con una consistencia de crema batida. Viértela en un tazón grande.

4 Llena la tercera parte de los moldes para muffins con la masa. Agrega las moras en la masa de cada molde, equitativamente.

5 Hornea en la rejilla central del horno por 25-30 minutos o hasta que los *popovers* se doren, esponjen y estén crujientes en las orillas.

6 Mientras, haz la ensalada de bayas. Pasa 90 g (1/3 de taza/3 1/2 onzas) de frambuesas por un cernidor de nylon para hacer un puré. Agrega las demás frambuesas al bol con las moras y las fresas. Cierne el azúcar glass sobre la fruta y mezcla suavemente para combinar.

7 Desmolda los *popovers* con un cuchillo redondeado y espolvoréales el azúcar glass. Sírvelos calientes, con la ensalada de bayas.

También, prueba esto...

Usa moras azules congeladas; descongélalas y escúrrelas. También puedes usar frambuesas y moras congeladas para la ensalada.

Para una masa dulce para budín horneado, haz una masa como en la receta original, agrega 4 cdas. de agua fría. Vacíala en un recipiente para hornear de 1.5 litros (6 tazas/52 onzas), y engrásalo un poco con mantequilla. Hornea por 30-35 minutos o hasta que esté crujiente y esponje bien. Pon 1 cda. de ensalada de bayas en el centro del budín aún caliente y esparce 2 cdas. de hojuelas de almendras tostadas y cierne el azúcar glass encima. Sirve de inmediato.

Consejo práctico

No es necesario desechar la fruta muy madura. Hazla puré con un poco de azúcar extrafina y jugo de limón. Se puede servir como salsa sobre pan caliente o postres fríos. También, mézclala con yogur, crema batida muy espesa o un queso suave, como ricotta, para hacer un postre delicioso.

Galletas afrutadas

Puedes variar las especias en esta receta. Una cucharadita de cilantro molido le va muy bien.

125 g (½ taza/4½ onzas) de mantequilla suave

80 g (⅓ de taza/2¾ onzas) de azúcar morena

1 huevo

200 g (1⅓ tazas/7 onzas) de harina integral

½ cdita. de ralladura de limón

4 gotas de extracto de almendras amargas

½ cdita. de mezcla de especias (pimienta inglesa)

60 g (½ taza/2 onzas) de uvas pasas sultanas (sin semillas)

Azúcar glass

PORCIONES 30

TIEMPO DE PREPARACIÓN 35 minutos

TIEMPO DE COCCIÓN 15 minutos por bandeja

1 Usa 2 bandejas grandes para hornear; cúbrelas con papel para hornear. Precalienta el horno a 180°C (350°F, marca 4). Pon la mantequilla y el azúcar en un bol; bate hasta esponjar. Separa la yema de la clara; agrega la yema a la mezcla de mantequilla. Bate la clara de huevo con unas gotas de agua fría; déjala enfriar a un lado.

2 Agrega la harina, la ralladura, el extracto, las especias y las sultanas a la mezcla de mantequilla. Amasa hasta obtener una masa lisa. En una superficie de trabajo enharinada haz un cilindro de 1 cm de diámetro con la masa. Corta 30 piezas de 5 mm de espesor, luego aplánalas un poco.

3 Pon las piezas en las bandejas y pícalas varias veces con un tenedor. Hornea por 10 minutos; las galletas deben tener un color amarillo pálido.

4 Retíralas del horno. Barnízalas con las claras de huevo, espolvoréales encima el azúcar glass y hornéalas por 5 minutos. Sácalas del horno. Enfríalas sobre la charola por 5 minutos; luego pásalas a una rejilla para que se enfríen completamente.

Shortbread

Esta deliciosa galleta rica en mantequilla proviene de Escocia;
puede conservarse en un recipiente hermético por unas 4 semanas.

210 g (1 ²/₃ tazas/7 ¹/₂ onzas) de harina

50 g (¹/₂ taza/1 ³/₄ onzas) de fécula de maíz

110 g (¹/₂ taza/3 ³/₄ onzas) de azúcar extrafina

55 g (¹/₂ taza/2 onzas) de almendras blanqueadas y molidas

100 g (³/₄ de taza/3 ¹/₂ onzas) de azúcar glass

190 g (³/₄ de taza/7 ¹/₂ onzas) de mantequilla suave

PORCIONES 24

TIEMPO DE PREPARACIÓN 25 minutos más 1 ¹/₂ horas para enfriar

TIEMPO DE COCCIÓN 30 minutos

1 Usa una bandeja grande para horno y cúbrela con papel para hornear. En un bol, pon todos los ingredientes; con un tenedor mézclalos hasta que estén bien batidos. En una superficie de trabajo enharinada, amásalos para formar una masa lisa. Vacíala en un bol y cúbrela con una película auto-adherente, refrigera por 30 minutos.

2 Forma dos bolas con la masa. Ponlas en la charola y aplánalas con las manos para hacer círculos de un dedo de espesor.

3 Con un cuchillo marca con suavidad en cada uno 12 triángulos iguales. Con un tenedor, pica cada círculo en intervalos regulares y presiona las orillas con las puntas. Refrigera los círculos por 1 hora más o menos.

4 Pon la charola en el horno a 180°C (350°F, marca 4); hornea el *shortbread* por unos 30 minutos hasta que esté un poco dorado. Retíralo del horno. Déjalo enfriar 15 minutos, luego pásalo a una rejilla para que se enfríe por completo.

Galletas de cacahuate

Estas ricas galletas también son buenas si no se usa la cáscara de naranja
y se añaden a la masa unos cuantos cubos de chocolate.

125 g (1 taza/4½ onzas) de harina

1 cdita. de polvo de hornear

75 g (2½ onzas) de azúcar morena

70 g (2½ onzas) de mantequilla

60 g (¼ de taza/2¼ onzas) de mantequilla de cacahuate

1 huevo

½ cdita. de mezcla de especias (pimienta inglesa)

1 cdita. de ralladura de cáscara de naranja

PORCIONES 12

TIEMPO DE PREPARACIÓN 25 minutos

TIEMPO DE COCCIÓN 15 minutos

1 Usa una bandeja para horno y cúbrela con papel para hornear. Precalienta el horno a 190°C (375°F, marca 5).

2 Cierne la harina y el polvo de hornear en un bol grande. Agrega los demás ingredientes y mezcla hasta obtener una masa lisa usando una batidora eléctrica o a mano.

3 Usa 2 cucharitas para formar 12 montoncitos iguales con la mezcla en una bandeja para hornear, con una distancia de 2.5 cm (1 pulgada).

4 Hornea las galletas por 12-15 minutos. Retíralas del horno. Déjalas en la charola por 2-3 minutos para que se enfríen y endurezcan. Pásalas a una rejilla para que se enfríen por completo.

Consejo práctico

Para hacer mantequilla de cacahuate, pon 80 g (3 onzas) de cacahuates tostados, sin sal, en un procesador. Mezcla hasta obtener trozos gruesos. Retira la mitad y procesa el resto. Añade 1 cda. de aceite de semilla de girasol.

Galletas de almendra

Estas sencillas galletas requieren de pocos ingredientes y se hacen rápidamente.

40 g (¼ de taza/1½ onzas) de almendras blanqueadas

1 huevo

110 g (4 onzas) de azúcar extrafina

½ cdita. de polvo de hornear

55 g (2 onzas) de almendras molidas

120 g (1 taza/4½ onzas) de sémola

½ cdita. de ralladura de cáscara de limón

4 gotas de extracto de almendra

PORCIONES 16

TIEMPO DE PREPARACIÓN 25 minutos

TIEMPO DE COCCIÓN 10 minutos

1 Usa una bandeja grande para horno y cúbrela con papel para hornear. Precalienta el horno a 200°C (400°F, marca 6). Pica las almendras muy finamente. Espárcelas en un plato y déjalas aparte.

2 Pon el huevo y el azúcar en un bol y bate hasta lograr una mezcla pálida y esponjada. Añade los demás ingredientes; bate bien.

3 Con las manos húmedas, forma con la masa 16 bolas del tamaño de una nuez. Sumerge cada una en las almendras reservadas. Acomoda las bolas a 2 cm (¾ de pulgada) de distancia una de otra, con las almendras hacia arriba, en la bandeja.

4 Hornéalas por 8-10 minutos hasta que se levanten bien y doren. Déjalas enfriar en la bandeja por 1 minuto, luego pásalas a una rejilla para que se enfríen por completo. Espolvoréales encima un poco de azúcar glass, si lo deseas. Guarda las galletas en una jarra o un recipiente hermético.

Piedras de manzana y granola

Un poco de manzana picada hace a estos pasteles piedra suaves y afrutados. Es una muy buena receta para que la hagan los miembros jóvenes de la familia. No sólo les será fácil dominar las habilidades básicas de cocinar, sino que además disfrutarán los resultados de su trabajo.

225 g (1 ¾ tazas/8 onzas) de harina preparada con levadura

100 g (⅓ de taza/3 ½ onzas) de mantequilla, en trozos pequeños

45 g (¼ de taza/2 onzas) de azúcar morena, y un poco más para espolvorear

1 cdita. de canela molida

2 manzanas, peladas y en cubos

75 g (¾ de taza/2 ½ onzas) de granola sin azúcar

1 huevo, ligeramente batido

4-5 cdas. de leche baja en grasas

PORCIONES 24

TIEMPO DE PREPARACIÓN 20 minutos

TIEMPO DE COCCIÓN 15 minutos por bandeja

1 Usa 2 bandejas para hornear y engrásalas ligeramente. Precalienta el horno a 190°C (375°F, marca 5). En un bol pon la harina, añade la mantequilla y revuelve con la punta de los dedos hasta lograr una especie de migas de pan.

2 Incorpora el azúcar cernida, la canela, los cubos de manzana y la granola. Añade el huevo y suficiente leche para amasar.

3 Deja caer 24 cdas. de la mezcla en las bandejas dejando espacio entre ellas para que levanten. Espolvoréales el azúcar. Hornéalas por 15 minutos o hasta que doren y estén firmes al tacto.

4 Pásalas a una rejilla para que se enfríen. Se pueden guardar herméticamente por 2 días.

También, prueba esto...

Reemplaza la granola por una mezcla de 3 cdas. de avena enrollada, 2 cdas. de semillas de girasol o ajonjolí y 55 g (⅓ de taza/2 onzas) de almendras, avellanas, o de los frutos secos de tu elección, finamente picados.

Para hacer pasteles piedra tropicales, cambia las manzanas, la granola y la canela por 55 g (⅔ de taza/2 onzas) de coco rallado y 170 g (2⅓ tazas/6 onzas) de frutas secas listas para comer, como mango, piña y papaya, picadas.

Galletas de merengue y nuez

Una cantidad de estas bonitas galletas pequeñas hacen un atractivo regalo.

60 g (½ taza/2¼ onzas) de nueces

60 g (½ taza/2¼ onzas) de azúcar glass, y algo más para espolvorear

4 cditas. de cacao en polvo sin azúcar

½ cdita. de canela

2 claras de huevo grandes

PORCIONES 36

TIEMPO DE PREPARACIÓN 10 minutos

TIEMPO DE COCCIÓN 30 minutos por bandeja

1 Usa 2 bandejas grandes para horno y cúbrelas con papel para hornear. Precalienta el horno a 150°C (300°F, marca 2). Tuesta las nueces en una cacerola pequeña, removiéndolas hasta que estén crujientes, unos 7 minutos. Enfríalas un poco y pícalas toscamente.

2 Cierne el azúcar, el cacao en polvo y la canela en un plato.

3 Con una batidora eléctrica, bate las claras de huevo a punto de turrón e incorpora suavemente la mezcla de cacao con una cuchara de madera. Añade las nueces.

4 Deja caer generosas cditas. de la masa en las bandejas, a unos 2.5 cm (1 pulgada) una de otra. Hornéalas 20 minutos o hasta que se cuezan. Ponlas en una rejilla para que se enfríen. Espolvoréales azúcar glass antes de servirlas.

Consejo práctico

Como los merengues son muy sensibles a la humedad (se ponen pegajosos), es mejor hornearlos en un día seco. Cuando estén fríos, guárdalos en un recipiente hermético. Si vives en un lugar de clima húmedo, congélalos en una bolsa sellable.

Barritas de dátil

Estas barras son magníficas para la lonchera, así como a la hora del café y el té. Esta receta contiene dátiles para una dulzura natural, y frutos secos y semillas de girasol para hacerlas crujientes.

100 g (⅓ de taza/3⅓ onzas) de mantequilla sin sal

3 cdas. de aceite de girasol

55 g (¼ de taza/2 onzas) de azúcar morena clara

60 ml (¼ de taza/2 onzas) de miel clara

Ralladura de cáscara de 1 naranja

2 cdas. de jugo de naranja

110 g (⅔ de taza/3½ onzas) de dátiles secos, sin semilla y picados

75 g (¾ de taza/2½ onzas) de nueces, picadas

250 g (2½ tazas/9 onzas) de hojuelas de avena

30 g (¼ de taza/1 onza) de semillas de girasol

PORCIONES 16

TIEMPO DE PREPARACIÓN 15 minutos

TIEMPO DE COCCIÓN 20 minutos

1 Usa un molde para hornear poco profundo y autoadherente de 28 x 18 x 2.5 cm (11 x 7 x 1 pulgadas). Engrásalo ligeramente. Precalienta el horno a 180°C (350°F, marca 4).

2 Pon la mantequilla, el aceite, el azúcar, la miel, la ralladura y el jugo de naranja en un sartén de base pesada. Calienta suavemente, hasta que la mantequilla se derrita. Retira del fuego y añade los dátiles y las nueces. Agrega la avena, moviendo hasta que se cubra con la mezcla.

3 Con una cuchara, vierte la mezcla en el molde, presionándola uniformemente. Esparce las semillas de girasol y presiónalas para que se incrusten.

4 Hornea por 20 minutos. Retira del horno, deja enfriar. Con un cuchillo afilado, marca la superficie en 16 partes iguales.

5 Deja enfriar por completo, en el molde, antes de cortar por las líneas. Las barras pueden guardarse en un recipiente hermético por 1 semana.

También, prueba esto...

Para una textura y sabor a coco, agrega 30 g (⅓ de taza/1 onza) de coco endulzado deshidratado (rallado), y reduce el azúcar a la misma cantidad.

Esparce semillas de calabaza encima, en lugar de las de girasol.

Para barras de chabacano y avellana, usa 110 g (2⅓ taza /3½ onzas) de chabacanos secos, picados, en lugar de dátiles. En lugar de nueces, usa 75 g (¾ de taza/2½ onzas) de avellanas picadas.

Para barras de granola y jengibre, haz una mezcla de mantequilla como en la receta original, pero usa sólo 2 cdas. de miel y reemplaza la cáscara y el jugo de naranja por 2 cdas. de jugo de manzana, 2 piezas de jengibre en conserva finamente picado y 1 cda. de jarabe de jengibre. Añade 340 g (2⅓ tazas/12 onzas) de granola con la fruta seca y los frutos secos. Antes de hornear, esparce encima hojuelas de almendra.

Consejo práctico

La avena es una fuente de fibra que ayuda a reducir los niveles de colesterol en la sangre. Las semillas de girasol son una rica fuente de vitamina E y proporcionan vitamina B_1, niacina y cinc.

Pretzels de chocolate

Si te gusta que la figura de los pretzels sea lo más uniforme posible, haz una plantilla y traza las figuras en las hojas de papel para hornear. Luego, con una dulla sigue el contorno con la masa.

250 g (1 taza/9 onzas) de
   mantequilla suave

400 g (14 onzas) de azúcar glass

1 huevo entero más 1 yema

350 g (2¾ tazas/12 onzas) de
   harina llana

2-3 cdas. de cacao en polvo
   sin azúcar

10 g (1 cda.) de mantequilla

Chispas de chocolate (opcional)

PORCIONES 100

TIEMPO DE PREPARACIÓN 35 minutos

TIEMPO DE COCCIÓN 10-15 minutos
   por bandeja

1 Usa 4 bandejas para hornear. Bate la mantequilla en un bol hasta esponjar. Agrega 100 g (¾ de taza/3½ onzas) de azúcar glass e incorpora el huevo y la yema, y mezcla bien. Cierne la harina sobre la masa y bate.

2 Precalienta el horno a 200°C (400°F, marca 3-4). Corta 4 piezas de papel para hornear que cubran las bandejas y con una plantilla o un molde de galletas dibuja las figuras de los pretzels. Pon los papeles sobre las bandejas. Llena la dulla; la boquilla debe ser pequeña, redonda y plana.

3 Sigue las líneas con la dulla. Hornea, una bandeja a la vez, por 10-15 minutos o hasta que se doren los pretzels. Retíralos del horno y pásalos a una rejilla; déjalos enfriar.

4 Para hacer el glaseado, combina el azúcar glass restante con el cacao y unas 2 cdas. de agua hirviendo. Sumerge los pretzels en el glaseado y sécalos en una rejilla cubierta con papel aluminio. Antes de que se sequen por completo, espárceles encima chispas de chocolate, si lo deseas.

También, prueba esto...

Estos pretzels también saben bien si se cubren con chocolate amargo derretido (sin azúcar) (con 70% de contenido de cacao), en lugar del glaseado de azúcar y cacao.

Galletas de cacao y nuez

La combinación de cacao y nueces en estas fáciles galletas asegura
su rápida desaparición del frasco.

250 g (1 taza/9 onzas) de
mantequilla suave

275 g (1 ¼ tazas/9¾ onzas) de
azúcar blanca (granulada)

250 g (2 tazas/9 onzas) de harina

230 g (8 onzas) de nueces molidas

2 cdas. de cacao en polvo

2 cditas. de canela molida

2 cditas. de polvo de hornear

1 clara de huevo

80 mitades de nueces para decorar

PORCIONES 80

TIEMPO DE PREPARACIÓN 30 minutos
más una noche de refrigeración

TIEMPO DE COCCIÓN 12-15 minutos
por bandeja

1 Usa bandejas grandes para
horno y cúbrelas con papel
para hornear. Con una batidora
eléctrica, bate la mantequilla y el
azúcar en un bol grande hasta que
la mezcla esté ligera y esponjosa.
Cierne la harina y combina las
nueces, el cacao en polvo, la canela
y el polvo de hornear. Agrega la
mezcla de mantequilla. Amasa con
las manos enharinadas hasta
formar una pasta lisa.

2 Forma con la pasta 8 cilindros,
de unos 40 cm (16 pulgadas) de
largo. Envuélvelos con película
autoadherente y déjalos toda la
noche en el refrigerador.

3 Precalienta el horno a 180°C
(350°F, marca 4). En una
superficie de trabajo enharinada,
corta cada cilindro en 10 piezas
iguales y forma bolas de igual
tamaño. Ponlas en las bandejas.
Haz un hueco encima de cada bola
para las nueces.

4 Bate la clara de huevo en un
bol y sumerge ahí la parte de
abajo de las nueces; luego presiónalas en los huecos. Hornea, una
bandeja a la vez, por 12-15 minutos
hasta que se doren las galletas.
Retíralas del horno, enfríalas un
poco, y pásalas a una rejilla para
que se enfríen por completo.

Medias lunas de vainilla

Si tienes prisa, congela la masa por 1 o 2 horas en lugar de dejarla refrigerar toda la noche.

275 g (2¼ tazas/9½ onzas) de harina

200 g (¾ de taza/7 onzas) de mantequilla, fría y en cubos

100 g (½ taza/3½ onzas) de azúcar extrafina

100 g (1 taza/3½ onzas) más 1 cda. de almendras molidas

55 g (¼ de taza/2 onzas) de azúcar extrafina

PORCIONES 75

TIEMPO DE PREPARACIÓN 40 minutos más toda la noche para enfriar

TIEMPO DE COCCIÓN 10-12 minutos por bandeja

1 Usa bandejas grandes para horno y cúbrela con papel para hornear. Pon la harina, la mantequilla, el azúcar y 100 g de almendras en un bol. Amasa hasta obtener una pasta desmoronadiza.

2 Pon la pasta en una bolsa sellable. Con un rodillo haz un rectángulo de unos 2.5 cm (1 pulgada) de espesor. Refrigera toda la noche.

3 Precalienta el horno a 180°C (350°F, marca 4). Saca la masa de la bolsa y corta 3 tiras largas. Corta cada una en 25 piezas (de unos 10 cm/4 pulgadas) de largo.

4 Dales la forma de media luna en una superficie de trabajo un poco enharinada. Ponlas en las bandejas a 2 cm de distancia una de otra.

5 Hornea, una bandeja a la vez, por 10-12 minutos hasta que obtengan un color amarillo pálido. Mezcla el azúcar y el resto de la canela; voltea las medias lunas en la mezcla mientras estén calientes. Colócalas en una rejilla para que se enfríen.

Círculos almendrados

La masa debe estar lo suficientemente suave para poder dar forma a las galletas con una dulla.

250 g (1 taza/9 onzas) de mantequilla suave

200 g (1 taza/7 onzas) de azúcar blanca (granulada)

2 yemas de huevo

1 cda. de ron

150 g (1½ tazas/5½ onzas) de almendras molidas

350 g (12 onzas) de harina

2-3 cdas. de leche

150 g (5½ onzas) de chocolate fino

PORCIONES 70

TIEMPO DE PREPARACIÓN 45 minutos

TIEMPO DE COCCIÓN 12-15 minutos por bandeja

1 Usa 2 bandejas grandes cubiertas con papel para hornear. Precalienta el horno a 180°C (350°F, marca 4). Bate la mantequilla, el azúcar, las yemas de huevo y el ron hasta lograr una crema ligera y esponjosa. Alternando, añade las almendras y la harina con la leche.

2 Con una cuchara, llena de masa una dulla que tenga una boquilla con forma de estrella. Forma unos 70 círculos con la masa sobre las bandejas, a 2.5 cm (1 pulgada) uno de otro; las galletas no deben ser demasiado delgadas ya que es probable que se rompan después. Hornea, una bandeja a la vez, por 12-15 minutos hasta que las galletas se doren. Enfríalas en las bandejas por unos minutos, luego pásalas a una rejilla.

3 Derrite el chocolate en un bol a baño María. Sumerge la mitad de cada galleta en el chocolate. Ponlas sobre papel para hornear y déjalas enfriar.

Galletas de nuez refrigeradas

La masa se hace por anticipado y se guarda en el congelador hasta que desees hornearla.

220 g (1 ¾ tazas/7 ½ onzas) de harina

½ cdita. de canela molida

¼ de cdita. de bicarbonato de sodio

60 g (¼ de taza/2 ¼ onzas) de mantequilla

140 g (²⁄₃ de taza/5 onzas) de azúcar blanca (granulada)

85 g (⅓ de taza/3 onzas) de azúcar morena

1 huevo grande

1 cdita. de extracto de vainilla

90 g (⅓ de taza/3 ¼ onzas) de crema agria, baja en grasas

40 g (⅓ de taza/1 ½ onzas) de nueces pacanas, tostadas

PORCIONES 72

TIEMPO DE PREPARACIÓN 20 minutos

TIEMPO DE COCCIÓN 20 minutos

1 Usa bandejas grandes para hornear . Cierne la harina, la canela y el bicarbonato de sodio. En un bol y con una batidora eléctrica, a nivel alto, bate la mantequilla y los azúcares hasta lograr una mezcla esponjosa y pálida unos 4 minutos. Pon el huevo y la vainilla, bate hasta combinar bien. Añade la harina con una cuchara de madera, agrega la crema agria y las nueces.

2 Corta un trozo de película autoadherente de 50 cm (20-pulgadas) y espolvorea con harina. Pasa la masa ahí y haz un tronco de 38 cm (15 pulgadas) de largo. Envuélvelo en el plástico y refrigéralo unas 2 horas. (También, puedes envolver la masa en papel aluminio y congélarla por 1 mes.)

3 Precalienta el horno a 190°C (375°F, marca 5). Haz rebanadas de unos 3 mm (⅛ de pulgada) de espesor para formar unas 72 galletas. Ponlas en bandejas sin grasa a 1 cm (½ pulgada) una de otra. Hornéalas hasta que estén crujientes y la orilla dorada. Si la masa es congelada, déjalas hornear por 10 minutos más. Pásalas a una rejilla y déjalas enfriar. Guárdalas en un recipiente hermético.

También, prueba esto...

¿Te gusta el chocolate? Al comienzo del paso 1, cierne 40 g (⅓ de taza/1½ onzas) de cacao sin azúcar a la mezcla de la harina. Aumenta la mantequilla a 90 g (⅓ de taza/3¼ onzas) y la crema agria a 125g (½ taza/4½ onzas).

Galletas de chocolate y avena

Son magníficas para el frasco de galletas y para la lonchera.

125 g (1 taza/4½ onzas) de harina

½ cdita. de bicarbonato de sodio

½ cdita. de sal

100 g (1 taza/3½ onzas) de hojuelas de avena

4 cdas. de mantequilla

125 g (⅔ de taza/4½ onzas) de azúcar morena

110 g (½ taza/3¾ onzas) de azúcar blanca (granulada)

1 huevo grande

1 cdita. de extracto de vainilla

90 g (⅓ de taza/3¼ onzas) de crema agria baja en grasas

130 g (¾ de taza/4½ onzas) de chispas de chocolate oscuro

PORCIONES 36

TIEMPO DE PREPARACIÓN 15 minutos

TIEMPO DE COCCIÓN 20 minutos

1 Usa 2 bandejas grandes para horno. Cúbrelas con papel para hornear. Precalienta el horno a 190°C (375°F, marca 5). Cierne la harina, el bicarbonato de sodio y la sal en un bol. Añade la avena.

2 Pon la mantequilla y el azúcar en un bol. Con la batidora eléctrica a nivel alto, bate hasta lograr una mezcla esponjosa. Añade el huevo y la vainilla y bate hasta que esté cremosa y amarilla clara, por unos 3 minutos. Mezcla la crema con una cuchara de madera. Agrega la mezcla de harina de golpe y combina. Añade las chispas de chocolate.

3 En las bandejas pon cdas. de masa a 5 cm (2 pulgadas) una de otra. Hornea hasta dorar, unos 10 minutos. Enfríalas 2 minutos; pásalas a una rejilla para que se enfríen. Guárdalas herméticamente por 2 semanas o congélalas por 3 meses.

Consejo práctico

La crema agria baja en grasas ayuda a mantener la característica de derretimiento y un bajo contenido de grasas. La avena ayuda a la buena salud del corazón.

Galletas de jengibre y frutas

Es una versión saludable de la tradicional favorita. Puedes comprar moldes de galletas decorativos y dejar que los niños corten las figuras, estrellas o árboles de Navidad.
Pica fruta seca o frutos secos para decorar.

85 g (²/₃ de taza/3 onzas) de harina

85 g (²/₃ de taza/3 onzas) de harina integral

½ cdita. de bicarbonato de sodio

2 cdas. de jengibre molido

½ cdita. de canela molida

60 g (¼ de taza/2¼ onzas) de mantequilla

80 ml (⅓ de taza/2½ onzas) de jarabe de maíz

PORCIONES 12

TIEMPO DE PREPARACIÓN 8-10 minutos

TIEMPO DE COCCIÓN 10-15 minutos

1 Usa una bandeja grande para hornear; engrásala ligeramente. Precalienta el horno a 190°C (375°F, marca 5). Cierne las harinas, el bicarbonato de sodio, el jengibre y la canela en un bol, deja las cáscaras que quedan en el cernidor.

2 Pon la mantequilla y el jarabe en una cacerola y derrítelos a fuego lento, moviendo de vez en cuando. Vierte la mezcla en los ingredientes secos. Mezcla hasta tener una masa firme.

3 Toma una parte de la masa del tamaño de una nuez, haz una bola con las manos. Presiónala y forma un círculo de 6 cm (2½ cm) de diámetro y ponlo en la bandeja. En una superficie de trabajo enharinada extiende la masa restante con un rodillo; corta figuras decorativas.

4 Hornea las galletas por 8-10 minutos o hasta que levanten y estén un poco doradas. Enfríalas en la bandeja por 2-3 minutos o hasta que estén lo suficientemente firmes para levantarlas sin que se rompan; pásalas a una rejilla para que se enfríen. Guárdalas en un recipiente hermético hasta por 5 días.

También, prueba esto...

Para galletas de avena y naranja, en lugar de usar toda la harina integral, usa sólo 45 g (⅓ de taza/1½ onzas) y 50 g (½ taza/2 onzas) de avena en hojuelas. Agrega la ralladura de la cáscara de 1 naranja e incorpórala a la mezcla de mantequilla derretida. Usa 2 cdas. de jugo de naranja para integrar la mezcla de la mantequilla con los ingredientes secos. Mezcla para tener una masa suave. Sigue la preparación de la receta original.

Para galletas de jengibre y frutas, pela y ralla una manzana, viértela en la mezcla de harina con 60 g (½ taza/2¼ onzas) de uvas pasas sultanas (sin semilla) y la ralladura de la cáscara de 1 limón. Da forma y hornea como la receta original.

Bocadillos energéticos

Estas galletas avellanadas animarán la hora del café o serán excelentes bocadillos para el recreo. Satisfacen y están llenas de ingredientes saludables para restaurar los niveles de energía bajos.

60 g (½ taza/2¼ onzas) de avellanas, finamente picadas.

60 g (½ taza/2¼ onzas) de semillas de girasol, finamente picadas

60 g (2¼ onzas) de chabacanos secos, finamente picados

55 g (2 onzas) de dátiles secos sin semilla, finamente picados.

1 cda. de azúcar morena

50 g (⅓ de taza/¾ de onza) de hojuelas de cebada

60 g (½ taza/2¼ onzas) de harina integral con levadura

½ cdita. de polvo de hornear

2 cdas. de aceite de girasol

80 ml (⅓ de taza) de jugo de manzana

PORCIONES 16

TIEMPO DE PREPARACIÓN 20 minutos

TIEMPO DE COCCIÓN 10-15 minutos

1 Usa una bandeja para hornear, grande, engrásala ligeramente. Precalienta el horno a 190°C (375°F, marca 5). Mezcla las avellanas, las semillas de girasol, los chabacanos y los dátiles en un bol grande. Añade la azúcar, la cebada, la harina y el polvo de hornear; mezcla bien para combinar.

2 Mezcla el aceite de girasol con el jugo de manzana. Viértelos sobre los ingredientes secos y mezcla hasta que la masa esté húmeda e incorporada.

3 Con los dedos húmedos, forma una bola de masa del tamaño de una nuez. Presiónala para hacer una galletita de 5 cm (2½ pulgadas); ponla en la bandeja. Repite con el resto de la masa.

4 Hornea las galletas por 10-15 minutos o hasta que levanten un poco y estén algo doradas. Pásalas a una rejilla para que se enfríen, luego guárdalas en un recipiente hermético hasta por 4 días.

También, prueba esto...

Usa nueces de acajú sin sal en lugar de avellanas.

Usa duraznos e higos secos picados en lugar de chabacanos y dátiles.

Sustituye las hojuelas de cebada por hojuelas de avena o maíz.

Galletas con chocochispas

A todos nos gustan las galletas con chispas de chocolate. No sólo porque son fáciles de hacer, sino porque también es sencillo crear variaciones al usar diferentes tipos de chocolate.

310 g (2½ tazas/11 onzas) de harina

1 cdita. de bicarbonato de sodio

250 g (1 taza/9 onzas) de mantequilla

115 g (½ taza/4 onzas) de azúcar extrafina

115 g (½ taza/4 onzas) de azúcar morena

1 huevo

1 cdita. de extracto de vainilla

300 g (2 tazas/10½ onzas) de chocolate oscuro (semidulce), picado

PORCIONES 40

TIEMPO DE PREPARACIÓN 40 minutos

TIEMPO DE COCCIÓN 12 minutos por bandeja

1 Usa 2 bandejas grandes para hornear. Engrásalas. Precalienta el horno a 180°C (350°F, marca 4).

2 Cierne la harina y el bicarbonato de sodio en un plato. Bate la mantequilla y el azúcar en un bol pequeño hasta lograr una mezcla ligera y esponjosa. Añade el huevo y el extracto de vainilla; bate. Pasa la mezcla a un bol grande. Añade la mezcla de la harina, luego incorpora el chocolate. Con cucharas forma bolas con la mezcla y ponlas a 2.5 cm (1 pulgada) una de otra. Hornea por unos 12 minutos.

3 Enfría un poco las galletas en las charolas. Pásalas a una rejilla para que se acaben de enfriar.

Consejo práctico

Elige el mejor chocolate que puedas comprar y guárdalo en un lugar fresco y seco. El chocolate puede tomar una apariencia blancuzca, por lo general en un clima húmedo y cálido. Al fundirse recobra su apariencia original.

También, prueba esto...

Para galletas de chocolate y frutos secos, divide la cantidad de chocolate en dos y agrega un peso igual de nueces, nueces pacanas o nueces de macadamia picadas. El chocolate y los frutos secos deben picarse en trozos grandes.

Los frutos secos tostados dan un mejor sabor. Precalienta el horno a 180°C (350°F, marca 4), esparce los frutos en una sola capa en una charola y hornéalos hasta que estén dorados y aromáticos. Mueve de vez en cuando con una cuchara de madera para asegurar un dorado parejo.

Varía el tipo de chocolate y prueba con uno amargo, de leche (dulce), blanco o una mezcla de chocolates picados, o bien chispas de chocolate de paquete. Las barras son mejores si quieres trozos grandes en tus galletas.

Para un sabor a café, disuelve 1 cda. de café instantáneo en un poco de agua y añade un huevo y omite el extracto de vainilla.

Cierne un poco de azúcar glass sobre las galletas o una mezcla de azúcar glass y cacao en polvo sin azúcar.

Rollos de higo

La dulzura y sabor de los higos secos se llevan bien con la pasta desmoronadiza.

125 g (1 taza/4½ onzas) de harina

110 g (¾ de taza/3¾ onzas) de harina integral

160 g (⅔ de taza/5½ onzas) de mantequilla sin sal, en trozos pequeños

65 g (⅓ de taza/2¼ onzas) de azúcar morena

1 cdita. de extracto de vainilla

2 yemas de huevo

250 g (1⅓ tazas/9 onzas) de higos secos, finamente picados

2 cdas. de jugo de limón

PORCIONES 20

TIEMPO DE PREPARACIÓN 35 minutos, más 30 minutos de refrigeración

TIEMPO DE COCCIÓN 12-15 minutos

1 Usa una bandeja grande para hornear. Cierne las harinas en un bol, añade las cáscaras. Incorpora la mantequilla con las manos hasta que parezca migas de pan. Agrega el azúcar, el extracto de vainilla y las yemas; bate hasta tener una masa firme; añade 1 cdita. de agua. Si prefieres, mezcla los ingredientes en un procesador de alimentos. Cubre con una película autoadherente; refrigera por 30 minutos.

2 En una cacerola de base pesada, pon los higos y 6 cdas. de agua. Déjalos hervir, baja el fuego, tápalos y déjalos cocer por 3-5 minutos, o hasta que abran. Pásalos a un bol y machácalos con un tenedor. Vierte el jugo de limón y deja enfriar.

3 Precalienta el horno a 190°C (375°F, marca 5). En una superficie enharinada, extiende la masa con un rodillo formando un rectángulo de 50 x 15 cm (20 x 6 pulgadas). Corta la masa en dos a lo largo.

4 Esparce la mitad de los higos a lo largo de cada mitad, cerca de uno de los lados largos. Pasa por encima el lado opuesto para formar un tronco, presiona las orillas para sellar.

5 Aplánalos un poco. Con un cuchillo, córtalos en 10 trozos iguales y ponlos en la bandeja. Pica varias veces con un tenedor. Hornea por 12-15 minutos o hasta que la masa esté un poco oscura.

6 Pásalos a una rejilla para que se enfríen. Se pueden guardar en un recipiente hermético por 2-3 días. No los guardes con otras galletas o se ablandarán.

Consejo práctico

Los frutos secos aportan hierro, bueno para quienes no comen carne roja. Los higos aportan una buena cantidad de calcio.

Barras de cereal

Endulzadas de modo natural, estas barras son el remate perfecto para un desayuno. También son una buena forma para hacer que la familia consuma granos y semillas poco comunes y agregar ingredientes saludables a la dieta.

2 cdas. de semilas de girasol

2 cdas. de semillas de calabaza

2 cdas. de semillas de linaza

2 plátanos

90 g (⅓ de taza/3¼ onzas) de mantequilla sin sal

60 ml (¼ de taza/2 onzas) jarabe de maíz

55 g (½ taza/2 onzas) de hojuelas de mijo

100 g (1 taza/3½ onzas) de hojuelas de avena

110 g (⅔ de taza/3¾ onzas) de dátiles secos sin semilla, toscamente picados

PORCIONES 14

TIEMPO DE PREPARACIÓN 25 minutos

TIEMPO DE COCCIÓN 30 minutos

1 Usa un molde para pastel de 28 x 18 x 4 cm (11 x 7 x 1½ pulgadas). Engrásalo y cubre la base con papel para hornear. Precalienta el horno a 180°C (350°F, marca 4). Pica toscamente los tres tipos de semillas. Pela y machaca los plátanos.

2 Derrite la mantequilla en una cacerola y vierte el jarabe de maíz. Añade las semillas los plátanos, las hojuelas de mijo, la avena y los dátiles. Mezcla bien, vierte en el molde y alisa la superficie.

3 Hornea por unos 30 minutos o hasta que dore. Deja enfriar en el molde por 5 minutos, luego rebana 14 barras. Enfríalas totalmente. Se pueden guardar en un recipiente hermético hasta por 2 días.

También, prueba esto...

En lugar de dátiles, usa chabacanos o ciruelas pasas secas picadas o una mezcla de frutas secas.

Reemplaza las hojuelas de mijo por harina, blanca o integral.

Biscotti de arándano

Biscotti significa horneado dos veces, una referencia a la técnica que le da a estas galletas italianas su característica textura dura. Tradicionalmente, se sirven después de la cena acompañadas de un vaso de Vino Santo. También son deliciosas con una ensalada de fruta fresca o una taza de café o té.

55 g (⅓ de taza/2 onzas) de almendras blanqueadas

1 huevo grande

85 g (⅓ de taza/3 onzas) de azúcar extrafina

125 g (1 taza/4½ onzas) de harina, más 1 cda. extra

½ cdita. de polvo de hornear

1 cdita. de canela molida

55 g (⅓ de taza/2 onzas) de arándanos secos

PORCIONES 20

TIEMPO DE PREPARACIÓN 30 minutos

TIEMPO DE COCCIÓN 30-40 minutos

Consejo práctico

Las almendras son una fuente de proteínas. Contienen vitamina E y vitaminas del grupo B; también aportan calcio para quienes no consumen lacteos. Los arándanos frescos y secos son una buena fuente de vitamina C.

1 Usa una bandeja para hornear grande; engrásala ligeramente. Precalienta el horno a 180°C (350°F, marca 4). Esparce las almendras en un molde para hornear; tuéstalas en el horno por 10 minutos o hasta que obtengan un color marrón claro. Déjalas enfriar.

2 Pon el huevo y el azúcar en un bol y bate con la batidora eléctrica hasta que esté gruesa y pálida, las aspas deben dejar una estela al levantarlas. Si usas una batidora mecánica o un batidor de mano, pon el bol en una cacerola con agua casi hirviendo, asegurándote de que el agua no toque la base del bol.

3 Cierne la harina, el polvo de hornear y la canela en un plato; vuelve a cernir todo sobre la mezcla de huevo. Incorpora con una cuchara de madera grande. Añade las almendras y los arándanos para hacer una masa dura.

4 Vierte la masa en la bandeja, y con las manos húmedas dale una forma de ladrillo de 25 x 6 x 2.5 cm (10 x 2¼ x 1 pulgadas). Hornea por 20 minutos o hasta que dore. Deja enfriar en la bandeja por 5 minutos; pasa a una tabla.

5 Con un cuchillo dentado, corta el ladrillo en 20 rebanadas diagonalmente. Ponlas en la bandeja y mételas al horno. Hornéalas por 10-15 minutos o hasta que se doren. Enfríalas en la charola por 5 minutos; pásalas a una rejilla para que acaben de enfriarse. El biscotti se puede guardar en un recipiente hermético hasta por 2 semanas.

También, prueba esto...

Sustituye el arándano por uvas pasas sultanas (sin semilla).

Para un sabor almendrado más fuerte, usa ⅓ de cdita. (2 onzas) de esencia de almendras (extracto) en lugar de la canela.

Para biscotti de chocolate, en lugar de arándano, pica toscamente 55 g (⅓ de taza/2 onzas) de chocolate amargo (70% de cacao).

Galletas de girasol

Estas galletas conforman un bocadillo saludable. Puedes usar diferentes semillas, frutos secos picados o una mezcla para crear una gama de sabores.

250 g (2 tazas/9 onzas) de harina

1 cdita. de ralladura de limón

1 cda. de miel

190 g (7 onzas) de mantequilla, refrigerada

1 huevo

150 g (1 ¼ tazas/5 ½ onzas) de semillas de girasol

90 g (¼ de taza/3 ¼ onzas) de miel

2-3 cdas. de crema

1 cda. de cáscara de limón

PORCIONES 60

TIEMPO DE PREPARACIÓN 40 minutos

TIEMPO DE COCCIÓN 12-15 minutos por charola

1 Usa 2 charolas grandes para horno, cubiertas con papel para hornear. Precalienta el horno a 180°C (350°F, marca 4). Pon la harina, la ralladura de limón, la miel, los 160 g (⅔ de taza/5¾ onzas) de mantequilla y el huevo en un bol grande. Mezcla para tener una masa desmoronadiza; amásala con las manos enharinadas para alisarla. Haz una bola y cúbrela con película autoadherente, refrigérala por 30 minutos.

2 Para la cubierta, en un sartén tuesta ligeramente las semillas de girasol con la miel, el resto de la mantequilla y la crema. Retira del fuego y deja enfriar.

3 En una superficie enharinada extiende la masa con un rodillo. Con un molde para galletas de 5 cm (2 pulgadas) con orillas en surcos, corta unas 60. Pásalas a las charolas. Cubre cada una con 1 cdita. de la mezcla. Hornéalas de 12-15 minutos hasta que se doren. Ponlas en una rejilla y aún calientes decóralas con la cáscara de limón.

Consejo práctico

En lugar de semillas de girasol, prueba con semillas de calabaza, avellanas poco picadas, nueces o almendras en trozos para cubrir. Por su contenido de aceite, las nueces pueden ponerse rancias en pocos días si el clima es cálido. Para tenerlas frescas el mayor tiempo posible, refrigéralas en un recipiente hermético. Lo ideal es comprarlas cuando las necesites para asegurar que estén en buenas condiciones.

Estrellas de mermelada

Estas atractivas galletas son las favoritas de los niños. Usa mermeladas de diferentes sabores y colores para hacer que se vean más apetitosas.

400 g (3¼ tazas/14 onzas) de harina

50 g (2 onzas) de almendras molidas

165 g (¾ de taza/5¾ onzas) de azúcar extrafina

200 g (¾ de taza/7 onzas) de mantequilla

3 yemas de huevo

200 g (⅔ de taza/7 onzas) de mermelada de grosella

2-3 cdas. de azúcar glass

PORCIONES 60-80

TIEMPO DE PREPARACIÓN 30 minutos más 30 minutos para enfriar

TIEMPO DE COCCIÓN 10-12 minutos por charola

1 Usa charolas grandes para horno cubiertas con papel para hornear. Mezcla la harina, el azúcar y las almendras molidas. Deja caer pedazos pequeños de mantequilla y agrega las yemas de huevo.

2 Con una batidora eléctrica bate por 1 minuto hasta lograr una masa desmoronadiza, luego presiónala con las dos manos. Divídela en 3 partes, forma bolas y cúbrelas con película autoadherente; refrigéralas por 30 minutos.

3 Precalienta el horno a 200°C (400°F, marca 6). En una superficie de trabajo enharinada extiende la masa muy delgada.

4 Corta estrellas de unos 6 cm (2½ pulgadas). Corta unas más pequeñas del centro de las estrellas. Hornéalas por 10-12 minutos; ponlas en una rejilla a enfriar.

5 Esparce mermelada sobre las galletas completas. Cierne azúcar glass sobre las que cortaste el centro y colócalas encima de las cubiertas con mermelada. Sumerge las demás en chocolate derretido.

75

Galletas de brandy y de jengibre

Estas crujientes galletitas son elegantes para servirse con café o té, o con un postre de frutas.

PARA LAS GALLETITAS DE BRANDY

125 g (½ taza/4½ onzas) de mantequilla

115 g (½ taza/4 onzas) de azúcar extrafina

115 g (⅓ de taza/4 onzas) de jarabe dorado o miel

1 cda. de jugo de limón

1 cda. de brandy

125 g (4½ onzas) de harina, cernida

1 cdita. de jengibre molido

310 ml (1¼ tazas/10¾ onzas) de crema, batida, para el relleno

PORCIONES 36

TIEMPO DE PREPARACIÓN 30 minutos

TIEMPO DE COCCIÓN 8-10 minutos por cada tipo

PARA LAS GALLETITAS DE JENGIBRE

125 g (1 taza/4½ onzas) de harina preparada con levadura

1 cdita. de bicarbonato de sodio

¼ de cdita. de sal

1 cdita. de jengibre molido

1 cdita. de mezcla de especias (pimienta inglesa)

45 g (¼ de taza/1½ onzas) de harina de arroz

60 g (¼ de taza/2¼ onzas) de mantequilla

55 g (¼ de taza/2 onzas) de azúcar extrafina

115 g (⅓ de taza/4 onzas) de jarabe dorado o miel

PORCIONES 24

TIEMPO DE PREPARACIÓN 20 minutos

TIEMPO DE COCCIÓN 20-25 minutos

GALLETITAS DE BRANDY

1 Usa 2 bandejas para horno, cubre con papel para hornear. Precalienta el horno a 190°C (375°F, marca 5). Pon la mantequilla, el jarabe, el jugo de limón, el azúcar y el brandy en una cacerola a fuego lento, calienta mientras se disuelve el azúcar y la mantequilla se derrite. Retira del fuego, mezcla la harina y el jengibre, y deja enfriar.

2 Pon 6 cditas. de la masa en cada bandeja, con espacio para expandirse. Hornea por 8-10 minutos o hasta que doren un poco. Para dar tiempo para enrollar, pon las charolas en el horno con un intervalo de 5 minutos.

3 Retira las galletas del horno, enfría en las bandejas por unos minutos. Levántalas con una paleta y rápido enróllalas en el mango de una cuchara de madera. (Si están muy duras para enrollarse, regrésalas al horno por unos segundos). Cuando estén firmes, retíralas del mango; enfríalas en una rejilla. Repite con el resto de la masa.

4 Para rellenar, pon la crema en una dulla de repostería con una boquilla de estrella y rellena por los extremos las galletitas. Sírvelas tan pronto estén rellenas.

GALLETITAS DE JENGIBRE

1 Precalienta el horno a 190°C (375°F, marca 5). Cierne la harina, el bicarbonato de sodio, la sal, el jengibre y las especias en un bol. Cierne la harina de arroz, agrégala junto con la mantequilla y el azúcar. Calienta el jarabe y viértelo. Amasa ligeramente en el bol para formar una pasta lisa.

2 Forma bolas del tamaño de una nuez y espárcelas a buena distancia en charolas engrasadas. Hornea cada una 10-12 minutos o hasta que se doren. Enfríalas en las bandejas 5 minutos, luego pásalas a una rejilla para que se enfríen.

Macarrones y galletas de nuez

Los crujientes macarrones y las galletas de nuez son un tentador bocado almendrado.

PARA LOS MACARRONES

4 hojas de papel arroz

125 g (1 ¼ tazas/4 ½ onzas) de almendras molidas

170 g (¾ de taza/6 onzas) de azúcar extrafina

1 cdita. de fécula de maíz

2 claras de huevo, ligeramente batidas

¼ de cdita. de extracto de vainilla

2 cdas. de almendras picadas

PORCIONES 24

TIEMPO DE PREPARACIÓN 15 minutos

TIEMPO DE COCCIÓN 15-20 minutos

PARA LAS GALLETAS DE NUEZ

185 g (1 ½ tazas/6 ½ onzas) de harina

125 g (½ taza/4 ½ onzas) de mantequilla, a temperatura ambiente, en trozos pequeños

110 g (½ taza/4 onzas) de azúcar morena

2 cditas. de café instantáneo en polvo o granulado

30 g (¼ de taza/1 onza) de nueces picadas

PORCIONES 24

TIEMPO DE PREPARACIÓN 30 minutos

TIEMPO DE COCCIÓN 20-30 minutos

MACARRONES

1 Usa 2 bandejas grandes para horno; cúbrelas con papel arroz. Precalienta el horno a 180°C (350°F, marca 4). Mezcla las almendras, el azúcar y la fécula de maíz en un bol. Añade las claras de huevo, el extracto de vainilla y bate bien para tener una mezcla dura.

2 Con una dulla de repostería de boquilla grande y plana, haz pequeños montículos sobre el papel, dejando una distancia entre uno y otro. Presiona un trozo de almendra en cada uno. Hornea por 15-20 minutos o hasta que tengan un color café pálido. Retira del horno; deja enfriar en las bandejas.

3 Quita el exceso de papel de la base de los macarrones (el papel es comestible).

GALLETAS DE NUEZ

1 Usa 2 bandejas grandes para horno, engrasa ligeramente. Precalienta el horno a 160°C (315°F, marca 2-3). En un bol pon la mantequilla y cierne la harina. Reserva 1 cda. de azúcar; agrega el restante junto con el café.

2 Amasa la mezcla hasta que parezca grandes migas de pan. Haz bolas del tamaño de una nuez y extiéndelas sobre la nuez picada.

3 Esparce bien las bolas en las charolas y presiónalas con la base de un vaso de vidrio bañado con el azúcar reservado.

4 Hornea por 20-30 minutos o hasta que las orillas estén un poco doradas. Déjalas enfriar un poco antes de pasarlas a una rejilla.

Círculos de naranja y nuez

Éstas galletas son fáciles de hornear. El rollo de masa se prepara por adelantado y se guarda en el refrigerador. Luego, cuando estés listo para hacer las galletas, corta los círculos, cubre con nueces pacana y mételos al horno.

55 g (⅓ de taza/2 onzas) de harina integral, y algo más para amasar

55 g (½ taza/2 onzas) de harina preparada con levadura

85 g (⅓ de taza/3 onzas) de azúcar morena

55 g (½ taza/2 onzas) de arroz molido

30 g (¼ de taza/1 onza) de nueces pacana, picadas

Ralladura de cáscara de 1 naranja

80 ml (⅓ de taza/2½ onzas) de aceite de girasol

1 huevo grande

24 mitades de nuez pacana para decorar

PORCIONES 24

TIEMPO DE PREPARACIÓN 15 minutos, más 2 horas para refrigerar

TIEMPO DE COCCIÓN 8-10 minutos por charola

1 Usa 2 charolas grandes para horno cubiertas con papel para hornear. Pon las harinas, el azúcar, el arroz molido, las nueces y la ralladura de naranja en un bol; amasa hasta combinar.

2 Bate el aceite y los huevos en un bol pequeño. Agrega los ingredientes secos y revuelve con un tenedor hasta que la mezcla se convierta en una masa.

3 Amásala un poco en una superficie de trabajo enharinada. Dale la forma de una salchicha de 30 cm (12 pulgadas) de largo; cubre con una envoltura autoadherente y refrigera por 2 horas. Puede refrigerarse por 2-3 días antes de hornear.

4 Precalienta el horno a 180°C (350°F, marca 4). Quita la envoltura y corta 24 piezas. Distribúyelas separadas en las charolas y presiona ligeramente una mitad de nuez sobre cada una.

5 Hornea por unos 10 minutos o hasta que estén firmes al tacto y un poco doradas. Transfiérelas a una rejilla para enfriar. Pueden guardarse en un recipiente hermético hasta por 5 días.

También, prueba esto...

En lugar de nueces puedes usar avellanas picadas, decorando con avellanas completas.

Para galletas de polenta de almendra, mezcla 55 g (⅓ de taza/2 onzas) de polenta instantánea (harina de maíz) con 85 g (⅔ de taza/3 onzas) de azúcar glass y 125 g (1 taza/4½ onzas) de harina preparada con levadura. Incorpora 55 g (¼ de taza/2 onzas) de mantequilla hasta que parezca finas migas de pan. Bate 1 huevo con ½ cdita. de esencia de almendras (extracto). Añade la mezcla de polenta; remueve hasta tener una masa suave. Sigue los pasos de la receta original. Esparce encima almendras laminadas antes de hornear.

Consejo práctico

El aceite de girasol es uno de los aceites vegetales más usados por su sabor. Sirve muy bien para hornear, en lugar de usar grasas saturadas, como la mantequilla. Es buena fuente de vitamina E, un poderoso antioxidante. Las grasas poliinsaturadas, como las de este aceite, son más susceptibles a ponerse rancias que las saturadas. Pero su contenido de vitamina E ayuda a evitar que esto ocurra.

Brownies

Pocas personas pueden resistirse al chocolate. Ponlo en un brownie y mejorará.
Prueba servir esta versión como un rápido y sencillo postre con helado y jarabe de chocolate.

125 g (½ taza/4½ onzas) de mantequilla, a temperatura ambiente

200 g (1⅓ tazas/7 onzas) de chocolate oscuro (semidulce), picado

2 huevos

230 g (1 taza/8 onzas) de azúcar extrafina

1 cdita. de extracto de vainilla

60 g (½ taza/2¼ onzas) de harina

2 cdas. de cacao en polvo sin azúcar

100 g (1 taza/3½ onzas) de nueces, toscamente picadas

PORCIONES 20-24

TIEMPO DE PREPARACIÓN 25 minutos

TIEMPO DE COCCIÓN 30 minutos

Consejo práctico

El sello de un buen brownie es el denso sabor a chocolate y una textura como de caramelo. Éste se logra por la alta proporción entre el azúcar y la mantequilla, y la harina. También, un chocolate de buena calidad es importante.

1 Usa un molde de pastel cuadrado de 20 cm (8 pulgadas). Engrásalo y cúbrelo con papel para hornear. Precalienta el horno a 180°C (350°F, marca 4). Derrite la mantequilla y 115 g (¾ de taza/4 onzas) del chocolate en un bol a baño María; retíralos del fuego y déjalos enfriar.

2 Bate los huevos en un bol con una batidora eléctrica. Poco a poco, incorpora el azúcar; sin dejar de batir hasta que la mezcla esté gruesa y espumosa y deje marcas como listones al levantar las aspas. Añade el extracto de vainilla y la mezcla de chocolate y mezcla bien. Cierne la harina y el cacao en polvo sobre la mezcla y esparce las nueces y el resto del chocolate. Mezcla todo con una cuchara grande.

3 Vierte la masa en el molde y hornéala por unos 30 minutos o hasta que tenga un vivo color café encima. Cúbrela con papel aluminio si pudiera haber el peligro de quemarse. Enfríala un poco en el molde y corta cuadrados. Enfría los brownies totalmente en una rejilla. Guárdalos en un recipiente hermético y se conservarán por unos 3-4 días.

También, prueba esto...

Para una cubierta de chocolate, bate 125 g (½ taza/4½ onzas) de mantequilla con 90 g (¾ de taza/3¼ onzas) de azúcar glass hasta que esté cremosa. Incorpora 1 cda. de agua alternando con 30 g (¼ de taza/1 onza) más de azúcar glass. Añade unas gotas de esencia de vainilla (extracto) y 30 g (¼ de taza/1 onza) de chocolate oscuro o blanco derretido.

Agrega un toque de brandy o de licor de almendra a la masa.

Para blondies, engrasa un molde para hornear de 30 x 20 cm (12 x 8 pulgadas). Pon 360 g (2 tazas/12½ onzas) de azúcar morena y 160 g (⅔ de taza/5½ onzas) de mantequilla en un bol grande. Con una batidora eléctrica, bate hasta que esté ligera y esponjosa. Con una cuchara de madera incorpora 2 huevos, uno a la vez, y ½ cdita. de esencia de vainilla o almendras (extracto). Luego cierne 185 g (1½ tazas/6 onzas) de harina, 1 cdita. de polvo de hornear y ½ cdita. de bicarbonato de sodio; vierte todo en la mezcla de la mantequilla. Pica 180 g (1¼ tazas/6 onzas) de chocolate blanco; vacía la mitad en la mezcla y vierte ésta en un molde. Esparce el resto del chocolate picado encima. Hornea por 35-40 minutos. Corta 18 cuadrados cuando enfríe.

Pastelitos de almendras dulces

Las almendras molidas le dan a estos pastelitos una consistencia húmeda. Las fresas agregan una textura suave que complementa la riqueza de los frutos secos.

6 claras de huevo

185 g (³/₄ de taza/6¹/₂ onzas) de mantequilla, derretida

125 g (1 taza/4¹/₂ onzas) de almendras molidas

240 g (1¹/₂ tazas/9 onzas) de azúcar glass

75 g (¹/₂ taza/2¹/₂ onzas) de harina

150 g (1 taza/5¹/₂ onzas) de fresas, finamente rebanadas

Azúcar glass extra para espolvorear

PORCIONES 12

TIEMPO DE PREPARACIÓN 20 minutos

TIEMPO DE COCCIÓN 25 minutos

1 Usa 1 bandeja de 12 moldes (125 ml/¹⁄₂ taza/4 onzas) para muffins (ver Consejo práctico). Engrasa la bandeja y ponla sobre una charola para hornear. Precalienta el horno a 200°C (400°F, marca 6).

2 Pon las claras de huevo en un bol mediano; bate suavemente con un tenedor para combinar. Añade la mantequilla, las almendras molidas, el azúcar y la harina. Mezcla con una cuchara de madera sólo para combinar.

3 Con una cuchara vierte la mezcla en la bandeja preparada. Cubre con rebanadas de fresa. Hornea unos 25 minutos. Enfríalos en la charola 5 minutos, desmolda y ponlos en una rejilla para enfriar. Espolvoréalos con azúcar glass.

Consejo práctico

La alta proporción entre las almendras y la harina hace a estos pastelitos muy húmedos y ricos. Es más frecuente usar moldes ovales, rectangulares o con forma de barco, pero también sirve un molde para muffins.

También, prueba esto...

Para un sabor a café, disuelve 1 cda. de café instantáneo granulado en un poco de agua hirviendo y agrega a la masa.

Para una textura crujiente, pica 65 g (¹⁄₂ taza/2¹⁄₂ onzas) de pistaches y añádelos a la masa.

Para Friands de manzana y moras, combina 75 g (¹⁄₂ taza/2¹⁄₂ onzas) de harina integral y 30 g (¹⁄₄ de taza/1 onzas) de harina preparada con levadura. Añade 60 g (¹⁄₂ taza/2¹⁄₂ onzas) de azúcar glass cernida y 100 g (1 taza/3¹⁄₂ onzas) de almendras molidas. Agrega 80 ml (¹⁄₃ de taza/2¹⁄₂ onzas) de leche, 60 ml (¹⁄₄ de taza/2 onzas) de aceite de canola, 200 g (1 taza/7 onzas) de manzanas picadas y 85 g (¹⁄₂ taza/3 onzas) de moras azules, y bate sólo para combinar. Precalienta el horno a 200°C (400°F, marca 6). Bate 5 claras de huevo hasta tener picos suaves e incorpora a la mezcla. Pasa a un molde. Hornea de 25-30 minutos. Deja el postre en el molde 10 minutos antes de desmoldarlo. Espolvoréale encima azúcar glass.

tartas y
pasteles

Pastel streusel de cereza

Cuando te urja un pastel, ésta es una excelente receta de emergencia.
Sabe bien caliente, directo del horno, o frío.

PARA LA BASE

185 g (³⁄₄ de taza/6½ onzas) de
mantequilla, refrigerada y cortada
en cubos

185 g (1 taza/6½ onzas) de azúcar
morena

Unas gotas de extracto de vainilla

1 huevo, ligeramente batido

500 g (1 libra 2 onzas) de harina

1½ cdas. de polvo de hornear

PARA EL RELLENO

600 g (1 libra 5 onzas) de cerezas
frescas o enlatadas

90 g (1 taza/3¼ onzas) de
almendras laminadas

PORCIONES 8-10

TIEMPO DE PREPARACIÓN 25 minutos

TIEMPO DE COCCIÓN 25 minutos

1 Usa un molde desmontable de
25 cm (10 pulgadas) Engrásalo;
cúbrelo con papel para hornear.
Precalienta el horno a 200°C (400°F,
marca 6). Para la base, pon los
ingredientes en un bol. Con una
batidora eléctrica con aspas para
masa, mezcla hasta tener una masa
que forme grandes migas. O
incorpora la mantequilla a los
ingredientes secos con los dedos.

2 Esparce un tercio de la mezcla
streusel en la base del molde.
Luego presiona otro tercio a los
lados del molde haciendo una
orilla.

3 Si las cerezas son frescas,
lávalas y retírales el tallo. Si
son de lata, escúrrelas y quítales las
semillas. Espárcelas sobre la base
streusel; cubre con la masa
restante, luego con almendras.
Hornea por 25 minutos.

También, prueba esto...

El pastel streusel es delicioso con
muchas frutas de la estación.
Prueba con duraznos, chabacanos, puré de ciruela pasa o
manzanas cocidas. Pueden usarse
frutas de lata; sólo asegúrate de
escurrir el exceso de jugo.

Cambia la textura de la mezcla del
streusel reemplazando un cuarto
de la harina por avellanas
molidas y una buena pizca de
canela molida.

Tarta de moras

La capa esponjosa contrasta con la base crujiente de pasta hojaldrada en esta sencilla tarta en la que es bueno usar bayas de temporada.

PARA LA PASTA

250 g (2 tazas/9 onzas) de harina

1 cdita. de polvo de hornear

125 g (½ taza/4½ onzas) de mantequilla, en pedacitos

4 cdas. de azúcar blanca (granulada)

1 huevo, ligeramente batido

PARA EL RELLENO

500 ml (2 tazas/17 onzas) de leche

125 g (1 taza/4¼ onzas) de sémola

3-4 cdas. de azúcar blanca (granulada)

2 huevos, por un lado las yemas y por otro, las claras

1 cdita. de ralladura de cáscara de limón

2 cdas. de brandy o ron

2 cdas. de uvas pasas sultanas (sin semilla)

Unos 600 g (4 tazas/1 libra 5 onzas) de moras azules

PORCIONES 10-12

TIEMPO DE PREPARACIÓN 1 hora

TIEMPO DE COCCIÓN 10 minutos, más 15-20 minutos

1 Usa un molde desmontable de 25 cm (10 pulgadas). Engrasa la base y cúbrelo con papel para hornear. Precalienta el horno a 160°C (315°F, marca 2-3). Para la masa, cierne la harina y el polvo de hornear en una superficie de trabajo. Añade la mantequilla, el azúcar y el huevo. Haz una bola, cúbre con película autoadherente y enfría 30 minutos.

2 En una superficie enharinada, extiende la masa con un rodillo formando un círculo de 30 cm (12 pulgadas) de diámetro y cubre con él la base y los lados del molde. Pica varias veces con un tenedor. Refrigera por 20 minutos.

3 Cubre la pasta con papel para hornear. Llena la mitad con frijoles secos o arroz; hornea por 10 minutos. Quita los frijoles y el papel.

4 Para el relleno, hierve la leche. Agrega la sémola y el azúcar y deja hervir por 3 minutos. Sin dejar de mover rápido, vierte las yemas de huevo y sazona con la ralladura de limón y el brandy o el ron. Agrega las sultanas y deja que se hidraten. Mientras, en un bol mediano bate las claras de huevo a punto de turrón. Con una cuchara de metal, incorpóralas a la mezcla.

5 Vierte las moras en la mezcla de sémola. Con una cuchara viérte ésta en la base de la pasta y alisa. Hornea por 15-20 minutos o hasta que esté firme. Deja enfriar en el molde.
Sirve con crema batida.

Consejo práctico

Escoge bayas gordas, aquellas con brotes "cerosos" son más frescas. Para guardarlas, acomódalas sin lavar en una sola capa envueltas en una toalla de papel en un plato. Cúbrelas y refrigéralas; úsalas en los siguientes 5 días.

Flan de bayas mixtas

La base del flan se puede hornear un día antes. Al día siguiente se le puede poner una capa de crema y bayas mixtas.

PARA LA BASE

90 g (¹⁄₃ de taza/3 ¼ onzas) de mantequilla, suave

60 g (¹⁄₃ de taza/2 onzas) de azúcar morena

2 cdas. de leche

Ralladura de cáscara de 1 limón

90 g (¹⁄₃ de taza/3 ¼ onzas) de crema agria

100 g (²⁄₃ de taza/3 ½ onzas) de harina integral

½ cdita. de polvo de hornear

PARA EL RELLENO

7 g (2 cditas.) de grenetina en polvo

250 ml (1 taza/9 onzas) de leche

55 g (¼ de taza/2 onzas) de azúcar blanca (granulada)

Unas gotas de extracto de vainilla

Agua fría y cubos de hielo

150 ml (²⁄₃ de taza/5 onzas) de crema, para batir

Unos 600 g (2¾ tazas/1 libra 5 onzas) de bayas frescas mixtas

PORCIONES 8-10

TIEMPO DE PREPARACIÓN 1 ½ horas más tiempo para enfriar

TIEMPO DE COCCIÓN 40 minutos

Consejo práctico

Para las ocasiones especiales, agrégale un toque, decorando el flan con rosetas de crema batida con una dulla. Usa la combinación de bayas de temporada de tu elección, o usa una selección de bayas descongeladas y escurridas.

1 Usa un molde acanalado para flan de 28 cm (11 pulgadas). Engrásalo. Precalienta el horno a 160°C (315°F, marca 2-3). Pon la mantequilla y el azúcar en un bol y bate hasta que la mezcla esté esponjosa y ligera. Vierte la leche y la mitad de la ralladura de limón. Añade la crema agria a cucharadas; mezcla suavemente para combinar.

2 Mezcla la harina y el polvo de hornear. Añade a la mezcla de la crema y combina bien. Pasa la mezcla al molde y cubre la base y los lados, alisa con un cuchillo. Hornea 40 minutos o hasta que un palillo insertado en el centro salga limpio. Retira del horno y deja en el molde por 10 minutos. Desmolda y pon en una rejilla para enfriar.

3 Para el relleno, pon la grenetina en 60 ml (¼ de taza/2 onzas) de agua fría, deja por 5 minutos. Vierte la leche, el azúcar, la vainilla y el resto de la ralladura en una cacerola y deja hervir. Retira del fuego.

4 Vierte la grenetina en la mezcla caliente de leche. Coloca la cacerola sobre un bol con el agua fría y los cubos de hielo, moviendo constantemente mientras se enfría, hasta que empiece a espesar.

5 Bate la crema hasta que se endurezca. Lava las bayas y sécalas dándoles golpecitos. Vierte la crema batida en la mezcla fría de vainilla y con una cuchara espárcela sobre la base del flan. Refrigérala. Espárcele bayas mixtas encima y sirve.

Tarta de merengue y ruibarbo

Para un mejor sabor, usa ruibarbo fresco para este pastel.

PARA LA BASE

3 huevos

Jugo y cáscara de un 1 limón

125 g (¹⁄₂ taza/4¹⁄₂ onzas) de mantequilla, suave

115 g (4 onzas) de azúcar extrafina

40 g (¹⁄₃ de taza/1¹⁄₂ onzas) de fécula de maíz

155 g (1¹⁄₄ tazas/5¹⁄₂ onzas) de harina

1 cdita. de polvo de hornear

¹⁄₂ cdita. de canela molida

PARA EL RELLENO

500 g (4 tazas/1 libra 2 onzas) de ruibarbo

115 g (¹⁄₂ taza/4 onzas) de azúcar blanca (granulada)

1 cda. de miel

3 cdas. de mermelada de chabacano

25 g (1 onza/¹⁄₄ de taza) de almendras laminadas y tostadas

1 Usa un molde desmontable de 24 cm (9¹⁄₂ pulgadas). Engrásalo; cubre la base con papel para hornear. Precalienta el horno a 200°C (400°F, marca 6).

2 Sepárale las yemas a 2 huevos y guarda las claras para el relleno. Para la base, combina el huevo entero, las yemas y los demás ingredientes en un bol; bate con una cuchara de madera hasta que la mezcla esté lisa. Vacía en el molde.

3 Pela, lava y corta el ruibarbo en piezas de 2.5 cm (1 pulgada). Ponlo sobre la base. Espolvorea el azúcar, reserva 1 cda. Hornea por unos 40 minutos.

4 Mientras, bate las claras de huevo a punto de turrón y, poco a poco, incorpora el resto del azúcar y la miel. Retira la tarta del

horno y con una manga de repostería pon el merengue encima, primero en un patrón entramado, luego en rosetas.

5 Regrésala al horno otros 15 minutos, hasta que se dore por encima. Retírala del horno y pon el molde sobre una rejilla por unos minutos. Desmolda y deja la tarta en la rejilla para que se enfríe.

6 Cuando esté fría, esparce la mermelada por los lados y presiona las almendras encima. Puedes decorarla con unos trocitos de ruibarbo ligeramente cocidos.

PORCIONES 8

TIEMPO DE PREPARACIÓN 25 minutos

TIEMPO DE COCCIÓN 40 minutos, más 15 minutos

Tarta de queso y bayas

Se trata de una delgada base de pasta crujiente con un cremoso relleno sabor a naranja y cubierto con fresas y moras. Un dulce glaseado de frutas agrega el toque final. Puedes variar las frutas dependiendo de la estación.

PARA LA PASTA

125 g (1 taza/4½ onzas) de harina

60 g (¼ de taza/2 onzas) de mantequilla sin sal, a temperatura ambiente

2 cdas. de azúcar extrafina

2 yemas de huevo

PARA EL RELLENO

225 g (1 taza/8 onzas) de queso suave o ricotta, bajo en grasa

1 cda. de miel clara

Ralladura de cáscara de 1 naranja

1 cda. de jugo de naranja

250 g (1⅔ tazas/9 onzas) de fresas maduras, en cuartos

50 g (⅓ de taza/2 onzas) de moras

4 cdas. de gelatina de grosella

PORCIONES 6

TIEMPO DE PREPARACIÓN 30 minutos más 1½ horas para que se enfríe y asiente

TIEMPO DE COCCIÓN 15-20 minutos

1 Usa un molde acanalado para flan de 20 cm (8 pulgadas) con base desmontable. Cierne la harina en una superficie de trabajo, forma un volcán. Pon la mantequilla, el azúcar y las yemas en el hueco, amasa usando los dedos de tu mano. Vierte la harina desde una orilla y trabaja para tener una pasta tersa. Cúbrela con una envoltura adherente y refrigérala por 30 minutos.

2 Sobre una superficie enharinada extiende la masa con un rodillo para cubrir la base y los lados del molde. Enfría 30 minutos. Precalienta el horno a 190°C (375°F, marca 5)

3 Cubre el molde con papel para hornear y llénalo hasta la mitad con frijoles o arroz secos. Hornea unos 12 minutos o hasta que se dore ligeramente. Retira el papel y los frijoles, hornea por otros 5 minutos o hasta que la masa esté cocida. Deja enfriar el molde y con cuidado desmolda la tarta.

4 Para el relleno, mezcla el queso, la miel, la ralladura y el jugo de naranja. Vierte todo en la tarta y esparce bien hasta el borde.

5 Arregla las bayas sobre el relleno. Calienta la gelatina hasta que se derrita y con ella barniza generosamente las bayas. Refrigera la tarta para que se enfríe y los ingredientes se asienten. Este postre se sirve dentro de las 2 horas de haber puesto el relleno.

También, prueba esto...

Para una tarta de frambuesa y durazno, en lugar de miel y jugo de naranja, da sabor al queso con 1 cdita. de agua de rosas, y 1 cda. de azúcar extrafina. Reemplaza las fresas y las moras azules con 125 g (1 taza/4½ onzas) de frambuesas y 3 duraznos maduros rebanados. Usa mermelada de chabacano derretida como glaseado.

Para una tarta de mango y maracuyá, omite la cáscara y el jugo de naranja; da sabor al queso con la pulpa cernida de 2 maracuyás. Reemplaza las bayas con 1 mango grande maduro en rebanadas y glaséalo con mermelada de chabacano derretida.

Tarta volteada de manzana

Esta exquisita tarta, parecida a la *tarte tatin* francesa, se voltea para servirse. La pasta de hojaldre se hace con queso suave bajo en grasas y mantequilla, y tiene un relleno jugoso de fruta en gran cantidad.

PARA LA PASTA

115 g (1 taza/4 onzas) de harina

30 g (2 cdas/1 onza) de mantequilla sin sal, refrigerada y en cubos

30 g (1 onza) de queso suave bajo en grasas

PARA EL RELLENO

5 manzanas, unos 600 g (1 libra 5 onzas) en total

50 g (¼ de taza/1 ³⁄₂ onzas) de azúcar morena

1 cda. de jugo de limón

30 g (¼ de taza/1 onza) de una pasas sultanas (sin semillas)

1 cdita. de mezcla de especias molidas (pimienta inglesa)

1 cdita. de ralladura fina de cáscara de limón

PARA EL YOGUR DE LIMÓN Y MIEL

250 g (1 taza/9 onzas) de yogur natural bajo en grasas

1 cda. de miel clara

1 cdita. de ralladura fina de cáscara de limón

PORCIONES 4

TIEMPO DE PREPARACIÓN 45 minutos

TIEMPO DE COCCIÓN 20 minutos

1 Usa un molde de pastel de 23 cm (9 pulgadas) (sin base desmontable) o un plato de pay. Cierne la harina en un bol grande y añade la mantequilla y el queso y amasa hasta que la pasta parezca migas de pan. Vierte 2 cdas. de agua fría y mezcla con un cuchillo de hojas redondeadas, para tener una masa suave. Forma una bola lisa. Cúbrela con una película autoadherente y refrigérala 30 minutos.

2 Precalienta el horno a 200°C (400°F, marca 6). Pela y corta las manzanas en rebanadas gruesas. Pon el azúcar y el jugo de limón en una cacerola y calienta, moviendo hasta que el azúcar se disuelva. Añade las manzanas y cocina a fuego bajo 8-10 minutos, moviendo de vez en cuando, hasta que la fruta se ablande pero no se rompa.

3 Con una cuchara acanalada, pasa las manzanas al molde, encimando un poco las rebanadas. Esparce las sultanas, la mezcla de especias y la ralladura en el jugo; hierve por 2-3 minutos. Vierte la mezcla sobre las manzanas y reserva para que se enfríe un poco.

4 En una superficie enharinada, extiende la masa con un rodillo para formar un círculo de unos 25 cm (10 pulgadas) de diámetro. Ponlo sobre el relleno de manzana y voltea las orillas hacia adentro del molde. Hornea por 20 minutos o hasta que la pasta se dore.

5 Deja que la tarta se enfríe en el molde por 5-10 minutos, luego voltéala con cuidado en un plato. Mezcla el yogur, la miel y la ralladura de limón y sirve con rebanadas de tarta caliente.

También, prueba esto…

Si tienes prisa, haz la pasta y el relleno un día antes. Integra la tarta y hornea justo antes de servir.

En lugar de la cáscara de limón, usa ralladura de cáscara de naranja en el relleno de fruta y en el yogur.

Para una tarta de pera y nuez, usa peras firmes y maduras, en lugar de manzanas. Agrega 30 g (¼ de taza/1 onza) de nueces con uvas pasas sultanas y cáscara de limón.

Pay de manzana y moras

Se trata del pay de frutas más fácil de preparar. Una pasta hojaldrada, en parte integral, envuelta con una mezcla de manzanas y moras con especias para hacer un pan rústico abierto.
No se tiene que cubrir ningún molde.

PARA LA PASTA

85 g (²/₃ de taza/3 onzas) de harina

75 g (¹/₂ taza/2¹/₂ onzas) de harina integral

1 cdita. de mezcla de especias molidas (pimienta inglesa)

85 g (¹/₃ de taza/3 onzas) de mantequilla sin sal, refrigerada y en cubos

30 g (¹/₄ de taza/1 onza) de azúcar glass, cernida

1 yema de huevo

PARA EL RELLENO

600 g (1 libra 5 onzas) de manzanas para cocinar

100 g (²/₃ de taza/3¹/₂ onzas) de moras

45 g (¹/₄ de taza/1¹/₂ onzas) de azúcar morena

1 cdita. de canela molida

¹/₄ de cdita. de nuez moscada recién rallada

1 clara de huevo, ligeramente batida

PORCIONES 6

TIEMPO DE PREPARACIÓN 20 minutos, más 30 minutos, mínimo, de enfriamiento

TIEMPO DE COCCIÓN 30-35 minutos

1 Para hacer la pasta, cierne las harinas, la blanca y la integral, y las especias en un bol; deja las cáscaras. Agrega la mantequilla y amasa hasta que parezca migas de pan. Incorpora el azúcar.

2 Mezcla la yema con 1 cda. de agua fría. Agrega la mezcla de las harinas y combina para formar una masa suave; si es necesario, añade unas gotas de agua. Forma una bolita, cúbrela con película autoadherente y refrigérala por 30 minutos.

3 Precalienta el horno a 190°C (375°F, marca 5). Pela y rebana las manzanas y mézclalas con las moras. Incorpora el azúcar, la canela y la nuez moscada. Reserva 1 cda. y mezcla el resto con la fruta.

4 Extiende la masa con un rodillo sobre una hoja de papel para hornear antiadherente, haz un círculo de 30 cm (12 pulgadas) de diámetro y barnízalo con algo de la clara de huevo.

5 Acumula la mezcla de frutas en el centro de la pasta, luego pasa las orillas de ésta por encima, dejando el centro abierto. Barniza la pasta con la clara de huevo restante y espolvorea el azúcar glass.

6 Hornea por 30-35 minutos o hasta que la pasta esté dorada y las manzanas tiernas. Sirve caliente, con yogur de vainilla, si quieres.

También, prueba esto...

Para una pasta con más textura, extiende la masa con un rodillo sobre una superficie un poco enharinada con harina de avena.

Para hacer un pay en molde profundo, reemplaza las moras por zarzamoras y espolvorea el azúcar y la pimienta inglesa molida sobre la fruta. Ponla en un molde para pay profundo de 23 cm (9 pulgadas). Barniza con agua. Extiende la pasta con un rodillo para cubrir el molde. Cubre el relleno y presiona las orillas para sellar. Dobla las orillas y barniza la pasta con clara de huevo. Espolvorea con azúcar y 1 pizca de pimienta molida. Precalienta el horno a 190°C (375°F, marca 5) y cuece el pay por 30-35 minutos o hasta que la pasta se dore.

Pay de manzana y uvas

La cubierta de pasta con su picante glaseado de limón complementa el dulce y jugoso relleno de manzanas y uvas doradas en vino blanco.

PARA LA PASTA

500 g (4 tazas/1 libra 2 onzas) de harina

¼ de cdita. de polvo de hornear

140 g (¾ de taza/5 onzas) de azúcar blanca (granulada)

2 huevos

250 g (1 taza/9 onzas) de mantequilla, suave

PARA EL RELLENO

1 kg (2 libras 4 onzas) de manzanas

125 g (¾ de taza/5 onzas) de uvas

125 ml (½ taza/5 onzas) de vino blanco

1 cda. de azúcar blanca (granulada)

1 cdita. de canela molida

1 yema de huevo

2 cdas. de jugo de limón

60 g (½ taza/2¼ onzas) de azúcar glass

1 Usa un molde desmontable de 28 cm (11¼ pulgadas). Cierne la harina y el polvo de hornear en un bol grande. Forma un volcán; pon adentro el azúcar, los huevos y la mantequilla. Con los dedos de una mano amasa estos ingredientes para combinar, luego incorpora la harina de los lados para hacer una masa suave. Amasa bien y forma una bola lisa. Cúbrela con película autoadherente y refrigérala por 30 minutos.

2 Precalienta el horno a 200°C (400°F, marca 6). Pela, corta en mitades y quita el corazón a las manzanas. Retírale el tallo a las uvas. Combina estas frutas con el vino blanco, el azúcar y la canela en una cacerola. Hierve a fuego medio por 5 minutos. Luego deja enfriar unos minutos.

3 Extiende dos terceras partes de la masa con un rodillo sobre una superficie enharinada. Engrasa el molde. Cúbrelo con la pasta, formando una orilla de unos 2.5 cm (1 pulgada) de alto. Pica la base varias veces con un tenedor. Hornea por 10 minutos.

4 Esparce la mezcla de frutas sobre la base de pasta. Extiende el resto de la pasta y cubre el relleno. Barniza con la yema de huevo y hornea por 25 minutos. Déjalo enfriar. Mezcla el jugo de limón y el azúcar glass, y baña el pay.

PORCIONES 10-12

TIEMPO DE PREPARACIÓN 40 minutos

TIEMPO DE COCCIÓN 10 minutos, más 25 minutos

Pay entramado de manzana

El patrón entramado es una decoración clásica para pays de hojaldre. Queda bien no sólo sobre frutas como manzanas, cerezas o ciruelas, también sobre una mezcla de semillas de amapola, o mermelada.

PARA LA PASTA

250 g (2 tazas/9 onzas) de harina

½ cdita. de polvo de hornear

150 g (²⁄₃ de taza/5½ onzas) de mantequilla

2 cdas. de miel

2 yemas de huevo

2 cdas. de agua

PARA EL RELLENO

600 g (1 libra 5 onzas) de manzanas

1 cdita. de jugo de limón

125 ml (½ taza/4 onzas) de crema

2 huevos

3 yemas de huevo

1 cdita. de extracto de vainilla

3 cdas. de azúcar

70 g (²⁄₃ de taza/2½ onzas) de almendras molidas

PORCIONES 10-12

TIEMPO DE PREPARACIÓN 45 minutos

TIEMPO DE COCCIÓN 10 minutos, más 20 minutos

1 Usa un molde desmontable de 26 cm (10½ pulgadas). Engrásalo. Cierne la harina y el polvo de hornear en un bol. Añade los demás ingredientes; amasa y forma una bola; cúbrela con película autoadherente y déjala enfríar 30 minutos.

2 Reserva una quinta parte de la pasta. Extiende el resto con un rodillo para cubrir el molde y hacer una orilla de 2.5 cm (1 pulgada) de alto. Pica la base con un tenedor. Refrigera por 20 minutos.

3 Precalienta el horno a 180°C (350°F, marca 4). Cubre la pasta con papel para hornear y frijoles secos. Hornea 10 minutos.

4 Pela, descorazona y rebana las manzanas. Rocía jugo de limón.

5 Guarda 1 cda. de crema y mezcla el resto con los huevos, 2 yemas, la vainilla, el azúcar y las almendras.

6 Llena la base con las manzanas. Cubre con la mezcla de crema.

7 Sube la temperatura del horno a 200°C (400°F, marca 6). Corta la pasta restante en tiras y con ellas haz un patrón entramado sobre el relleno. Mezcla la otra yema con crema y barniza el entramado. Hornea por 20 minutos. Sirve el pay caliente o frío.

Strudel vienés de manzana

Una cubierta de pasta de strudel delgada como oblea asegura que frutas como manzanas, cerezas agrias y chabacanos retengan su jugo y sabor al cocerse.

PARA LA PASTA

250 g (2 tazas/9 onzas) de harina

1 cda. de aceite

1 huevo

1 cda. de mantequilla

PARA EL RELLENO

125 g ($^1/_2$ taza/4$^1/_2$ onzas) de mantequilla

4 cdas. de migas de pan fresco

85 g ($^2/_3$ de taza/3 onzas) de uvas pasas sultanas (sin semilla)

2 kg (4 libras 8 onzas) de manzanas

85 g ($^1/_2$ taza/3 onzas) de almendras picadas

1 cdita. de canela molida

115 g ($^1/_2$ taza/4 onzas) de azúcar extrafina

2 cdas. de azúcar glass

PORCIONES 1 strudel grande o 2 pequeños

TIEMPO DE PREPARACIÓN 1 $^1/_2$ horas

TIEMPO DE COCCIÓN 30-40 minutos

1 Para la pasta, cierne la harina en una superficie de trabajo y forma un volcán. En el centro vierte el aceite, el huevo y 125 ml ($^1/_2$ taza/ 4 onzas) de agua tibia. Con un cuchillo de hoja plana, empieza por afuera e incorpora la harina a los ingredientes líquidos. Si prefieres, usa una batidora eléctrica.

2 Amasa unos 10 minutos para hacer una masa tersa; forma una bola. Calienta un bol y ponlo invertido sobre la masa, déjalo 45 minutos. Conserva la temperatura del bol cubriéndolo con un lienzo húmedo y caliente.

3 Para el relleno, derrite toda la mantequilla, menos 1 cda., en una cacerola. Añade las migas y fríe hasta dorar. Hidrata las sultanas en agua tibia por 15 minutos. Pela y quita el corazón a las manzanas, rebánalas finamente. Combina las sultanas, las manzanas, las almendras, la canela, el azúcar y las migas en un bol.

4 Precalienta el horno a 200°C (400°F, marca 6). En una toalla de cocina limpia extendida esparce la harina y pon la masa encima. Extiende la masa con un rodillo, formando una capa muy delgada.

5 Derrite la mantequilla y barniza la masa con ella. Enharina tus manos y pásalas por debajo de la masa para que se pueda estirar bien. Debe quedar tan delgada que el patrón de la toalla pueda verse a través.

6 Esparce el relleno en la masa, dejando limpios los lados y la orilla inferior. Empezando por la punta estrecha, enrolla con cuidado; usa la toalla para ayudarte. Presiona firmemente la orilla y los lados. Déjalo así o córtalo en dos.

7 Engrasa una charola para hornear; acomoda con cuidado el strudel y hornea por 30-40 minutos. Espolvoréale azúcar glass mientras esté caliente.

Consejo práctico

Las manzanas aportan algo de potasio y vitamina C. Es mejor comer la cáscara para tener toda la cantidad de fibra. Una de estas fibras es la pectina, la cual se cree ayuda a bajar el colesterol en la sangre. Es mejor refrigerarlas, ya que tienden a deteriorarse rápido a temperatura ambiente. La cáscara se vuelve pastosa y pierden su contenido vitamínico.

Rollo de chabacano y chocolate

Esta combinación de chocolate, crema y chabacanos es un espléndido regalo al paladar.
El sabor de los chabacanos frescos es difícil de igualar.

PARA EL PASTEL

3 huevos

85 g ($\frac{1}{3}$ de taza/3 onzas) de azúcar
extrafina

45 g ($\frac{1}{3}$ de taza/1 $\frac{1}{2}$ onzas) de
harina

$\frac{1}{2}$ cdita. de polvo de hornear

2 cdas. de cacao en polvo

PARA EL RELLENO Y LA DECORACIÓN

125 ml ($\frac{1}{2}$ taza/4 onzas) de crema,
para batir

350 g (1$\frac{2}{3}$ tazas/12 onzas) de
queso crema

2-3 cdas. de azúcar blanca
(granulada)

1 cda. de licor de chabacano o
de naranja

300 g (10 onzas) de chabacanos
(unos 8 chabacanos)

Azúcar glass, para espolvorear

PORCIONES 6-8

TIEMPO DE PREPARACIÓN 30 minutos

TIEMPO DE COCCIÓN 12-14 minutos

1 Usa un molde para rollo suizo de 33 x 23 cm (13 x 9 pulgadas). Engrasa y cubre con papel para hornear. Precalienta el horno a 200°C (400°F, marca 6). Bate los huevos y el azúcar con una batidora eléctrica hasta que la mezcla esté pálida y esponjosa. Cierne los ingredientes secos y con una cuchara añádelos. Vierte la mezcla en el papel. Hornea 12-14 minutos, retira del horno, cubre con una toalla de cocina y deja enfriar. Voltea el pan en una toalla con azúcar glass. Quita el papel.

2 Bate la crema hasta edurecer. Bate el queso crema, el azúcar y el licor hasta lograr una mezcla lisa. Viértela sobre el pan, deja 2.5 cm (1 pulgada) sin cubrir en la orilla más larga.

3 Mete los chabacanos en agua hirviendo; pélalos, pártelos a la mitad y deshuésalos. Córtalos en trozos y espárcelos en la mezcla.

4 Empezando por el lado largo, enrolla el pan, usa la toalla para ayudarte. Ponlo en una charola cubierta con papel aluminio y congélalo 20 minutos. Para servir, espolvoréalo con azúcar glass.

Consejo práctico

Se pueden usar chabacanos secos en lugar de frescos. Sumerge 180 g (1 taza/6 onzas) de chabacanos en agua toda la noche. En una cacerola, cuécelos 10 minutos con 90 ml ($\frac{1}{3}$ de taza/3 onzas) de jugo de naranja y azúcar.

Tarta de higos con yogur

El delicioso sabor, textura y color de los higos frescos son una ventaja.
Se pueden usar higos amarillos grisáseos o púrpuras. Pela los higos si el sabor de la piel es amargo.

PARA LA BASE

2 huevos

85 g (⅓ de taza/3 onzas) de azúcar
  extrafina

90 g (¾ de taza/3¼ onzas) de
  harina

1 clara de huevo

PARA EL RELLENO

1 naranja

8 higos maduros

250 g (1 taza/9 onzas) de yogur
  natural

1 cda. de azúcar glass

60 ml (¼ de taza/2 onzas) de licor
  de naranja

PORCIONES 8

TIEMPO DE PREPARACIÓN 40 minutos,
  más 1 hora de enfriamiento

TIEMPO DE COCCIÓN 25 minutos

1 Usa un molde desmontable de 22 cm (8½ pulgadas). Engrásalo; cubre la base con papel para hornear. Separa las yemas de las claras. Bate las yemas con 1 cda. de agua caliente por 3 minutos con batidora eléctrica. Añade el azúcar y bate hasta lograr una mezcla pálida y cremosa.

2 Precalienta el horno a 180°C (350°F, marca 4). Cierne la harina en la mezcla de huevo y mezcla. Bate las claras a punto de turrón y añádelas.

3 Vacía la mezcla en el molde y alisa la superficie. Hornea por 25 minutos hasta dorar. Desmolda la base de la tarta y ponla en una rejilla para que se enfríe.

4 Ralla la cáscara y exprime el jugo de la naranja. Lava los higos y córtalos en 8 segmentos.

5 Combina el yogur con el azúcar glass y la ralladura. Agrega el jugo y el licor de naranja.

6 Pon la base de la tarta en un platón. Vierte la mezcla del jugo sobre ella y luego vacía el yogur. Arregla los higos encima. Cubre la tarta con película auto-adherente y métela al refrigerador 1 hora. Sácala y sirve lo antes posible.

Consejo práctico

Una bebida de chocolate y menta combina con esta tarta. Pon 1 cda. de hojas de menta en un bol. Vierte 250 ml (1 taza/9 onzas) de agua hirviendo; deja reposar 10 minutos. Calienta 375 ml (1½ tazas/13 onzas) de leche. Despedaza 100 g (⅔ de taza/ 3½ onzas) de chocolate oscuro (semidulce); ponlo en la leche. Bate hasta que se disuelva. Retira la menta y añade el líquido al chocolate. Vuelve a calentar y endulza al gusto.

Tarta crujiente de chabacano

Aprovecha al máximo cuando sea temporada de chabacanos usándolos en esta atractiva tarta. Tiene una dulce base de hojaldre de naranja y lleva una cubierta de avena y frutos secos. Caliéntala como postre, con el café de la mañana o a la hora del té.

PARA LA PASTA

125 g (1 taza/4 ½ onzas) de harina

60 g (¼ de taza/2 onzas) de mantequilla sin sal, en pedazos pequeños y refrigerada

30 g (¼ de taza/1 onza) de azúcar glass

Ralladura fina de cáscara de 1 naranja

1 cda. de jugo de naranja

1 yema de huevo

PARA EL RELLENO

500 g (1 libra 2 onzas) de chabacanos maduros, sin hueso y partidos en cuatro

3 cdas. de jugo de naranja

½ cdita. de mezcla de especias molidas (pimienta inglesa)

1 cda. de miel clara

PARA LA CUBIERTA

50 g (½ taza/1 ½ onzas) de avena en hojuelas

2 cdas. de uvas pasas sultanas (sin semillas)

2 cdas. de avellanas, picadas

1 cda. de semillas de girasol y ajonjolí (de cada uno)

1 cda. de miel clara

1 cda. de jugo fresco de naranja

PORCIONES 6

TIEMPO DE PREPARACIÓN 35-40 minutos, más enfriamiento y 30 minutos de refrigeración

TIEMPO DE COCCIÓN 30 minutos

1 Usa un molde para flan anti-adherente de 23 cm (9 pulgadas) con base desmontable. Para la pasta, cierne la harina en un bol. Agrega la mantequilla, amasa con los dedos hasta formar migas finas. Incorpora el azúcar y la ralladura. Batiendo con suavidad añade el jugo de naranja a la yema de huevo. Agrega la mezcla de harina; revuelve con un cuchillo de hoja redondeada para formar una masa suave. Haz una bola tersa, cúbrela con película autoadherente y refrigérala 30 minutos.

2 Para el relleno, en una cacerola con base pesada, pon a hervir los chabacanos con el jugo de naranja y la mezcla de especias. Tapa bien y cocina a fuego bajo por 20-25 minutos, mueve de vez en cuando hasta espesar. Deja enfriar; añade la miel.

3 Precalienta el horno a 190°C (375°F, marca 5). En una superficie un poco enharinada extiende la masa con un rodillo para cubrir el molde. Pica la base con un tenedor. Cúbrela con papel para hornear y llena a la mitad con arroz o frijoles secos.

4 Hornea la pasta 10 minutos; quita los frijoles y el papel. Hornéala por otros 5 minutos, luego resérvala. Baja la temperatura del horno a 180°C (350°F, marca 4).

5 Para la cubierta, combina la avena, las sultanas, las avellanas, las semillas de girasol y el ajonjolí. Mezcla la miel con el jugo de naranja, viértela en la mezcla de la avena.

6 Esparce el relleno frío de chabacano uniformemente sobre la base de la pasta. Con una cuchara esparce la mezcla de avena encima y presiona ligeramente. Hornea por 12-15 minutos o hasta que la cubierta tenga un dorado ligero. Sirve caliente.

También, prueba esto...

Para una tarta de ciruela y granola, da sabor a la pasta con el jugo y la ralladura de cáscara de un limón en lugar de naranja. Para el relleno reemplaza los chabacanos con mitades de ciruelas sin hueso y cuécelas con 80 ml (⅓ de taza/2½ onzas) de jugo de manzana y ½ cdita. de anís estrella. Deja enfriar y luego incorpora la miel. Para la cubierta, mezcla 50 g (½ taza/1½ onzas) de hojuelas de avena, 1 manzana pequeña, pelada y rallada, y unos cuantos arándanos secos y almendras laminadas. Hornea como en la receta original.

Danés de chabacano

Capas de pasta filo revisten un relleno de queso crema cubierto con puré de chabacano y frutos secos.

140 g (³/₄ de taza/5 onzas) de chabacanos secos, picados

115 g (¹/₂ taza/4 onzas) de azúcar morena, más 2 cdas.

125 ml (¹/₂ taza/4 onzas) de agua

2 cditas. de extracto de vainilla

¹/₂ cdita. de jengibre molido

115 g (¹/₂ taza/4 onzas) de queso crema bajo en grasas

6 galletas de jengibre, trozadas

12 hojas de pasta filo congelada, descongelada

3 cdas. de mantequilla sin sal, derretida

3 cdas. de avellanas o nueces picadas

70 g (2¹/₂ onzas/¹/₃ de taza) de chabacanos, reservar

1 cda. de azúcar glass

PORCIONES 8

TIEMPO DE PREPARACIÓN 25 minutos

TIEMPO DE COCCIÓN 45 minutos

1 Mezcla los chabacanos con la mitad del azúcar morena y el agua en una cacerola. Deja hervir a fuego lento 10 minutos o hasta que suavicen. Pásalos a un procesador de alimentos, añade 1 cdita. de extracto de vainilla y bate hasta alisar.

2 Pon el azúcar morena y la vainilla restantes, el jengibre molido y el queso crema en un bol. Mezcla con la batidora eléctrica. Incorpora los pedazos de galleta y las 2 cdas. de azúcar en un bol.

3 Pon la pasta filo en una mesa de trabajo y cúbrela con un lienzo húmedo. Rocía una hoja para hornear con aceite en aerosol, coloca dos hojas de filo encima y barnízalas con mantequilla. Esparce 1 cda. de pedazos de galletas. Pon otra capa de filo, mantequilla y migas, reserva un poco de mantequilla derretida.

4 Precalienta el horno a 190°C (375°F, marca 5). Con una cuchara, pon la mezcla de queso crema en el centro de la pasta en una tira de 4 cm (1½ pulgadas) de ancho; deja unos 2.5 cm (1 pulgada) de las orillas angostas sin cubrir. Forma 2 tiras de 4 cm (1½ pulgadas) de ancho con chabacanos, una a cada lado del queso. Enrolla los lados largos de la pasta hacia el centro sólo hasta empezar a cubrir el chabacano y los lados angostos justo hasta el relleno; presiona firmemente para sellar. Si no queda bien sellado, la pasta filo se puede desdoblar al hornearse. El tamaño final debe ser de unos 33 x 17 cm (13 x 6½ pulgadas).

5 Barniza con la mantequilla restante, esparce los frutos secos picados. Hornea por 30-35 minutos o hasta que el pan esté dorado y crujiente. Mientras tanto, derrite el chabacano con 1 cda. de agua en un sartén a fuego bajo, y úsalo para barnizar la pasta cocida aún caliente y espolvorea encima azúcar glass para servir.

Pastel de café y moras

El azúcar morena, las bayas y la canela le agregan un magnífico sabor a este bocadillo.

400 g (2½ tazas/14 onzas) de
moras azules frescas o congeladas

60 g (⅓ de taza/2¼ onzas) de
azúcar morena

1 cdita. de canela molida

125 g (½ taza/4½ onzas) de
mantequilla

220 g (1 taza/8 onzas) de azúcar
extrafina

1 huevo grande y 1 clara de huevo
grande

1 cda. de ralladura de cáscara de
limón

310 g (2½ tazas/11 onzas) de
harina preparada con levadura

310 ml (1¼ tazas/11 onzas) de
leche baja en grasas

PORCIONES 16

TIEMPO DE PREPARACIÓN 20 minutos

TIEMPO DE COCCIÓN 40 minutos

1 Usa un molde para hornear de
33 x 23 cm (13 x 9 pulgadas);
engrásalo y enharínalo. Precalienta
el horno a 180°C (350°F, marca 4). En
un bol pequeño, revuelve 310 g
(2 tazas/7 onzas) de moras con el
azúcar morena y la canela.

2 Con una batidora en el nivel
alto, bate la mantequilla y el
azúcar en un bol hasta lograr una
mezcla ligera y esponjosa; unos 4
minutos. Añade el huevo y la clara,
bate por 2 minutos y agrega la
ralladura de limón. Baja la
velocidad. En tres tiempos, incorpora la harina alternando con la leche.
Deja de batir en ocasiones para lim-
piar los lados del bol. No batas de
más.

3 Vierte la mitad de la mezcla en
el molde; vacía la mezcla de las
moras. Con una cuchara, pon enci-

ma el resto de la mezcla y esparce
bien. Gira un cuchillo sobre la masa
varias veces, luego cúbrela con las
moras restantes.

4 Hornea por 40-45 minutos o
hasta que un palillo insertado
en el centro salga con migas
húmedas. Enfría el molde en una
rejilla por 15 minutos. Corta 16
piezas y sirve caliente o al tiempo.

Consejo práctico

A menudo las recetas tradicionales
de pasteles de café usan sólo 2
huevos. Al usar un huevo y una
clara de más aseguras una textura
ligera y delicada, y un contenido
bajo en grasas. Al igual que la leche baja en grasas reduce el
contenido de grasas y colesterol.

Tarta de membrillo

El membrillo es una fruta grande, con forma de pera y de piel verdosa con un sabor distintivo.
Usa 3 o 4 peras firmes o, si lo prefieres, manzanas.

PARA LA PASTA

1 limón

150 g (5½ onzas) de harina integral

55 g (¼ de taza/2 onzas) de azúcar blanca

70 g (⅓ de taza/2½ onzas) de mantequilla, suave

PARA EL RELLENO

Unos 500 g (1 libra 2 onzas) de membrillo

1 naranja

125 ml (½ taza) de jugo de manzana

30 g (2 cdas.) de azúcar blanca

90 g (3 onzas) de almendras laminadas

2 huevos

150 g (⅔ de taza/5 onzas) de queso crema o mascarpone

1 cda. de miel

1 cdita. de canela molida

1 Usa un molde desmontable de 26 cm (10½-pulgadas). Ralla la cáscara de medio limón. Ponla en un bol con la harina, el azúcar, 2 cdas. de agua y la mantequilla y amasa hasta tener una pasta lisa. Cubre el molde con la pasta, formando una orilla de 2.5 cm (1 pulgada) de alto. Enfría 30 minutos.

2 Precalienta el horno a 200°C (400°F, marca 6). Parte los membrillos en cuatro, pélalos y quítales el corazón; corta rebanadas de 1 cm de grueso. Saca tiras delgadas de cáscara de la naranja y exprime el jugo de ésta. Ponlos a hervir con el jugo de manzana y el azúcar. Agrega el membrillo y hierve a fuego lento por 15 minutos. Cuela, reserva el líquido; deja enfriar. Retira la cáscara.

3 Esparce las almendras sobre la base de la pasta. Hornea 15 minutos. Baja la temperatura del horno a 180°C (350°F, marca 4). Pon los membrillos en la base. Mezcla el líquido frío reservado con los huevos y el queso crema, y vierte en la fruta. Hornea 30 minutos más.

4 Mezcla la miel y la canela y vacíalas sobre la tarta. Déjala en el horno apagado 10 minutos. Retira los lados del molde y déjala enfriar en su base.

PORCIONES 8-10

TIEMPO DE PREPARACIÓN 45 minutos

TIEMPO DE COCCIÓN 15 minutos, más 30 minutos

Tarta de pera

Por su delicado sabor, vale la pena comprar las peras frescas. Aunque las peras deben estar maduras, deben ser lo suficientemente firmes para rebanarse limpia y nítidamente.

PARA LA PASTA

90 g (⅓ de taza/3¼ de onzas) de mantequilla, suave

200 g (1¼ tazas/6½ onzas) de harina

40 g (3 cdas./1½ onzas) de azúcar

1 yema de huevo

2 cdas. de ron o jugo de manzana

PARA EL RELLENO

2 manzanas

6 peras maduras

El jugo de 1 limón grande

85 ml (⅓ de taza/2½ onzas) de agua o jugo de pera

1 pizca de canela y clavos de olor molidos (de cada uno)

30 g (¼ de taza/1 onza) de pistaches picados

PORCIONES 8-10

TIEMPO DE PREPARACIÓN 35 minutos

TIEMPO DE COCCIÓN 20 minutos, más 15 minutos

1 Usa un molde desmontable de 26 cm (10 pulgadas). Engrásalo ligeramente. Para la pasta, pon la mantequilla, la harina, el azúcar, la yema de huevo y el ron en un bol. Amasa a mano o con las aspas de una batidora eléctrica.

2 Con las manos enharinadas, amasa sobre una tabla con harina hasta que la masa brille. Haz una bola lisa y cubre con envoltura adherente. Refrigérala 30 minutos.

3 Mientras, pela y quita el corazón a las manzanas y a 2 peras y rebánalas.

4 Pon estas rebanadas en un sartén con el jugo de limón, la canela y los clavos de olor molidos.

5 Cubre el sartén, deja hervir la fruta a fuego lento hasta que se ablande. Destapa el sartén y deja por otros 15 minutos hasta que la fruta se haga puré. Retira del fuego. Deja enfriar.

6 Precalienta el horno a 180°C (350°F, marca 4). Extiende la pasta con un rodillo para que cubra la base y los lados del molde. Vacía el puré de fruta sobre la base de la pasta y prehornea por 20 minutos.

7 Mientras, pela y quita el corazón a las demás peras y rebánalas. Acomódalas sobre el puré de fruta. Esparce los pistaches encima. Hornea por otros 15 minutos. Enfría antes de servir.

Consejo práctico

Una bebida helada de chocolate se lleva bien con esta tarta. Pon 2 cdas. de jarabe de chocolate por porción y viértelo en un vaso grande y mueve. Llena las dos terceras partes con leche. Cubre con 1 cda. de helado de vainilla y crema batida. Espolvorea con cacao en polvo.

Pastel envinado de naranja

Guarda el pastel en un recipiente hermético y déjalo reposar por un par de días.
Tu recompensa será un completo sabor a naranja.

PARA EL PASTEL

4 yemas y 3 claras de huevo

200 g (³/₄ de taza/7 onzas) de mantequilla, suave

225 g (1 taza/8 onzas) de azúcar extrafina

2 cditas. de ralladura de cáscara de naranja

210 g (1²/₃ tazas/7 onzas) de harina

3 cditas. de polvo de hornear

PARA EL GLASEADO

125 ml (¹/₂ taza/4 onzas) de jugo de naranja recién exprimido

3 cdas. de licor de naranja

110 g (¹/₂ taza/4 onzas) de azúcar blanca (granulada)

1 cdita. de ralladura de cáscara de naranja

1 Usa un molde desmontable de 24 cm (9½ pulgadas). Engrasa o cubre la base con papel para hornear. Precalienta el horno a 180°C (350°F, marca 4).

2 Para el pastel, bate las claras a punto de turrón. Con la batidora eléctrica bate el azúcar, la mantequilla, las 4 yemas y la ralladura de naranja hasta que esté ligero y esponjoso,unos 5 minutos.

3 Cierne la harina y el polvo de hornear en la mezcla y pon la mantequilla a cucharadas. Añade las claras con cuchara de metal.

4 Pasa la mezcla al molde y alisa. Hornea por 35-40 minutos hasta que se dore. Déjalo en el molde.

5 Mezcla los ingredientes del glaseado en un sartén a fuego bajo hasta que el azúcar se disuelva. Con un tenedor, pica el pastel y báñalo con el glaseado. Pon el molde en una rejilla y déjalo enfriar por completo.

También, prueba esto...

Para un pastel envinado de limón, usa el jugo y la cáscara de 1 limón y licor de limón o de almendras.

PORCIONES 8

TIEMPO DE PREPARACIÓN 20 minutos

TIEMPO DE COCCIÓN 35-40 minutos

Gran tarta de naranja

Esta deliciosa tarta tiene el tamaño justo para una fiesta grande. Es sencilla y rápida de preparar, lo que la hace una receta ideal para un cocinero ocupado.

PARA LA PASTA

250 g (2 tazas/9 onzas) de harina

55 g (¼ de taza/2 onzas) de azúcar extrafina

125 g (½ taza/4½ onzas) de mantequilla suave

1 cdita. de polvo de hornear

1 huevo

PARA EL RELLENO

3 naranjas grandes

2 yemas de huevo

75 g (⅓ de taza/3 onzas) de azúcar extrafina

14 g (1 cda.) de grenetina sin sabor, en polvo

500 ml (2 tazas/17 onzas) de jugo de naranja recién exprimido

185 ml (½ taza/4 onzas) de crema para batir

1 Usa una charola para hornear; engrásala. Mezcla los ingredientes de la pasta en un bol; amasa hasta formar una bola lisa, cúbrela con una película autoadherente y refrígerala 30 minutos.

2 Precalienta el horno a 180°C (350°F, marca 4). En una superficie enharinada, extiende la masa con un rodillo formando un círculo de 35 cm (14 pulgadas) de diámetro. Ponlo en la charola, pícalo varias veces con un tenedor. Hornea 15 minutos. Pásalo al plato aún caliente.

3 Pela las naranjas; quítales la membrana. Sosténlas sobre un bol para recoger el jugo; separa los gajos. Bate las yemas y el azúcar hasta lograr una mezcla cremosa. Acomoda 2/3 de los gajos en la base.

4 Pon la grenetina en agua fría. Hierve 2 cdas. de jugo de naranja y disuelve la grenetina en él. Añade el jugo restante y viértelo en la mezcla de huevo, sin dejar de mover. Deja que se enfríe hasta que la mezcla empiece a asentarse.

5 Bate la crema hasta que espese. Añádela a la mezcla cuando se haya asentado. Rodea la base de la pasta con papel aluminio de 5 cm (2 pulgadas) de alto para soportar el relleno mientras se asienta. Esparce el relleno en la tarta y refrigera. Retira el papel. Decora con el resto de los gajos de naranja.

PORCIONES 12-16

TIEMPO DE PREPARACIÓN 15 minutos

TIEMPO DE COCCIÓN 30 minutos

Pastel de plátano

Este distintivo pastel se hace con un puré de aromático platano.
Se sirve como postre.

500 g (1 libra 2 onzas) de camote

500 g (1 libra 2 onzas) de plátanos

500 ml (2 tazas/17 onzas) de leche

1 vaina de vainilla

3 huevos

110 g (½ taza/3 onzas) de azúcar blanca (granulada)

160 g (⅔ de taza/6 onzas) de mantequilla suave

60 ml (¼ de taza/2 onzas) de ron

420 g (1⅓ tazas/15 onzas) de mermelada de frambuesa

PORCIONES 6-8

TIEMPO DE PREPARACIÓN 40 minutos

TIEMPO DE COCCIÓN 1 hora

1 Usa un molde desmontable de 20 cm (8 pulgadas). Pela los camotes y los plátanos y córtalos en rodajas.

2 Ponlos en una cacerola grande y cúbrelos con la leche; pon agua, si no hay suficiente leche. Déjalos hervir a fuego lento 20 minutos o hasta que estén cocidos y blandos.

3 Cuela los camotes y los plátanos. En una licuadora, hazlos puré y reserva. Precalienta el horno a 200°C (350°F, marca 4).

4 Abre la vaina de vainilla a lo largo y raspa con un cuchillo para sacar las semillas. En un bol pequeño, bate los huevos y el azúcar con una batidora eléctrica hasta obtener una mezcla pálida y esponjosa.

5 Agrega 125 g (½ taza/4½ onzas) de mantequilla, el ron, las semillas de vainilla y el puré a la mezcla de huevo. Bate hasta combinar y alisar.

6 Engrasa el molde con mantequilla. Ponlo sobre un recipiente para hornear que sea más grande y alto y vierte agua tibia, cubriendo sólo un tercio del recipiente. Hornea 40 minutos.

7 Saca el pastel del horno y déjalo enfriar en el molde. Desmóldalo y pásalo a un platón para servir. Calienta la mermelada y barniza con ella el pastel. Sirve de inmediato.

Consejo práctico

Es importante que el molde desmontable que se use para hornear este pastel no gotee. Si no estás seguro, usa molde para pay.

Pay de crema y plátano

La corteza húmeda contrasta maravillosamente con el interior cremoso de este pay.

48 obleas de vainilla; unos 225 g (8 onzas)

2 cdas. de miel

115 g (½ taza/4 onzas) de azúcar blanca (granulada)

40 g (⅓ de taza/1½ onzas) de harina

750 ml (3 tazas/26 onzas) de leche

2 yemas de huevo y 1 huevo

1 cda. de mantequilla

1 cda. de extracto de vainilla

6 plátanos grandes

60 ml (¼ de taza/2 onzas) de jugo de naranja

2 cdas. de chabacanos en conserva

PORCIONES 8

TIEMPO DE PREPARACIÓN 30 minutos, más tiempo de enfriado

TIEMPO DE COCCIÓN 15 minutos

1 Usa un plato para pay de 23 cm (9 pulgadas). Engrásalo ligeramente. Precalienta el horno a 180°C (350°F, marca 4). Pon las obleas, la miel y 2 cdas. de agua en un procesador de alimentos, bate hasta obtener migas finas. Presiona en para formar una corteza. Hornea unos 10 minutos. Enfría en una rejilla.

2 Mezcla el azúcar y la harina en un sartén. Incorpora la leche y ponla a hervir a fuego medio. Mezcla las yemas de huevo y el huevo en un bol; añade 250 ml (1 taza/9 onzas) de la mezcla de leche caliente. Regresa la mezcla al sartén (esto evita que cuaje). Cuece, sin dejar de mover, hasta que la mezcla hierva y espese. Retira del fuego, luego incorpora la mantequilla y la vainilla. Enfría por 15 minutos.

3 Rebana los plátanos en rodajas y báñalos con jugo de naranja. Esparce sobre la corteza un tercio de los plátanos y cubre con la mitad del relleno. Repite lo mismo y al final cubre con el resto de los plátanos, encimándolos formando una espiral. Barniza con los chabacanos en conserva molidos. Deja enfriar por 30 minutos a temperatura ambiente. Refrigera 4 horas por lo menos o toda la noche antes de servir.

Tarta de piña

Una piña está madura cuando es fácil quitar las hojas internas de la corona
y la fruta segrega un aroma intenso.

PARA LA PASTA

1 limón

250 g (2 tazas/9 onzas) de harina

3 cdas. de azúcar

125 g ($\frac{1}{2}$ taza/4$\frac{1}{2}$ onzas) de
mantequilla

1 huevo, ligeramente batido

PARA EL RELLENO

1 yema de huevo

1 vaina de vainilla

2 huevos

80 g ($\frac{1}{3}$ de taza/2$\frac{3}{4}$ onzas) de
azúcar extrafina

125 ml ($\frac{1}{2}$ taza/4 onzas) de crema

1 piña madura

4 cdas. de gelatina de grosella

85 g ($\frac{1}{4}$ de taza/3 onzas) de
mermelada de chabacano

250 ml (1 taza/9 onzas) de jugo de
manzana

40 g ($\frac{1}{4}$ de taza/1$\frac{1}{2}$ onzas) de
almendras picadas

PORCIONES 12

TIEMPO DE PREPARACIÓN 1 hora

TIEMPO DE COCCIÓN 25 minutos

1 Usa un molde desmontable de 26 cm (10$\frac{1}{2}$ pulgadas). Engrásalo. Para la pasta, ralla 1 cda. de la cáscara del limón. Pon la harina, el azúcar, la mantequilla, el huevo, la ralladura y 2-3 cdas. de agua en un bol, y mezcla.

2 Integra los ingredientes a mano o con una batidora eléctrica con aspas para masa. Enharina una superficie de trabajo y tus manos y amasa por unos minutos hasta que esté brillante. Forma una bola lisa y cúbrela con película autoadherente. Refrigérala por 30 minutos.

3 Precalienta el horno a 200°C (400°F, marca 6). Extiende la masa con un rodillo formando un círculo tan grande como para cubrir la base del molde y crear una orilla de unos 2.5 cm de alto. Ponlo en el molde.

4 Para el relleno, barniza la base de pasta con la yema de huevo. Parte la vaina de vainilla en dos y sácale las semillas. Combina los huevos, la mitad del azúcar, las semillas de vainilla y la crema en un bol; luego vacía la mezcla sobre la base de la pasta. Hornea por 25 minutos.

5 Mientras, pela, rebana y retírale el centro de la piña. Saca el pastel del horno y déjalo enfriar. Cúbrelo con las rebanadas de piña.

6 Con una cucharita, llena el centro de cada piña con un poco de gelatina de grosella.

7 Mezcla la mermelada de chabacano, el jugo de manzana y el resto del azúcar en un sartén pequeño; deja hervir a fuego lento hasta que alise; cuela. Barniza el pastel con la mezcla y esparce las almendras picadas en la orilla, antes de que el glaseado se asiente.

Consejo práctico

Para cortar la piña, quita primero la corona de hojas tomándola con las manos y torciéndola firmemente. Si necesitas rebanadas, primero pélala con un cuchillo, y luego rebánala. Después quítale el centro duro. Si la receta necesita la fruta picada, corta la piña en cuatro a lo largo y retírale la cáscara antes de picarla.

Esponjado de mango glaseado

Este pastel está cubierto por jugosas rebanadas de mango, con una sencilla y ligera mezcla esponjosa con sabor a lima y coco. Antes de hornear, el pastel se voltea para que la fruta quede encima. Luego se cubre con azúcar glass y se carameliza hasta dorar bajo una parrilla caliente.

1 mango maduro

170 g (³/₄ de taza/6 onzas) de azúcar extrafina

2 huevos, un poco batidos

125 g (¹/₂ taza/4¹/₂ onzas) de yogur natural

125 ml (¹/₂ taza/4 onzas) de aceite de girasol

Ralladura fina de cáscara de 1 lima

185 g (1¹/₂ tazas/6¹/₂ onzas) de harina

2 cditas. de polvo de hornear

30 g(¹/₃ de taza/1 onza) de coco deshidratado (endulzado y rallado)

2 cdas. de azúcar glass, cernida

PORCIONES 8

TIEMPO DE PREPARACIÓN 20 minutos

TIEMPO DE COCCIÓN 50 minutos

1 Usa un molde cuadrado y profundo de 18 cm (7 pulgadas) con base desmontable, o uno de pastel redondo y profundo de 20 cm (8 pulgadas). Engrásalo y cubre con papel para hornear. Precalienta el horno a 180°C (350°F, marca 4).

2 Pela el mango. Separa la pulpa del hueso y rebánalo. Distribúyelo en el fondo del molde.

3 Pon el azúcar, el yogur, el aceite y la ralladura de lima en un bol grande y bate hasta lograr una mezcla lisa. Cierne la harina y el polvo de hornear e incorpóralos en la mezcla alternando con el coco.

4 Con una cuchara, vierte la mezcla sobre las rebanadas de mango y alisa. Hornea por 50 minutos o hasta que dore y esté firme al tacto. Revísalo a los 30 minutos y cúbrelo con papel de aluminio si se dora muy rápido.

5 Deja el pastel en el molde unos 15 minutos, luego voltéalo en la charola de una parrilla, con el mango hacia arriba. Quita el papel de hornear. Precalienta la parrilla. Espolvorea una gruesa capa de azúcar glass y ponlo bajo la parrilla caliente 3-4 minutos o hasta que se diluya el azúcar y esté dorado. Déjalo enfriar en la rejilla.

6 Pasa el pastel a un platón. El pastel sobrante se puede cubrir con película autoadherente y guardar en el refrigerador por 2-3 días.

También, prueba esto...

Para un pastel volteado de chocolate, pera y nuez, en lugar de mango usa 2 peras maduras pero firmes, peladas, sin corazón y en rebanadas. Sustituye las 3 cdas. de harina por 3 cdas. de cacao en polvo y añade 30 g (¹/₄ de taza/ 1 onza) de nuez finamente picada en lugar del coco deshidratado.

Para un esponjado de durazno, parte a la mitad 3 duraznos maduros y firmes. Rebánalos en 6 o 7 piezas. Distribúyelos boca arriba en un molde desmontable engrasado y forrado con papel para hornear de 23 cm (9 pulgadas). Pon 125 g (¹/₂ taza/4¹/₂ onzas) de mantequilla sin sal suavizada, 115 g (¹/₂ taza/4 onzas) de azúcar morena, 50 g (¹/₃ de taza/1³/₄ onzas) de harina integral, 40 g (¹/₃ de taza/1¹/₂ onzas) de harina preparada con levadura, 1 cdita. de polvo de hornear, 30 g (¹/₄ de taza/1 onza) de almendras molidas, 1 cda. de leche y 2 huevos en un bol grande. Bate por 2 minutos o hasta que todo se combine bien. Con una cuchara, vierte la mezcla en un molde. Hornea como en la receta original.

Pastel de queso y limón

Disfruta este delgado pero denso pastel de queso estilo italiano con una taza de té o como postre. A diferencia de otros pasteles de este tipo, se hornea sin una corteza rica en mantequilla y usa queso ricotta, bajo en grasas, en lugar de queso crema.

3 cdas. de sémola

40 g (⅓ de taza/1 ½ onzas) de uvas pasas sultanas (sin semillas)

60 ml (¼ de taza/2 onzas) de brandy

340 g (1 ⅓ tazas/12 onzas) de queso ricotta

3 yemas de huevo grandes

85 g (⅓ de taza/3 onzas) de azúcar extrafina

60 ml (¼ de taza/2 onzas) de jugo de limón

1 ½ cditas. de extracto de vainilla

Ralladura fina de cáscara de 2 limones grandes

PARA EL RELLENO

2 naranjas

2 satsumas (tangerina japonesa) o mandarinas

1 limón

4 cdas. de mermelada de limón

PORCIONES 8

TIEMPO DE PREPARACIÓN 20 minutos, más 30 minutos de remojo y 2-3 horas de enfriado

TIEMPO DE COCCIÓN 35-40 minutos

1 Usa un molde para sándwiches antiadherente de 20 cm (8 pulgadas) con base desmontable. Cubre la base con papel para hornear. Engrasa el papel y los lados del molde. Pon 1 cda. de sémola en el molde; inclínalo para cubrir la base y los lados, y golpéalo para eliminar el exceso. Pon las sultanas con el brandy en un bol. Déjalas remojar por 30 minutos o hasta que se hidraten.

2 Precalienta el horno a 180°C (350°F, marca 4). Presiona el queso ricotta por un cernidor en un bol. Añade el jugo, las yemas, el azúcar, la vainilla y el resto de la sémola y bate para combinar. Mezcla la ralladura de limón y las sultanas con el brandy.

3 Con una cuchara, pasa la mezcla al molde; alisa. Hornea por 35-40 minutos o hasta que el pastel esté dorado por encima y la

orilla se encoja. Apaga el horno. Deja enfriar el pastel adentro unas 2 horas con la puerta entreabierta.

4 Pela las naranjas, las satsumas y el limón, quítales toda la membrana. Separa los gajos sin piel. Luego derrite la mermelada en un sartén a fuego muy bajo.

5 Desmolda el pastel de queso con cuidado y ponlo en un platón para servir. Barnízalo con un poco de la mermelada derretida, acomoda los gajos encima y vierte la mermelada restante. Deja asentar antes de servir.

También, prueba esto...

Reemplaza las sultanas por chabacanos finamente picados o cerezas agrias empapadas en jugo de naranja.

Tarta de mora y naranja

La pimienta puede ser un ingrediente extraño, pero realza el sabor de la mora. La masa de la costra de la tarta se hace con el saludable aceite de oliva monoinsaturado en lugar de mantequilla.

185 g (6½ onzas) de harina

40 g (1½ onzas) de azúcar glass

2 cditas. de ralladura de cáscara de naranja

½ cdita. de polvo de hornear

60 ml (¼ de taza/2 onzas) de aceite de oliva, más 2 cdas.

2 cdas. de jugo de naranja, más 60 ml (¼ de taza/2 onzas)

Unos 700 g (3½ tazas/1 libra 8 onzas) de moras frescas o descongeladas

8 cdas. de azúcar blanca (granulada)

½ cdita. de pimienta molida

⅛ de cdita. de nuez moscada molida

30 g (¼ de taza/1 onza) de fécula de maíz

PORCIONES 8

TIEMPO DE PREPARACIÓN 30 minutos, más tiempo de reposo y refrigeración

TIEMPO COCCIÓN 30 minutos

1 Usa un molde para flan de 23 cm (9 pulgadas) con base desmontable. Combina la harina, el azúcar glass, la ralladura de naranja y el polvo de hornear en un bol. Añade el aceite y 2 cdas. de jugo de naranja; mezcla. Enharínate las manos y una superficie de trabajo y amasa hasta tener una bola. Aplástala para formar un disco y cúbrela con película autoadherente. Refrigérala por 30 minutos.

2 Precalienta el horno a 180°C (350°F, marca 4). Presiona la masa en el molde para cubrir la base y los lados. Pícala varias veces con un tenedor. Cubre con papel para hornear y llena con frijoles o arroz secos. Hornea por 15 minutos; retira el papel y los frijoles. Hornea por otros 10 minutos o hasta dorar. Enfría en una rejilla.

3 Combina las moras azules, el jugo de naranja restante, 6 cdas. de azúcar, la pimienta y la nuez moscada en una cacerola; deja que hierva. Baja el fuego y deja hervir otros 5 minutos.

4 Añade las 2 cdas. de azúcar restantes y la fécula; agrega las moras y cocina por 2 minutos o hasta que la mezcla espese.

5 Enfría la mezcla de moras a temperatura ambiente, luego viértela sobre la corteza horneada. Enfría la tarta por 1 hora antes de servir.

Rollo de frutas de verano

Las frescas frutas de verano como las fresas, los duraznos y las nectarinas saben maravillosas con crema. Aquí, estas aromáticas frutas se combinan con crema y yogur para hacer un delicioso relleno para este esponjado, tan ligero como el viento y sin grasas.

PARA EL PASTEL

3 huevos grandes

115 g (½ taza/4 onzas) de azúcar extrafina

125 g (1 taza/4½ onzas) de harina

1 cda. de agua tibia

PARA EL RELLENO

150 ml (½ taza/5 onzas) de crema para batir

1 cdita. de extracto de vainilla

90 g (⅓ de taza/3¼ onzas) de yogur natural

150 g (1 taza/5 onzas) de fresas, rebanadas

1 durazno o nectarina maduros, picados.

PARA LA DECORACIÓN

2-3 cdas. de azúcar glass

Unas rebanadas de fresa, durazno o nectarina

PORCIONES 8

TIEMPO DE PREPARACIÓN 30 minutos

TIEMPO DE COCCIÓN 10-12 minutos

1 Usa un molde para rollo suizo de 33 x 23 cm (13 x 9 pulgadas). Engrásalo; cúbrelo con papel para hornear. Precalienta el horno a 200°C (400°F, marca 6).

2 Pon los huevos y el azúcar en un bol. Con una batidora eléctrica, bate hasta que la mezcla espese y quede una huella en la superficie al levantar las aspas. Si usas una batidora mecánica, pon el bol sobre una cacerola con agua casi hirviendo, asegurándote de que el agua no toque la base del bol.

3 Cierne la mitad de la harina en la mezcla de huevo e incorpora suavemente con una cuchara de metal. Cierne el resto de la harina encima y mezcla con el agua tibia.

4 Pon la mezcla en el molde; sacude éste un poco para emparejar. Hornea por 10-12 minutos o hasta que el esponjado levante bien, recupere su forma al presionarlo con el dedo y adquiera un color dorado pálido.

5 Voltéalo en un papel para hornear más grande que el pastel. Retira el papel que lo cubre. Recorta las orillas duras con un cuchillo; haz una marca de 2.5 cm (1 pulgada) desde una de las orillas cortas (facilitará enrollar el pan).

6 Enrolla desde uno de los lados cortos, con el papel adentro, y pon la juntura hacia abajo en una rejilla para enfriar.

7 Cuando enfríe, desenróllalo con cuidado y quita el papel. Bate la crema con el extracto de vainilla hasta que forme picos suaves, luego incorpora el yogur. Vierte la mezcla sobre el rollo, dejando una orilla de 1 cm (½ pulgada) alrededor. Esparce la fruta sobre la crema. Vuelve a enrollar y pon la juntura hacia abajo sobre un platón para servir.

8 Pon tiras de papel para hornear de 2.5 cm (1 pulgada) de ancho sobre el pastel, diagonalmente y con la misma separación. Espolvorea azúcar glass encima para crear un efecto rallado. Retira el papel con cuidado. Decora con la fruta extra. Mantén el rollo en el refrigerador hasta que esté listo para servirse. Es mejor comerlo el mismo día.

También, prueba esto...

Para un sencillo rollo suizo de mermelada, sigue la receta hasta el punto 6, luego vierte 5 cdas. de mermelada caliente sobre el esponjado y enrolla. Espolvorea con azúcar extrafina.

Para un rollo suizo de chocolate y frambuesa, reemplaza 3 cdas. de harina por 3 cdas. de cacao en polvo. Usa 175 g (1½ tazas/6 onzas) de frambuesas frescas en el relleno, en lugar de fresas y duraznos. Decora con azúcar glass y cacao en polvo.

Filo de pera y grosella

El brillante jugo color rojo de la grosella tiñe las peras y luce bajo el entramado de pasta. Aunque las grosellas tienen una temporada corta, se pueden congelar. Si no las consigues, puedes sustituirlas por otras bayas.

2 cdas. de gelatina de grosella

1 cdita. de jugo de limón

3 peras maduras pero firmes, de unos 170 g (6 onzas) cada una

125 g (1 taza/4$\frac{1}{2}$ onzas) de grosellas

3 hojas de pasta filo, de 30 x 50 cm (12 x 20 pulgadas) cada una, unos 90 g (3$\frac{1}{4}$ onzas) en total

20 g ($\frac{3}{4}$ de onza) de mantequilla sin sal, derretida

40 g ($\frac{1}{4}$ de taza/1$\frac{1}{2}$ onzas) de almendras molidas

PORCIONES 6

TIEMPO DE PREPARACIÓN 25 minutos

TIEMPO DE COCCIÓN 15-20 minutos

1 Usa un molde para flan antiadherente de 23 cm (9 pulgadas) con fondo desmontable. Precalienta el horno a 200°C (400°F, marca 6) y calienta una hoja para hornear. Para el relleno, pon la gelatina de grosella con el jugo de limón en un sartén y caliéntala hasta que se derrita. Retírala del fuego.

2 Pela las peras y córtalas en rebanadas delgadas. Añádelas a la gelatina; sacude para cubrirlas. Agrega las grosellas; mezcla.

3 Encima 2 hojas de filo. (Cubre la tercera con una toalla de cocina húmeda para impedir que se seque.) Córtalas en cuartos. Separa las 8 piezas y barnízalas con mantequilla. Cubre con ellas el molde; encímalas un poco, presiona y dobla las orillas.

4 Esparce las almendras molidas en la base de la tarta. Cubre uniformemente con la mezcla de peras y grosellas.

5 Corta la hoja de filo restante a la mitad a lo ancho, barnízala con mantequilla. Pon una sobre otra. Corta 10 tiras de unos 2.5 cm (1 pulgada) de ancho y recorta el exceso. Tuerce las tiras dobles y arréglalas en un patrón entramado sobre el relleno. Pliega las puntas.

6 Pon el molde sobre la hoja para hornear caliente. Hornea por 15-20 minutos o hasta que la pasta esté dorada. Sirve caliente.

También, prueba esto...

Para un entramado de filo de pera y frambuesa, usa frambuesas en lugar de grosellas. Cambia la gelatina de grosella por una de frambuesa sin semillas.

Para una tarta de filo de mango y grosella, esparce sobre la base de la pasta 30 g ($\frac{1}{3}$ de taza/1 onzas) de coco deshidratado (rallado). Pela 2 mangos maduros y córtalos en cubos; mézclalos con 100 g (1 taza/3$\frac{1}{2}$ onzas) de grosellas, en mitades. Revuelve vigorosamente 2 cdas. de azúcar morena en 2 cdas. de jugo de lima, luego baña la base de la pasta uniformemente. Cubre con el entramado de pasta. Hornea como en la receta original.

Consejo práctico

La pera contiene muy poca vitamina C. Sin embargo, en esta receta se combinan con la grosella, una útil fuente de vitamina C. Las peras aportan buenas cantidades de potasio y de fibra. La grosella contiene betacaroteno.

Cobbler de ciruela

A esta versión de un antiguo postre popular se le agregan nueces en la cubierta para darle una textura crujiente y un sabor característico. La cubierta se pone sobre las ciruelas en tiras que forman un patrón entramado.

800 g (1 libra 12 onzas) de ciruelas, en mitades o cuartos

El jugo y la ralladura de cáscara de 1 naranja grande

1 raja de canela

2 cdas. de azúcar morena clara

PARA EL RELLENO

200 g (7 onzas) de harina con levadura

1 cda. de polvo de hornear

30 g (1 onza) de mantequilla sin sal, refrigerada y en cubos

30 g (1 onza) de azúcar morena clara

1 cda. de nueces picadas

100 ml (3 1/2 onzas) de leche descremada, más 1 cda. para barnizar

PORCIONES 6

TIEMPO DE PREPARACIÓN 45 minutos

TIEMPO DE COCCIÓN 25-30 minutos

1 Usa un recipiente para horno de 1.2 litros (5 tazas/44 onzas). Precalienta el horno a 180°C (350°F, marca 4). Pon las ciruelas, la ralladura y el jugo de naranja, la canela y el azúcar en el recipiente y mezcla bien. Sacude el traste para que la fruta se disperse bien.

2 Para hacer la cubierta, cierne la harina y el polvo de hornear en un bol. Incorpora la mantequilla y mezcla hasta lograr migas finas de pan. Vierte el azúcar y las nueces picadas. Forma un volcán, agrega la leche y mezcla para tener una masa suave (no pegajosa).

3 Pon la masa en una superficie de trabajo enharinada y amasa brevemente. Extiéndela con un rodillo para formar un rec-tángulo de 1 cm (½ pulgada) de es-pesor y

un poco más ancho que el diámetro del recipiente. Con un cuchillo o rueda para pasta, corta tiras de 2 cm (¾ de pulgada) de ancho.

4 Humedece el borde del reci-piente con agua. Arregla las tiras en un patrón entramado, presiona las puntas en el borde y recorta los sobrantes. Barniza con leche.

5 Hornea por 25-30 minutos o hasta que la cubierta esté dorada y la fruta blanda. Sirve caliente o frío. Retira la raja de canela antes de servir.

También, prueba esto...

Haz el cobbler con una mezcla de manzanas y ciruelas. Otras buenas combinaciones son frambuesas con manzanas y peras con bayas.

Para un cobbler de fresa y ruibar-bo, reemplaza las ciruelas por 400 g (14 onzas) de ruibarbo picado y fresas enteras, y condimenta con cáscara de naranja y 2 cdas. de gelatina de grosella. Añade ave-llanas tostadas picadas a la cu-bierta. Extiende la masa con un rodillo formando un círculo de 18 cm (7 pulgadas) de diámetro y 1 cm (½ pulgada) de grosor y con un cortador acanalado corta círculos de 3 cm (1¼ pulgada). Arréglalos sobre la fruta, sobre-puestos; barniza con leche y hornea como en la receta original

Brownie de frambuesa

Las frambuesas y el chocolate tienen una afinidad natural difícil de vencer.

2 cdas. de aceite vegetal

2 cdas. de cacao en polvo sin azúcar

1 huevo

140 g (³/₄ de taza/5 onzas) de azúcar morena

60 g (½ taza/2¼ onzas) de harina

¼ de cda. de bicarbonato de sodio

30 g (¼ de taza/1 onza) de nueces toscamente picadas

375 g (3 tazas/13 onzas) de frambuesas

1 cda. de fécula de maíz mezclada en 2 cdas. de agua

PORCIONES 8

TIEMPO DE PREPARACIÓN 15 minutos

TIEMPO DE COCCIÓN 30 minutos

1 Con aceite en aerosol, rocía un molde redondo para pastel de 20 cm (8 pulgadas). Precalienta el horno a 180°C (350°F, marca 4). Mezcla el aceite, el cacao en polvo, el huevo, 60 ml (¼ de taza/2 onzas) de agua, 90 g (½ taza/3¼ onzas) de azúcar, todas las harinas y el bicarbonato de sodio en un bol grande. Incorpora las nueces; vacía la masa en el molde y hornea por 20 minutos o hasta que un palillo insertado en el centro salga limpio. Enfría en el molde sobre una rejilla.

2 Mientras, mezcla la mitad de las frambuesas y el resto del azúcar en una cacerola y cocina, moviendo por 4 minutos o hasta que la fruta esté jugosa. Incorpora la mezcla de fécula de maíz. Cocina por otros 4 minutos o hasta que la mezcla espese. Pásala por un cernidor para quitar las semillas. Enfría por 10 minutos. Con una cuchara pásala a la base del brownie y arregla las frambuesas restantes encima.

Volteados de fruta

Con un relleno de frutas y especias, estos pequeños pays son exactos para sostener en la mano. Son perfectos para días de campo o parrilladas.

PARA LA PASTA

375 g (3 tazas/13 onzas) de harina

160 g (²/₃ de taza/5 ½ onzas) de mantequilla, picada

185 ml (¾ de taza/6 onzas) de agua

125 g (½ taza/4 ½ onzas) de manteca vegetal blanca

PARA EL RELLENO

4 manzanas grandes, peladas, sin corazón en rebanadas

125 g (¾ de taza/4 ½ onzas) de dátiles y ciruelas pasas, sin hueso, picadas (de cada uno)

1 cda. de jugo de naranja recién exprimido

55 g (¼ de taza/2 onzas) de azúcar morena

½ cdita. de canela molida

1 huevo, batido

2-3 cdas. de azúcar extrafina

PORCIONES 12

TIEMPO DE PREPARACIÓN 45 minutos, más 30 minutos de enfriado

TIEMPO DE COCCIÓN 20-25 minutos

1 Para la pasta, cierne la harina en un bol e incorpora la mitad de la mantequilla; amasa. Añade el agua y mezcla para tener una masa suave. En una superficie enharinada, extiende la masa con un rodillo y forma un rectángulo de 5 mm (¼ de pulgada) de espesor. Barniza con la mitad de la mantequilla restante las dos terceras partes del rectángulo, luego pasa la otra por encima de la parte del centro. Levanta la otra parte y cúbrelas. Presiona las orillas con un rodillo.

2 Voltea la masa un cuarto de giro a la izquierda para que las juntas laterales queden abajo y arriba. Extiende otra vez un rectángulo de 5 mm (¼ de pulgada) de espesor. Barniza con manteca vegetal dos terceras partes de la pasta, dobla y voltea como antes. Repite, usando el resto de la mantequilla. Cubre con película autoadherente y refrigera por 30 minutos.

3 Para el relleno, pon los dátiles, las manzanas, las ciruelas pasas, el jugo de naranja, el azúcar y la canela en una cacerola. Tápala y cocina a fuego medio 8 minutos. Apaga y déjala enfriar. Precalienta el horno a 220°C (425°F, marca 7).

4 Corta la masa a la mitad y extiéndela en una pieza de 35 x 25 cm (14 x 9 pulgadas). Corta la mitad a lo largo y en tres a lo ancho para hacer 6 cuadrados de 12 cm (4½ pulgadas). Con una cuchara rellena cada uno. Barniza las orillas con un poco de huevo batido, luego pasa una punta por encima para cubrir el relleno y formar un triángulo. Presiona las orillas para sellar y decora con un tenedor. Pon los volteados en una hoja para hornear y refrigéralos mientras preparas 6 más de la misma forma con el resto de la masa y el relleno.

5 Barnízalos con el resto del huevo batido, espolvorea el azúcar. Hornéalos por 20-25 minutos o hasta que levanten, estén crujientes y dorados. Enfríalos un poco sobre las rejillas.

Tarta de ciruela y especias

La sencillez de esta receta desmiente el refinamiento de la combinación de sabores.
Se puede usar crema y queso crema en lugar de las versiones bajas en grasas.

125 g (1 taza/4 ½ onzas) de harina,
más 1 cda. extra

3 cditas. de azúcar blanca
(granulada)

2 cdas. de mantequilla sin sal, picada

1 ½ cdas. de queso crema bajo en
grasas

1 ½ cdas. de crema agria baja en
grasas

1 clara de huevo, ligeramente batida

650 g (1 libras 7 onzas) de ciruelas
púrpura, en gajos de 5 mm

80 g (⅓ de taza/3 onzas) de azúcar
morena

¼ de cdita. de jengibre molido

1 pizca de pimienta negra

PORCIONES 6

TIEMPO DE PREPARACIÓN 30 minutos,
más 1 hora de enfriado

TIEMPO DE COCCIÓN 40 minutos

1 Usa una bandeja para horno.
Mezcla la harina (reserva
1 cda.) y el azúcar en un bol. Incorpora la mantequilla y el queso
crema y revuelve con 2 cuchillos
hasta que la mezcla semeje migas
gruesas. Mezcla la crema y 1 cda.
de agua helada en un bol; añade la
mezcla de harina hasta combinar.
Aplasta la masa y forma un círculo,
cúbrelo con película autoadherente
y refrigera por 1 hora por lo menos.

2 Precalienta el horno a 190°C
(375°F, marca 5). Extiende la
masa con un rodillo en una
superficie enharinada formando un
círculo de 33 cm (13 pulgadas).
Ponlo en una bandeja para hornear
y enrolla la orilla de la masa una
vez para formar una orilla nítida.

3 Barniza con la clara de huevo
batida. Coloca las ciruelas
encimándolas en círculos
concéntricos. Mezcla el azúcar, el
jengibre, la pimienta y el resto de la
harina en un bol. Vierte la mezcla
uniformemente sobre las ciruelas.
Hornea por 40 minutos o hasta que
las ciruelas estén blandas y la
corteza, dorada.

ocasiones
especiales

Tarta de mousse de chocolate

Espectacular y sensacional, el chocolate y las ocasiones especiales fueron hechos uno para el otro.

215 g (1³/₄ tazas/7¹/₂ onzas) de galletas integrales de chocolate o galletas integrales despedazadas

1 clara de huevo grande

2 cdas. de miel

7 g (2 cdas./¹/₄ de onza) de grenetina sin sabor pulverizada

225 g (1 taza/8 onzas) de azúcar extrafina

125 g (1 taza/4¹/₂ onzas) de cacao en polvo sin azúcar, más extra para espolvorear

80 ml (¹/₃ de taza/2¹/₂ onzas) de leche caliente

1 cdita. de extracto de vainilla

375 ml (1¹/₂ tazas/13 onzas) de crema para batir

85 g (²/₃ de taza/3 onzas) de chocolate oscuro (semidulce), para rizos

PORCIONES 8

TIEMPO DE PREPARACIÓN 20 minutos

TIEMPO DE COCCIÓN 10 minutos, más tiempo para refrigerar

1 Usa un molde para tarta autoadherente de 25 cm (10-pulgadas) con base desmontable. Engrasa un poco. Precalienta el horno a 180°C (350°F, marca 4). Mezcla las migas, las claras de huevo y la miel. Presiona la mezcla en el fondo y los lados del molde para hacer una corteza. Hornea por 10 minutos. Enfría.

2 Pon 3 cdas. de agua en un sartén, esparce la grenetina. Deja por 1 minuto. Sin dejar de mover, calienta a fuego lento por 2 minutos. Retira del fuego.

3 Mezcla el azúcar y el cacao en un bol grande. Vierte la leche y el extracto de vainilla hasta que el cacao se disuelva. Añade la grenetina. Enfría.

4 Bate la crema hasta endurecer. Añade tres cuartas partes de la crema batida en la mezcla de cacao fría hasta mezclar. Vierte sobre la base. Vierte la demás crema en el centro haciendo giros. Refrigera por 2 horas al menos.

5 Espolvorea cacao y decora con los rizos de chocolate. Para hacerlos, el chocolate debe estar a temperatura ambiente. Usa un pelapapas y ralla presionando firmemente hacia abajo.

Consejo práctico

La grenetina se debe suavizar y disolver con mucho cuidado porque se puede hacer grumos cuando se agrega a otras mezclas. Espolvoréala uniformemente sobre el líquido para suavizar. No mezcles durante el proceso.

Rollo de crema y moca

También puedes decorar este delicioso esponjado con
granos o virutas de chocolate.

PARA EL PASTEL

3 huevos

90 g (½ taza/3¼ onzas) de azúcar

1 cdita. de ralladura de cáscara de
naranja

1 cda. de jugo de naranja

90 g (¾ de taza/3¼ onzas) de
harina

½ cdita. de polvo de hornear

PARA EL RELLENO Y LA DECORACIÓN

100 g (⅔ de taza/3 onzas) de
chocolate sabor moca

420 ml (1⅔ tazas/14½ onzas) de
crema para batir

1 cda. de cafe instantáneo frío

2 cdas. de azúcar glass

Cacao en polvo, para espolvorear

Flores y hojas de chocolate

1 Usa una charola para hornear
de 33 x 23 cm (13 x 9 pulgadas).
Cubre con papel para hornear.
Precalienta a 180°C (350°F, marca 4).

2 Bate huevos, azúcar, jugo y ralladura de naranja hasta esponjar. Cierne harina y polvo sobre la
mezcla de huevo e incorpora.

3 Esparce la mezcla uniformemente en la charola; hornea
por 12-14 minutos. Retira del horno,
pásalo a un papel para hornear
(deja la charola encima del pan);
enfría.

4 Derrite el chocolate a baño
María; enfría. Bate la crema
hasta endurecer. Vierte el chocolate,
el café y el azúcar glass. Pon 6 cdas.
de crema de chocolate en una dulla
con una boquilla de estrella.

5 Retira la charola y el papel.
Esparce tres cuartos de la
crema de chocolate sobre el
esponjado. Con la ayuda de la hoja
de papel, enróllalo por el lado largo.

6 Esparce la crema de chocolate
restante sobre el rollo y forma
rosetas con la dulla en posición
vertical. Espolvorea cacao en polvo
y decora con flores y hojas de
chocolate.

PORCIONES 8

TIEMPO DE PREPARACIÓN 45 minutos

TIEMPO DE COCCIÓN 12-14 minutos

129

Pay de limón y merengue

Este viejo favorito contiene el dulce del merengue con la acidez del limón.
El pay es delicioso servido caliente o frío.

PARA LA PASTA

165 g (1 1/3 tazas/5 3/4 onzas) de harina

2 cdas. de azúcar glass

150 g (2/3 de taza/5 1/2 onzas) de mantequilla, refrigerada y en cubos

1 1/2 cdas. de agua helada

PARA EL RELLENO

170 g (3/4 de taza/6 onzas) de azúcar extrafina

60 g (1/2 taza/2 1/4 onzas) de fécula de maíz

Ralladura fina de cáscara de 3 limones

80 ml (1/3 de taza/2 1/2 onzas) de jugo de limón, colado

185 ml (3/4 de taza/6 onzas) de agua

3 yemas de huevo

PARA EL MERENGUE

3 claras de huevo

Pizca de crémor tártaro

80 g (1/3 de taza/2 3/4 onzas) de azúcar extrafina

PORCIONES 6

TIEMPO DE PREPARACIÓN 30 minutos

TIEMPO DE COCCIÓN 35 minutos, más 3 horas para enfriar

1 Usa un plato para pay de 25 cm (10-pulgadas). Para la pasta, mezcla la harina en un procesador de alimentos con el azúcar glass y la mantequilla hasta que la mezcla parezca migas de pan. Añade el agua helada, bate sólo hasta que la mezcla se junte en una bola.

2 Pasa la pasta a una superficie de trabajo un poco enharinada; amasa suavemente hasta alisar y presiona para formar un disco de 15 cm (6-pulgadas). Cubre con una envoltura autoadherente y refrigera por 30 minutos.

3 Para hacer el relleno de limón, pon el azúcar y la fécula de maíz en un sartén. Combina la ralladura y el jugo de limón y el agua y vierte en la cacerola. Sin dejar de mover, calienta a fuego lento hasta hervir. Retira del fuego, añade las yemas de huevo y mezcla bien. Transfiere el relleno a un bol y cubre con envoltura adherente, refrigera por 2 horas.

4 Precalienta el horno a 180°C (350°F, marca 4). Extiende la pasta con un rodillo a un círculo de 33 cm (13 pulgadas) y 5 mm (1/4 de pulgada) de espesor. Pica varias veces con un tenedor. Refrigera la base por 15 minutos.

5 Cubre la pasta con papel para hornear y llena hasta la mitad con frijoles secos. Hornea por 15 minutos. Retira el papel y los frijoles, y cocina por 10 minutos o hasta que dore y emita aroma. Deja enfriar, esparce el relleno sobre ella con una cuchara y alisa la superficie con la cuchara.

6 Para hacer la cubierta de merengue, bate las claras de huevo en un bol con el crémor tártaro a punto de turrón. Agrega azúcar, a cucharadas, bate bien cada vez. El merengue debe ser grueso y brilloso.

7 Esparce el merengue sobre el relleno de limón, asegurándote de que selle alrededor de la corteza de pasta para impedir que el relleno se caliente de más (lo que podría provocar que se separe). Hornea por 10 minutos o hasta que el merengue esté de color dorado claro.

131

Pavlova

Este espectacular postre es fácil de preparar. Una vez que has hecho la mezcla de merengue, bátelo de inmediato; de otra forma se bajará y empezará a "llorar".

PARA EL MERENGUE

8 claras de huevo

375 g (1²/₃ tazas/13 onzas) de azúcar extrafina

2 cditas. de extracto de vainilla

2 cditas. de vinagre café

1 pizca de sal

2 cditas. de fécula de maíz

PARA EL RELLENO

310 ml (1¼ tazas/10³/₄ onzas) de crema, para batir

250 g (1²/₃ tazas/9 onzas) de fresas en mitades

2 plátanos, pelados y en rebanadas

90 g (¹/₃ de taza/3¹/₃ onzas) de pulpa de maracuyá

1 Usa una charola grande para horno, cubre con papel para hornear. Marca un círculo de 23 cm (9 pulgadas) como guía para el merengue. Precalienta el horno a 180°C (350°F, marca 4).

2 En un bol grande y seco, bate las claras con una batidora eléctrica a velocidad alta hasta que forme picos. Añade poco a poco el azúcar y sin dejar de batir hasta que esté firme y lustrosa y el azúcar se disuelva. Vierte la vainilla, luego el vinagre y la sal. Cierne la fécula de maíz e incorpora.

3 Con una espátula, esparce la mezcla sobre el círculo del

papel. Endereza los lados, alzándolos más que el centro. Hornea por 10 minutos en el centro del horno.

4 Reduce la temperatura a 120°C (235°F, marca 6). Hornea por otra hora. Retira del horno y deja enfriar totalmente. Bate la crema hasta que esté firme y enfría.

5 Justo antes de servir, cubre la Pavlova con la crema batida. Decora con fresas y rocía la pulpa de maracuyá encima. O con 3 kiwis pelados y en rebanadas, formando círculos sobre el maracuyá.

PORCIONES 8-10

TIEMPO DE PREPARACIÓN 20 minutos

TIEMPO DE COCCIÓN 1 hora 10 minutos

Historia

Australia y Nueva Zelandia se adjudican la creación de la Pavlova. Las recetas para merengues rellenos de frutas empezaron a aparecer en Nueva Zelandia en 1926, cuando Anna Pavlova se daba a conocer allá. Australia llegó en segundo lugar con el chef Bert Sachse, quien reclamó haber creado el postre en 1935.

Profiteroles de crema

Es una buena idea hacer un poco más de bases de pasta de chous y congelarlos.
Se pueden descongelar según se necesiten. Caliéntalos brevemente y luego rellena.

PARA LA PASTA

250 ml (1 taza/9 onzas) de agua

90 g ($^1/_3$ de taza/3$^1/_4$ onzas) de
   mantequilla

125 g (1 taza/4$^1/_2$ onzas) de harina

4 huevos

1 cdita. de extracto de vainilla

Ralladura de cáscara de $^1/_2$ limón

1 pizca de azúcar

1 yema de huevo, para barnizar

2 cdas. de crema

PARA EL RELLENO

185 ml ($^3/_4$ de taza/6 onzas) de
   crema para batir

3 cdas. de azúcar glass

1 cdita. de extracto de vainilla

PORCIONES 12

TIEMPO DE PREPARACIÓN 35 minutos

TIEMPO DE COCCIÓN 35-40 minutos

1 Usa una charola grande para
horno y cúbrela con papel para
hornear. Precalienta el horno a
200°C (400°F, marca 6).

2 Vierte agua en un sartén, añade
mantequilla y pon a hervir.
Agrega harina de golpe; bate
vigorosamente con una cuchara de
madera hasta que la masa se junte y
forme capas firmes en la base del
sartén. Retíralo del fuego, deja
enfriar un poco. Incorpora los
huevos enteros, uno a la vez y vierte
la vainilla, el limón y el azúcar.

3 Pon la masa en una dulla con
una boquilla grande con forma
de estrella; haz 12 rosetas en la
charola para hornear. Combina la
yema de huevo y la crema; barniza
los profiteroles. Hornea por 35-40
minutos hasta dorar. Retira del
horno; enfría en una rejilla. Corta a
la mitad, horizontalmente.

4 Para el relleno, bate la crema
hasta espesar, vierte 2 cdas. de
azúcar glass y la vainilla. Cubre
cada mitad con crema y forma
sándwiches. Espolvorea con el
azúcar glass restante.

Pastel de zanahoria y nueces

Hornea un pastel de zanahoria y harás que los niños coman verduras sin notarlo.
El cremoso graseado es más bajo en grasa que el tradicional, porque se usa queso ricotta.

175 g (1 ½ tazas/6 onzas) de harina integral con levadura

175 g (1 ½ tazas/6 onzas) de harina preparada con levadura

1 cdita. de canela molida

100 g (²/₃ de taza/½ onza) de nueces del Brasil

60 g (½ taza/2 onzas) de uva pasas

140 g (²/₃ de taza/5 onzas) de azúcar morena

200 ml, más 1 cda. (¾ de taza, más 1 cda./7 onzas) de aceite de girasol

4 huevos grandes

200 g (1 ⅓ tazas/7 onzas) de zanahorias, finamente ralladas

Ralladura fina de la cáscara y ½ naranja

PARA EL GLASEADO

250 g (1 taza/9 onzas) de queso ricotta

55 g (¼ taza/2 onzas) de azúcar glass, cernida

Ralladura fina de cáscara de media naranja

PORCIONES 12

TIEMPO DE PREPARACIÓN 30 minutos, más tiempo para enfriar

TIEMPO DE COCCIÓN 50 minutos

1 Usa un molde para pastel redondo y profundo de 20 cm (8 pulgadas) y cubre la base con papel para hornear. Engrasa ligeramente. Precalienta el horno a 180°C (350°F, marca 4).

2 Cierne las harinas y la canela en un bol grande; deja las cáscaras. Pica las dos terceras partes de las nueces del Brasil y mezcla en la harina con las uvas pasas. Rebana las demás nueces muy delgadas, a lo largo, y reserva.

3 En otro bol, bate el azúcar y el aceite con una cuchara de madera hasta combinar bien. Incorpora los huevos, uno a la vez. Agrega la zanahoria rallada y la ralladura y el jugo de naranja. Con una cuchara de metal, incorpora esta mezcla con la de harina, sólo para combinar. No mezcles de más.

4 Pasa la mezcla al molde y hornea por 50 minutos o hasta que alce y esté firme al tacto. Deja el pastel en el molde por 5 minutos, luego desmolda sobre una rejilla y quita el papel. Deja enfriar.

5 Para el glaseado, bate el queso ricotta, el azúcar y la ralladura de naranja en un bol con una cuchara de madera. Espárcelo sobre el pastel frío; cubre con el resto de las nueces rebanadas, colocándolas de forma que queden clavadas desde diferentes ángulos. Se puede refrigerar el pastel, cubierto, hasta por 3 días.

También, prueba esto...

Sustituye las nueces del Brasil con macadamias o castaña de cayú.

Para un pastel de pasión, usa unos 260 g (1 taza/9 onzas) de piña de lata en jugo natural, cuela y pica finamente. Pon la piña entre toallas de papel para absorber el exceso de agua. Vierte en la mezcla con 150 g (1 taza/5½ onzas) de zanahoria rallada. Omite el jugo y la ralladura de naranja; usa nueces pacanas en lugar de las del Brasil.

Consejo práctico

La harina integral es buena fuente de vitamina B más hierro y cinc. También proporciona una buena cantidad de fibra, en particular de la variedad insoluble.

Las zanahorias dan una de las más ricas fuentes de antioxidantes betacaroteno; esto ayuda a proteger las células contra algún daño por sus radicales libres. Mientras que la mayoría de los vegetales son más nutritivos crudos, la zanahoria cocida ofrece más. Esto se debe a que la cocción rompe las fuertes membranas celulares y hace que el cuerpo absorba más fácilmente el betacaroteno.

Pastel con frutas rojas

Este inusual pastel sin harina es un excelente postre. El arroz arbóreo italiano (risotto) se cocina lentamente en leche hasta que esté suave y cremoso. Se mezcla con huevos, frutos secos, limón y ron, y se hornea. Al acompañarlo con una ensalada de frutas rojas se añade un toque de color.

625 ml (2$\frac{1}{2}$ tazas/21 onzas) de leche

Tiras de cáscara de limón

165 g ($\frac{3}{4}$ de taza/5$\frac{1}{2}$ onzas) de arroz arbóreo

115 g ($\frac{3}{4}$ de taza/4 onzas) de piñones

115 g ($\frac{3}{4}$ de taza/4 onzas) de almendras blanqueadas

3 huevos grandes (separa yemas y claras)

80 g ($\frac{1}{3}$ de taza/2$\frac{3}{4}$ onzas) de azúcar extrafina

Ralladura de la cáscara de 1 limón

1 cda. de ron añejo

Azúcar glass, para decorar

PARA LA ENSALADA DE FRUTA

300 g (2 tazas/10 onzas) de fresas

125 g (1 taza/4 onzas) de frambuesas

250 g (1$\frac{1}{4}$ tazas/9 onzas) de cerezas, sin semilla

PORCIONES 8-10

TIEMPO DE PREPARACIÓN 1$\frac{1}{4}$ horas, más una noche de refrigeración

TIEMPO DE COCCIÓN 40 minutos

1 Usa un molde desmontable de 20 cm (8 pulgadas). Engrásalo; cubre la base con papel para hornear. Calienta la leche y la cáscara de limón en una cacerola de base pesada y deja hervir. Añade el arroz, deja hervir a fuego muy lento. Cocina, sin tapar, moviendo con frecuencia, por 40 minutos o hasta que se suavice el arroz y la mezcla espese y esté cremosa.

2 Pasa la mezcla de arroz a un bol grande con una cuchara; deja enfriar. Precalienta el horno a 180°C (350° F, marca 4).

3 Esparce los piñones y las almendras en dos moldes para hornear, tuesta en el horno por unos 10 minutos o hasta que estén un poco cafés. Pica grueso las almendras.

4 Retira la cáscara de limón del arroz. Con una cuchara de madera, bate las yemas de huevo, una a la vez. Incorpora el azúcar extrafina, la ralladura de limón y el ron. Añade los frutos secos.

5 En otro bol, bate las claras de huevo a punto de turrón. Incorpora con cuidado a la mezcla de arroz con una cuchara de metal. Pasa la mezcla al molde. Hornea por 40 minutos o hasta que un palillo insertado en el centro salga limpio.

6 Deja el pastel en el molde hasta enfriar. Cubre con una envoltura autoadherente (aún en el molde); refrigera toda la noche, o hasta 48 horas si es necesario.

7 Para hacer la ensalada roja, pon la mitad de las fresas en un procesador de alimentos y haz un puré o pásalas por un cernidor con el dorso de una cuchara. Corta en mitades la otra mitad; viértelas en el puré con las frambuesas y cerezas. Pon la mezcla en un bol.

8 Desmolda y ponlo en un platón para servir y quita el papel. Espolvorea el pastel con azúcar glass. Sirve con la ensalada de fruta.

También, prueba esto...

Para hacer una versión con chocolate, cocina el arroz con la cáscara de limón, como la receta original. Luego retira del fuego y quita la cáscara. Mientras está aún caliente, añade 50 g ($\frac{1}{3}$ de taza/2 onzas) de chocolate oscuro (semidulce) rallado (que contenga por lo menos el 70% de sólidos de cacao); mezcla hasta derretir. Enfría, luego vierte 2 cdas. de café exprés frío. Continúa como la receta original.

Tarta de jarabe dorado

Esta sencilla y clásica tarta inglesa es un obligado para los amantes del dulce.
También se puede hacer con jarabe oscuro de maíz.

PARA LA PASTA

185 g (1 ½ tazas/6 ½ onzas) de
harina llana

60 g (¼ de taza/2 ¼ onzas) de
mantequilla

30 g (2 cdas./1 onza) de manteca
vegetal blanca

1 huevo, batido

PARA EL RELLENO

235 g (⅔ de taza/8 ½ onzas) de
jarabe dorado u oscuro de maíz

Ralladura fina de cáscara de 1 limón
pequeño

2 cditas. de jugo de limón

40 g (½ taza/1 ½ onzas) de migas
de pan blanco y suave

PORCIONES 6

TIEMPO DE PREPARACIÓN 45 minutos

TIEMPO DE COCCIÓN 25-30 minutos,
más 30 minutos para enfriar

1 Usa un plato para pay de 23 cm
(9 pulgadas). Cierne la harina
en un bol e incorpora la mantequilla y la manteca hasta que la
mezcla semeje finas migas de pan.
Mezcla con el huevo hasta tener
una masa firme. Pásala a una
superficie ligeramente enharinada;
amasa un poco hasta alisar. Cubre
con una envoltura autoadherente y
enfría por 30 minutos.

2 Precalienta el horno a 200°C
(400°F, marca 6). Pon el jarabe,
la cáscara y el jugo de limón en un
sartén y calienta a fuego lento por
1–2 minutos para adelgazar el
jarabe. Retira del fuego y vierte en
las migas de pan. Deja que se enfríe
el relleno.

3 Extiende la masa con rodillo,
muy delgada para cubrir el
plato de pay; presiona la masa.
Corta el excedente de la orilla y

pica un poco la base con un
tenedor. Amasa el recorte otra vez,
extiéndelo y corta en pequeñas
figuras como corazones, con un
cortador de pasta.

4 Esparce la mezcla de jarabe en
el plato de pay cubierto, deja
una orilla ancha por todo el borde.
Barniza las figuras con agua y
colócalas alrededor de la orilla de la
pasta. Pon el plato en una charola
para hornear y pónlos en el centro
del horno por 25–30 minutos o
hasta que la pasta esté cocida. Sirve
la tarta caliente o fría, con crema
batida o natilla.

Consejo práctico

Para medir el jarabe, primero pasa
la taza de medir por agua caliente,
luego vierte el jarabe. El calor del
contenedor evitará que se quede
pegado en la taza.

Pay de calabaza

Este tradicional pay estadounidense evoca los tiempos coloniales.

PARA LA PASTA

125 g (1 taza/4 1/2 onzas) de harina

30 g (1/4 de taza/1 onza) de harina preparada con levadura

2 cdas. de azúcar glass

125 g (1/2 taza/4 1/2 onza) de mantequilla, picada

2 cdas. de agua

PARA EL RELLENO

2 huevos

55 g (1/4 de taza/2 onzas) de azúcar morena

2 cdas. de jarabe de maple

250 g (1 taza/9 onzas) de calabaza cocida machacada (como 350g/12 onzas sin cocer)

125 ml (1/2 taza/4 onzas) de crema

1 cdita. de canela molida

1/2 cdita. de nuez moscada molida

1 Usa un plato para pay de 23 cm (9 pulgadas). Vacía las harinas y el azúcar glass en un bol. Añade la mantequilla y amasa con los dedos hasta que la mezcla semeje migas de pan. Agrega agua y mezcla para formar una bola. En una superficie enharinada, amasa hasta alisar, cubre con papel autoadherente y refrigera por 30 minutos.

2 Precalienta el horno a 180°C (350°F, marca 4). En una superficie enharinada extiende la masa hasta que cubra el plato. Recorta la orilla. Con las migas de pasta forma una doble orilla. Recorta y pellizca el borde.

3 Pon el plato en una charola para hornear. Cubre la base de pasta con papel para hornear, llena con frijoles secos. Hornea por 10 minutos. Quita el papel y los frijoles; hornea 10 minutos o hasta que esté un poco dorada; enfría.

4 Para el relleno, bate los huevos, el azúcar y el jarabe en un bol pequeño con una batidora eléctrica hasta espesar. Incorpora la calabaza, la crema y las especias.

5 Pon el relleno sobre la pasta; hornea a temperatura moderada por unos 50 minutos o hasta que se asiente el relleno; enfría. Espolvorea ligeramente con azúcar glass cernida, si lo deseas.

También, prueba esto...

La calabaza en conserva produce un buen resultado y es rápida de usar cuando no tienes tiempo para hacer el relleno.

PORCIONES 6-8

TIEMPO DE PREPARACIÓN 20 minutos, más tiempo de refrigeración

TIEMPO DE COCCIÓN 1 1/4 horas

Flan con especias

Un flan puede ser una tarta con base de pasta y una corteza horneada, como un *crème caramel*.
Es uno de los más recientes —una corteza muy ligera hecha con calabaza,
huevos y crema agria; las especias le dan su fragancia y la naranja su sabor.

1 calabaza (450 g/1 libra)

Ralladura de la cáscara y el jugo de
1 naranja grande

2 huevos, ligeramente batidos

100 g (½ taza/3½ onzas) de azúcar
morena

1 cdita. de canela molida

½ cdita. de jengibre molido

¼ de cdita. de nuez moscada recién
molida

¼ de cdita. de sal

1 cda. de brandy (opcional)

150 g (⅔ de taza/5½ onzas) de
crema agria

Azúcar glass, para espolvorear

Crema agria extra, para servir

PORCIONES 6

TIEMPO DE PREPARACIÓN 30 minutos,
más por lo menos 1 hora para
enfriar

TIEMPO DE COCCIÓN 25-30 minutos

1 Usa un molde para flan o un plato para pay no metálico de 23 cm (9 pulgadas). Pela la calabaza y corta en trozos; quita las semillas. Ponla en un sartén con el jugo de naranja. Deja hervir y cocina a fuego lento, tapada, por 20-25 minutos o hasta que suavice. Cuela y deshecha el jugo restante. Haz un puré fino en un procesador de alimentos o machaca bien. Precalienta el horno a 180°C (350°F, marca 4).

2 Bate los huevos con la cáscara de naranja, el azúcar, la canela, el jengibre, la nuez moscada, la sal, el brandy, si lo usas, y la crema agria. Agrega la calabaza y mezcla bien.

3 Hornea por 25–30 minutos o hasta que asiente. Desprende las orillas con un cuchillo de hoja redonda, luego deja enfriar por 1 hora. Sirve tibio. Como alternativa, cubre y enfría antes de servir. Espolvorea con azúcar glass y sirve con crema agria.

También, prueba esto…

Para un **flan tipo soufflé con especias,** en el paso 2 separa yemas y claras y bate aquéllas con la cáscara de naranja, azúcar y ½ cdita. de canela, 1 cdita. de mezcla de especias, sal y brandy, si lo usas. Mezcla con el puré de calabaza. Bate las claras de huevo a punto de turrón. Incorpora en la mezcla con la crema agria. Vierte en un recipiente para hornear de 23 cm (9 pulgadas) y 5 cm (2 pulgadas) de profundidad. Esparce 30 g (¼ de taza/1 onza) de nueces pacana picadas encima. Hornea como la receta original, hasta que esté un poco esponjoso y dorado pálido. Sirve caliente, espolvorea azúcar glass y con el resto de la crema.

Consejo práctico

La calabaza es una buena fuente del antioxidante betacaroteno, como lo indica el color naranja brillante de la piel.

Sus semillas tienen mucho hierro, magnesio, cinc y fósforo.

Tarta de frambuesa

Se puede preparar con las tradicionales bayas o con duraznos y piña en conserva.

PARA EL ESPONJADO

55g (¼ de taza/2 onzas) de azúcar extrafina

1 cdita. de extracto de vainilla

2 huevos

60 g (½ taza/2¼ onzas) de harina

¼ de cdita. de polvo de hornear

PARA LA PASTA

125 g (1 taza/4½ onzas) de harina

½ cdita. de polvo de hornear

60 g (¼ de taza/2¼ onzas) de mantequilla

2 cdas. de azúcar blanca (granulada)

1 yema de huevo

PARA LA CAPA O EL RELLENO DE CHOCOLATE

50 g (⅓ de taza/2 onzas) de chocolate oscuro (semidulce)

600 g (4¾ tazas/1 libra 5 onzas) de frambuesas frescas o congeladas

115 g (½ taza/4 onzas) de azúcar

350 g (1⅓ tazas/12 onzas) de yogur natural

80 ml (⅓ de taza/2½ onzas) de jugo de limón

14 g (1 cda./½ onza) de grenetina en polvo

375 ml (1½ tazas/13 onzas) de crema, para batir

PARA EL GLASEADO Y LA DECORACIÓN

60 ml (¼ de taza/2 onza) de jugo de grosella

60 g (¼ de taza/2¼ onzas) de mermelada de frambuesa, caliente y colada

50 g (½ taza/2 onzas) de almendras laminadas

1 Usa moldes desmontables de 2 x 28 cm (11 pulgadas). Engrasa la base y los lados de cada uno. Precalienta el horno a 180°C (350°F, marca 4). Para el esponjado, bate el azúcar, la esencia de vainilla, los huevos y 1 cda. de agua fría hasta esponjar.

2 Mezcla la harina y el polvo de hornear. Cierne sobre la mezcla de huevo e incorpora. Esparce la mezcla del esponjado en un molde engrasado, que quede más alto en las orillas. Hornea por 20–25 minutos. Retira el molde del horno. Separa los lados con un cuchillo. Voltéalo sobre papel para hornear; no quites el molde. Deja enfriar.

3 Para la pasta, combina todos los ingredientes en un bol; amasa para tener una masa lisa. Forma una bola, presiona, cubre con envoltura autoadherente y refrigera por 30 minutos. Engrasa la base del otro molde desmontable. Extiende la masa con un rodillo para cubrir la base y pica varias veces con un tenedor. Hornea por 12-15 minutos. Retira del horno; enfría en una rejilla. Desmolda.

4 Para hacer la capa de chocolate, derrite chocolate en un bol a baño María y espárcelo sobre la base de pasta. Retira la base del molde y el papel de la base del esponjado. Ponlo encima de la pasta con la parte de arriba hacia abajo. Coloca el anillo del pastel alrededor de los dos.

5 Para el relleno, haz un puré con las frambuesas, presionándolas por un cernidor con una cuchara (no congelada). Combina el puré, el azúcar, el yogur y el jugo de limón.

6 Espolvorea la grenetina sobre 60 ml (¼ de taza/2 onzas) de agua tibia en un sartén pequeño; calienta a fuego lento sin dejar de mover hasta que se disuelva. Vierte las frambuesas en la mezcla; enfría.

7 Bate la crema hasta espesar. En cuanto empiece a asentar la mezcla de frambuesa, vierte en la crema y esparce sobre la base del esponjado; alisa. Después de unos minutos, esparce el resto de las frambuesas sobre la mezcla. (Pon bayas congeladas encima.)

8 Para el glaseado, combina el jugo y la mermelada. Viértelo con una cuchara en las frambuesas evitando que el glaseado tibio se mezcle con la mezcla de crema.

9 Cubre la tarta y refrigera por 2 horas, por lo menos. Retira el anillo de pastel justo antes de servir. Tuesta almendras en una cacerola, enfría un poco y presiónalas alrededor de la tarta.

PORCIONES 12-16

TIEMPO DE PREPARACIÓN 1 hora más, 2 horas para enfriar

TIEMPO DE COCCIÓN 35-40 minutos

Tarta a la crème con fruta

Esta espléndida tarta es engañosa: parece que requiere de un alto nivel culinario, pero no podría ser más sencilla. Cambia la fruta de acuerdo a la estación o a tu gusto. O puedes usar fruta enlatada sin el jugo.

PARA EL ESPONJADO

6 huevos

100 g (½ taza/3½ onzas) de azúcar extrafina

1 cdita. de extracto de vainilla

80 g (½ taza/2¾ onzas) de harina integral

40 g (¼ de taza/1½ onzas) de harina de arroz

1 cdita. de polvo de hornear

PARA EL RELLENO Y CUBIERTA

125 ml (½ taza/4 onzas) de leche

1 cdita. de extracto de vainilla

2 yemas y dos claras de huevo

3 cdas. de azúcar

2 cditas. de harina de arroz

125 g (½ taza/4½ onzas) de yogur natural

2 cdas. de mermelada de naranja

300 g (1½ tazas/10½ onzas) de una mezcla de frutas (como duraznos, plátanos, melón y chabacanos), picadas

185 ml (¾ de taza/6 onzas) de crema, para batir

1 cda. de pistaches sin sal

PORCIONES 16

TIEMPO DE PREPARACIÓN 1 hora

TIEMPO DE COCCIÓN 30-35 minutos

1 Usa un molde desmontable de 26 cm (10½-pulgadas) y cubre con papel para hornear. Precalienta el horno a 180°C (350°F, marca 4). Para hacer el esponjado, separa los huevos y bate las claras con 60 ml (¼ de taza/2 onzas) de agua fría, añade el azúcar y la vainilla y sigue batiendo hasta lograr el punto de turrón y que esté brillante. Incorpora las yemas, una a una.

2 Mezcla las harinas y el polvo de hornear y cierne sobre la mezcla de huevo e incorpora con un batidor de mano. Con una cuchara, pasa la mezcla al molde y alisa la superficie. Hornea por 30-35 minutos. Retira del horno, deja en el molde por 10 minutos. Desmolda y ponlo en una rejilla para enfriar completamente.

3 Para hacer el relleno, pon a hervir la leche con la vainilla. Con una batidora eléctrica, bate las yemas de huevo y 2 cdas. de azúcar en un cacerola hasta que esponje. Vierte la leche caliente en la mezcla de harina de arroz; combina. Calienta a fuego lento sin dejar de mover con una cuchara de madera hasta espesar.

4 Vierte agua fría en un bol hasta la mitad y añade cubos de hielo. Coloca encima la cacerola y mueve hasta enfriar. Bate las claras de huevo a punto de turrón. Incorpora el yogur y la mermelada en la mezcla de crème fría, luego añade las claras de huevo.

5 Rebana el pastel en 3 y coloca una capa en un plato. Esparce la mitad de la crème encima. Cubre con la segunda capa y esparce el resto de la crème sobre ella. Coloca encima la tercera capa.

6 Decora la superficie con la fruta. Bate la crema hasta endurecer, endulza con el azúcar restante y viértela en una manga de repostería. Forma giros de crema alrededor del pastel. Pica los pistaches y espárcelos encima. Decora con hojas de menta, si lo deseas.

También, prueba esto...

Para hacer un esponjado de chocolate con bayas, hornea el pastel con la harina, la harina de arroz y 2 cdas. copeteadas de cacao en polvo. Prepara la crème como se describe en la receta original. Incorpórala en 55 g (⅓ de taza/2 onzas) de chocolate oscuro (semidulce) picado con las claras de huevo. Rellena el pastel con la mezcla de chocolate y cúbrelo con moras, fresas y zarzamora. Forma giros de crema con la dulla y ralla chocolate encima.

Merengues

Una variedad de sabores para los rellenos hace que estos merengues sean aún más atractivos para una ocasión especial.

PARA LOS MERENGUES

4 claras de huevo

285 g (1 ¼ tazas/10 onzas) de azúcar extrafina

170 ml (⅔ de taza/5 ½ onzas) de crema, para batir

Azúcar glass para decorar

PARA EL SABOR A LIMÓN

Ralladura fina de la cáscara de 1 limón

1 cda. de jugo de limón

1 cda. de azúcar glass

PARA EL SABOR A VAINILLA

¼ de cdita. de extracto de vainilla

1 cdita. de azúcar glass

PARA EL SABOR A CAFÉ

1 ½ cdas. de café negro fuerte

1 cda. de azúcar glass

PARA EL SABOR A LICOR

Ralladura fina de cáscara de 1 naranja pequeña

1 cda. de Cointreau o Grand Marnier

1 cdita. de azúcar glass

PORCIONES 8

TIEMPO DE PREPARACIÓN 15 minutos

TIEMPO DE COCCIÓN 2-3 horas (el tiempo necesario para secar los merengues variará de un horno a otro)

1 Usa 2 charolas grandes para horno. Cubre con papel para hornear. Precalienta el horno a 110°C (225°F, marca ½).

2 Usa un bol grande, bate las claras de huevo a punto de turrón, pero que no estén secas. Añade el azúcar, por cucharadas; mezcla hasta que todo esté incorporado y la textura sea gruesa y tersa.

3 Usa 2 cucharas soperas para formar figuras ovales; pon 16 cucharadas de la mezcla en las charolas, a 2.5 cm (1 pulgada) entre una y otra. Hornea por 2-3 horas o hasta que tengan un poco de color afuera y aún un poco suaves, como malvaviscos, en el centro.

4 Retira del horno, deja enfriar sobre las charolas; luego guarda en un recipiente hermético hasta que se vayan a rellenar.

5 Para el relleno, mezcla el sabor que deseas en la crema hasta espesar, pero que no esté mantecosa. Parte los merengues por la mitad, rellena una mitad y ponle encima otra mitad, como si fuera un sándwich. Colócalos en un platón para servir y cierne azúcar glass por encima.

Tarta de crema y mango

La madurez del mango es esencial para el aroma frutal de la crema.
Los mangos maduros son aromáticos y tienen una pulpa tensa, que cede ligeramente cuando se
presiona con suavidad.

200 g (1 ²/₃ tazas/7 onzas) de harina

¹/₂ cdita. de polvo de hornear

100 g (¹/₃ de taza/3 ¹/₂ onzas) de mantequilla

90 g (¹/₂ taza/3 ¹/₄ onzas) de azúcar blanca (granulada)

1 huevo

2 mangos maduros

2 cdas. de jugo de limón

2 yemas de huevo

125 ml (¹/₂ taza/4 onzas) de jugo de manzana

10 g de grenetina en polvo

50 g (¹/₃ de taza/1 ³/₄ onzas) de chocolate oscuro (semidulce)

500 ml (2 tazas/17 onzas) de crema, para batir

Unas gotas de extracto de vainilla

30 g (1 onza) de chocolate rallado a tu elección

1 Usa un molde desmontable de 26 cm (10½ pulgadas). Precalienta el horno a 180°C (350°F, marca 4). Pon harina, mantequilla, polvo de hornear, 2 cdas. de azúcar, huevo y 2 cdas. de agua en un bol y amasa hasta tener una pasta firme. Haz una bola y cubre con papel adherente; refrigera 30 minutos. Extiende la pasta con un rodillo y cubre la base y los lados del molde. Hornea 15-20 minutos. Desmolda y enfría. Rodea la base de pasta con un anillo de pastel.

2 Pela los mangos, separa la pulpa y corta en cubitos; mezcla con el jugo de limón. Reserva 12 cubos y con lo demás haz un puré con las yemas de huevo y el resto del azúcar. Calienta 3 cdas. de jugo de manzana y disuelve la grenetina

ahí. Vierte en la crema de mango con el jugo de manzana. Refrigera.

3 Derrite el chocolate en un bol a baño María; espárcelo sobre la base de pasta. Bate 375 ml (1½ tazas/13 onzas) de crema hasta espesar, incorpora en la crema de mango y vierte en la base de pasta.

4 Cubre la tarta con papel autoadherente y refrigera toda la noche. Bate la crema con la vainilla y con una dulla decora el pastel con cubos de mango y el chocolate toscamente rallado. Sirve.

PORCIONES 12

TIEMPO DE PREPARACIÓN 45 minutos, más 12 horas de refrigeración

TIEMPO DE COCCIÓN 15-20 minutos

Carlota rusa

Este fabuloso postre justifica el tiempo que necesita su preparación. Pero facilita las cosas al hornear el doble de la cantidad de las bases del esponjoso y la pasta de hojaldre, y congela la mitad. Luego, la próxima vez, lo único que tienes que hacer es preparar la créme y el relleno, y decorar.

PARA LA PASTA

60 g (¹⁄₄ de taza/2 onzas) de mantequilla, refrigerada

90 g (³⁄₄ de taza/3¹⁄₄ onzas) de harina

1 yema de huevo

PARA EL ESPONJADO

3 huevos

1¹⁄₂ cdas. de agua

60 g (¹⁄₄ de taza/2 onzas) de azúcar

85 g (²⁄₃ de taza/3 onzas) de harina

1 cda. de fécula de maíz

2 cdas. de ron

PARA LA CRÈME

14 g (1 cda./¹⁄₂ onza) de grenetina en polvo

Ralladura de la cáscara y el jugo de 1 limón

4 yemas de huevo

170 g (³⁄₄ de taza/6 onzas) de azúcar extrafina

1 cdita. de extracto de vainilla

1 cda. de jugo de naranja

375 ml (13 onzas/1¹⁄₂ tazas) de vino blanco

250 ml (1 taza/9 onzas) de crema para batir

PARA DECORAR

120 g (²⁄₃ de taza/4 onzas) de fruta en conserva

2 cdas. de mermelada de chabacano

80 ml (¹⁄₃ de taza/2¹⁄₂ onzas) de crema para batir

28 Soletas

Azúcar glass, cernida

1 Usa 2 charolas grandes para hornear. Corta la mantequilla en piezas pequeñas y colócalas en un bol. Añade harina y yemas. Amasa hasta alisar; agrega un poco de agua o harina si se necesita. Cubre con papel autoadherente; refrigera por 30 minutos.

2 Para el esponjado, bate los huevos y el agua con batidora por 3 minutos o hasta que esponje. Agrega azúcar y bate por otros 5 minutos o hasta que la mezcla esté pálida. Cierne la harina y la fécula de maíz; incorpora en la mezcla de huevo en porciones.

3 Precalienta el horno a 200°C (400°F, marca 6). Corta 4 círculos de papel para horno de 20 cm (8 pulgadas) de diámetro y pon dos de ellos en cada charola. Divide la mezcla uniformemente entre ellos.

4 Hornea las bases del esponjado por 5 minutos. Retira del horno y recorta las orillas usando un anillo de pastel de 20 cm (8 pulgadas) como guía. Quita el papel. Deja enfriar en una rejilla, luego báñalos con ron.

5 Pasa la pasta a una superficie ligeramente enharinada; extiende con un rodillo en un círculo de 20 cm (8 pulgadas) de diámetro. Engrasa 1 charola. Coloca la pasta ahí y pica varias veces con un tenedor. Hornea por 10-12 minutos.

6 Para la crème, en 60 ml (¹⁄₄ de taza/2 onzas) de agua caliente disuelve la grenetina. Pon la ralladura y el jugo de limón, las yemas, el azúcar, la vainilla, el jugo de naranja y el vino en una olla. Calienta a fuego lento, sin dejar de mover hasta que espese un poco; no dejes hervir. Vierte la grenetina.

7 Retira del calor, asiéntalo en un recipiente con agua fría para cortar la cocción. Mueve hasta enfriar. Bate la crema para espesar e incorpórala a la crème cuando ésta empiece a asentarse,

8 Cuela la fruta y corta en piezas pequeñas. Pon la base de pasta en un plato para servir y coloca un anillo de pastel a su alrededor. Coloca una capa de esponjado y una de crème, repite una capa de esponjado y una de crème. Cubre con fruta.

9 Esparce con más crème y tapa con la tercera capa de esponjado. Esparce el resto de la crème y alisa. Termina con la última capa de esponjado. Refrigera por 1 hora. Bate la crema hasta espesar. Quita el anillo. Cubre los lados con crema y presiona firmemente las soletas. Espolvorea con azúcar glass.

PORCIONES 12-14

TIEMPO DE PREPARACIÓN 1¹⁄₄ horas, más 1 hora para refrigerar

TIEMPO DE COCCIÓN 20 minutos

Tarta a la crème envinada

Al cremoso relleno para esta golosina que se deshace en la boca se le puede dar sabor con jugo de uva y un poco de limón en lugar de vino.

PARA LA BASE

200 g (7 onzas) de harina

100 g (3½ onzas) de mantequilla

3 cdas. de azúcar

1 huevo

PARA EL RELLENO Y LA DECORACIÓN

60 ml (¼ de taza/2 onzas) de gelatina de manzana

4 yemas de huevo

150 g (⅔ de taza/5½ onzas) de azúcar extrafina

1 cdita. de ralladura de cáscara de limón

80 ml (2½ onzas) de jugo de limón y naranja (de cada uno)

375 ml (13 onzas) de vino blanco

10 g de grenetina en polvo

500 ml (2 tazas/17 onzas) de crema, para batir

Azúcar glass

16 galletitas

1 Usa 2 charolas para horno; cubre con papel para hornear. Pon la harina, el azúcar y el huevo en un bol y mezcla para formar una masa. Refrigera por 30 minutos. Precalienta el horno a 180°C (350°F, marca 4). Extiende la masa con rodillo para cortar 2 círculos de 26 cm (10½ pulgadas). Colócalos en las charolas y pica varias veces con un tenedor. Hornea por 15–20 minutos. Deja enfriar; recorta la orilla.

2 Cubre una capa con la gelatina; pon un anillo de pastel alrededor. Bate las yemas con 115 g (½ taza) de azúcar, ralladura y jugos en un bol sobre un recipiente con agua hirviendo hasta que la mezcla espese. Disuelve la grenetina en 60 ml (¼ de taza/2 onzas) de vino caliente. Vierte la mezcla de crème y el resto de vino. Cubre y refrigera.

3 Bate la crema hasta espesar y endulza un cuarto con el resto del azúcar. Ponla en una dulla. Mezcla la crema restante en la crème envinada. Viértela sobre la base de pastel y refrigera.

4 Corta la segunda capa de pasta en 16 rebanadas y ponlas sobre la crème. Enfría por 6 horas. Cierne azúcar glass encima y decora con rosetas de crema y galletas.

PORCIONES 16

TIEMPO DE PREPARACIÓN
50 minutos más 6½ horas por lo menos para refrigerar

TIEMPO DE COCCIÓN 15-20 minutos

Tartaletas de pera

Estas tartaletas de atractiva forma son ideales para servir calientes como postre en una cena, con crema batida o helado.

3 hojas de pasta de hojaldre fresca o congelada, 400 g (14 onzas)

1 yema de huevo

PARA EL RELLENO

6 peras firmes

1 cda. de jugo de limón

125 ml (4 onzas) de vino blanco

150 g (5 ½ onzas) de almendras picadas

2 cdas. de miel

80 ml (⅓ de taza/2 ½ onzas) de crema

12 clavos de olor y 12 semillas de calabaza

2 cdas. de gelatina de grosella fresca

PORCIONES 12

TIEMPO DE PREPARACIÓN 30 minutos

TIEMPO DE COCCIÓN 15-20 minutos

1 Usa una charola grande para horno y cubre con papel para hornear. Precalienta el horno a 220°C (425°F, marca 7). Pon una junto a otra las hojas de hojaldre; descongela si es necesario.

2 Para el relleno, pela las peras, pártelas por la mitad y quita el corazón. Pon a hervir las mitades en una cacerola con el jugo de limón y el vino. Cubre y deja por 5 minutos. Retira del fuego y cuela.

3 Mezcla almendras, miel y crema. Extiende la pasta con un rodillo a 3 mm (⅛ de pulgada) de espesor sobre una superficie enharinada. Corta 12 figuras en forma de peras con tallo: 2.5 cm (1 pulgada).

4 Forma hojas con tallo con el resto de la pasta. Pon las figuras de pasta en una charola para hornear y pícalas varias veces con un tenedor. Esparce el relleno de almendra en el centro de cada una; deja un margen de 1 cm (½ pulgada) de ancho.

5 Haz varias incisiones a lo largo de cada pera o ráyalas con un tenedor; coloca la fruta hacia abajo sobre el relleno de almendra. Pon los clavos de olor simulando flores y semillas de calabaza para los tallos. Mezcla la yema de huevo con 2 cdas. de agua y barniza las orillas de la pasta. Hornea por 15–20 minutos; cubre con gelatina aún caliente.

151

Shortcake de fresas

Esta estilizada versión de un clásico estadounidense hace un impresionante postre de verano. Se basa en una rápida y ligera mezcla de pan relleno con yogur, crema batida y muchas fresas frescas y jugosas… ¡simplemente irresistible!

250 g (2 tazas/9 onzas) de harina con levadura

1 cdita. de polvo de hornear

90 g (¹/₃ de taza/3¹/₄ onzas) de mantequilla sin sal, en trocitos

3 cdas. de azúcar extrafina

1 huevo, batido

80 ml (¹/₃ de taza/2¹/₂ onzas) de leche

½ cdita. de extracto de vainilla

1 cdita. de azúcar glass

PARA EL RELLENO

350 g (2¹/₃ tazas/12 onzas) de fresas

90 ml (¹/₃ de taza/3 onzas) de crema para batir

90 g (¹/₃ de taza/3¹/₄ onzas) de yogur natural

PORCIONES 8

TIEMPO DE PREPARACIÓN 15 minutos

TIEMPO DE COCCIÓN 10-15 minutos

Consejo práctico

Enjuaga las fresas en agua fría, luego quita las hojas. Si lo haces antes absorberán agua. Quita la corona de hojas y el "corazón" blanco pegado a las hojas. Usa un cuchillo pelador pequeño para quitarlo rápidamente.

Al batir la crema, incorporas aire y aumentas el volumen; por lo tanto, una pequeña cantidad rinde mucho.

1 Usa una charola para hornear y engrasa ligeramente. Precalienta el horno a 220°C (425°F, marca 7). Cierne la harina y el polvo de hornear en un bol. Incorpora la mantequilla hasta que la mezcla semeje migas de pan. Añade el azúcar. Forma un volcán.

2 Combina el huevo batido, la leche y el extracto de vainilla y vierte en los ingredientes secos. Incorpora. Mezcla con las manos para hacer una masa suave. Forma una bola lisa dando palmadas; ponla en una superficie de trabajo enharinada.

3 Extiende la masa con un rodillo a un círculo de 19 cm (7½ pulgadas). Ponla en una charola; hornea por 10–15 minutos o hasta que levante bien, y esté firme y dorada encima. Pasa el shortcake a una rejilla y deja enfriar.

4 Con un cuchillo con sierra, rebana el shortcake a la mitad, horizontalmente. Corta la parte de arriba en 8 rebanadas iguales. Recorta un lado de cada una para que quede un pequeño espacio entre ellas cuando se acomoden sobre el shortcake. Pon la parte de abajo en un plato.

5 Para el relleno, reserva 8 fresas enteras, quita las hojas y rebana las demás. Bate la crema hasta que forme picos. Bate el yogur e incorpóralo suavemente en la crema.

6 Esparce una gruesa capa sobre la parte de abajo del shortcake y cubre con las fresas, presiónalas en la crema.

7 Cierne el azúcar glass sobre las rebanadas de shortcake y colócalas sobre la crema. Rebana las fresas restantes a lo largo, sin llegar hasta las hojas. Ábrelas como abanico y colócalas en cada una de las rebanadas de shortcake. Es mejor comer este pastel a las pocas horas de haberse confeccionado.

También, prueba esto…

Para un shortcake con especias

añade 1 cdita. de canela molida a la mezcla del pan con el azúcar extrafina. Quita las semillas de 225 g (1¹/₃ de taza/8 onzas) de ciruelas maduras y rebánalas. Reserva 8 rebanadas para decorar. Vierte las demás encima de la crema. Usa 225 g (1¹/₃ tazas/8 onzas) de zarzamoras, reserva 8 y presiona las demás en la crema con las ciruelas. Termina como en la receta original, decorando encima de las rebanadas del shortcake con las ciruelas y zarzamoras restantes.

Pastel de bautizo

Este glaseado y decorado pastel de fruta es una maravillosa y tradicional manera de dar la bienvenida al nuevo miembro de la familia.

500 g (2½ tazas/1 libra 2 onzas) de mantequilla

285 g (1¼ tazas/10 onzas) de azúcar extrafina

8 claras y 8 yemas

500 g (4 tazas/1 libra 2 onzas) de harina

1 cdita. de canela y macis molidas (de cada una)

125 ml (½ taza/4 onzas) de brandy o whisky

375 g (3 tazas/13 onzas) de uvas pasas sultanas (sin semilla)

125 g (1 taza/4½ onzas) de almendras laminadas

550 g (3 tazas/1 libra 4 onzas) de una mezcla de cáscaras picadas

PARA LA PASTA DE ALMENDRA

375 g (13 onzas) de azúcar glass

450 g (4½ tazas/1 libra) de almendras molidas

8 yemas de huevo

1 cdita. de extracto de vainilla

1 cda. de agua de rosa

125 ml (4 onzas) de mermelada de chabacano, caliente y cernida

PARA EL GLASEADO Y LA DECORACIÓN

6 claras de huevo, batidas

1.1 kg (9 tazas/2 libras 7 onzas) de azúcar glass, cernida

3 cditas. de jugo de limón

Botones frescos de rosas miniatura, frisias, violetas o pétalos de rosa.

1 clara de huevo pequeño, ligeramente batida

4 cditas. de agua de rosas

Unos 170 g (¾ de taza/6 onzas) de azúcar extrafina

EL PASTEL

1 Usa un molde de pastel de 23 cm (9-pulgadas), cuadrado. Engrasa y cubre con papel para hornear. Precalienta el horno a 180°C (350°F, marca 4). Bate la mantequilla hasta que esté suave y cremosa, añade azúcar y bate hasta que esté muy ligera y esponjada.

2 Bate las claras a punto de turrón. Poco a poco incorpora en la mezcla. Bate las yemas hasta que espesen, estén pálidas y cremosas. Luego vierte despacio en la mezcla de mantequilla

3 Cierne la harina y las especias en un bol y con una cuchara de metal, incorpóralas con cuidado a la mezcla. Añade poco a poco el brandy o el whisky, sigue con las sultanas y almendras laminadas.

4 Con una cuchara vierte ⅓ de la mezcla en un molde, uniformemente, esparce la mitad de la cáscara. Sigue igual con la mitad de la mezcla y la cáscara restante. Cubre con lo que queda de la mezcla.

5 Hornea en el centro del horno por 1¼–1½ horas, hasta que un palillo insertado en el centro salga limpio. Retira del horno. Deja en el molde por 1 hora, desmolda y pásalo a una rejilla para enfriar.

LA PASTA DE ALMENDRA

1 Para la pasta, cierne azúcar glass en un bol. Agrega las almendras; mezcla hasta endurecer la mezcla con las yemas, la vainilla y el agua de rosas. Pasa a una superficie de trabajo enharinada con azúcar glass y amasa un poco hasta alisar. Extiende en un cuadrado de 38 cm (15 pulgadas).

2 Pon el pastel en una tabla para pastel de 28 cm (11¼ pulgadas) y barniza con mermelada de chabacano. Coloca con cuidado la pasta sobre el pastel, alisa por encima y a los lados. Corta el exceso. Deja toda la noche en un lugar frío para secar.

EL GLASEADO

1 Para el glaseado, bate en un bol las claras de huevo e incorpora poco a poco el azúcar glass; sigue batiendo hasta tener una mezcla lisa. Vierte el jugo de limón.

2 Con la espátula, esparce uniformemente el glaseado sobre el pastel. Pasa una regla metálica por encima para alisar. Recorta el exceso de las orillas. Esparce una capa a un lado del pastel, luego pasa un nivelador de pastel para alisar. Repite en los demás lados.

3 Deja secar el pastel toda la noche. Pon el resto del glaseado en un bol limpio, coloca una envoltura autoadherente sobre él, cubre el bol y refrigera.

4 Al día siguiente, corta el glaseado sobrante de la orilla de encima y de los lados con un cuchillo. Bate el glaseado restante y cubre como antes. Repite dos veces

más, dejando que cada capa seque por la noche antes de poner la que sigue. Reserva el resto para decorar las orillas con una dulla, a tu gusto.

LA DECORACIÓN

1 Para la decoración, selecciona de 18 a 24 de los más perfectos botones. Dependiendo del tamaño, déjalos enteros o separa los pétalos.

2 Mezcla las claras de huevo con el agua de rosas. Con un pincel fino, pinta cada flor ligera y uniformemente con la mezcla. De inmediato, espolvorea ligeramente azúcar extrafina por todos lados.

3 Sécalas sobre una rejilla por 2-3 días en un lugar caliente.

4 Pon el glaseado restante en una dulla en forma de estrella y decora las orillas de arriba y abajo del pastel. Usa estrellas o conchas, o una doble orilla de conchas como en la fotografía.

5 Deja secar toda la noche. Ata un listón alrededor del pastel. Decora encima con las flores.

PORCIONES 40

TIEMPO DE PREPARACIÓN unas 7 horas por 7-8 días

TIEMPO DE COCCIÓN 1 1/4-1 1/2 horas

para días de fiesta

Panettone

La masa con levadura de esta especialidad italiana es inusualmente aguada, lo que hace al pastel más húmedo y ligero. Un minipanettone se puede hornear exitosamente en moldes para muffins.

125 g (1 taza/4½ onzas) de uvas pasas sultanas (sin semilla)

2 cdas. de ron

150 g (⅔ de taza/5½ onzas) de mantequilla, y algo más para barnizar

400 g (3¼ tazas/14 onzas) de harina

½ cdita. de sal

125 ml (½ taza/4 onzas) de leche

14 g (½ onza) de levadura seca (en polvo)

60 g (⅓ de taza/2¼ onzas) de azúcar blanca (granulada)

1 cdita. de extracto de vainilla

4 huevos y 2 yemas de huevo

50 g (¼ de taza/1¾ onzas) de cerezas cristalizadas, picadas

55 g (⅓ de taza) de almendras peladas, cáscara de naranja y limón cristalizadas, finamente picadas

105 g (⅓ de taza/3½ onzas) de mermelada de chabacano

125 g (1 taza/4½ onzas) de azúcar glass

1-2 cditas. de jugo de limón

PORCIONES 16

TIEMPO DE PREPARACIÓN 40 minutos, más 1½-2 horas

TIEMPO DE COCCIÓN 60-70 minutos

1 Usa un molde desmontable de 22 cm (8½ pulgadas). Empala las uvas pasas en el ron por unos 20 minutos hasta que se inflen. Derrite mantequilla y déjala enfriar.

2 Para hacer la masa, coloca la harina y la sal en un bol y vierte la mantequilla por la orilla. Entibia la leche, bate la levadura, el azúcar, el extracto de vainilla, los huevos y las yemas y agrega la mezcla al bol. Amasa por unos 5 minutos con la batidora eléctrica.

3 Añade a la masa las cerezas, las almendras, las uvas pasas y las cáscaras. Cubre con un lienzo y déjala en un lugar caliente para que esponje por 40 minutos.

4 Engrasa el molde con una gruesa capa de mantequilla. Fórralo con una doble capa de papel para hornear, con una tira de 30 x 35 cm (12 x 14 pulgadas) forma un anillo usando clips. Presiónalo dentro del molde para aumentar la altura.

5 Bate la masa vigorosamente con una cuchara de madera, cubre y otra vez déjala que esponje por 10 minutos. Precalienta el horno a 200°C (400°F, marca 6). Pon la masa en el molde. Cúbrela y deja que esponje hasta que esté casi a la altura del anillo de papel.

6 Hornea el panettone en la rejilla más baja del horno por 60-70 minutos, hasta que se dore; barniza con mantequilla suave 2 o 3 veces durante la cocción. A los 30 minutos, revisa que la parte superior no se esté dorando muy rápido, cubre con papel para hornear, si es necesario. El pastel está cocinado cuando un palillo insertado al centro sale limpio.

7 Sácalo del horno; déjalo enfriar por 5 minutos. Ponlo en una rejilla y afloja los lados del molde. Déjalo enfriar por completo. Quita el papel y el molde justo antes de servir. Calienta y cuela la mermelada y con un brocha cubre el pastel. Mezcla el azúcar glass con el jugo de limón y espárcela ligeramente sobre el panettone.

Consejo práctico

El panettone es un pastel asociado con Milán. Usualmente se prepara y disfruta en Navidad. Hay muchas versiones de su historia, cada una reclama ser la verdadera. Sin embargo, sus orígenes exactos se desconocen. El panettone sabe bien servido con crema di mascarpone, que es una mezcla de queso mascarpone, huevos y licor dulce, como el de almendras.

Stollen de Navidad

Al Stollen se le da forma al doblar las puntas y hacer un pliegue en el centro, simbolizando al Niño Jesús envuelto en pañales.

310 g (2½ tazas/11 onzas) de uvas pasas sultanas (sin semilla)

115 g (¾ de taza/4 onzas) de uvas pasas

2 cdas. de ron

10 g (¼ de onza) de levadura en polvo

2 cditas. de azúcar

250 ml (1 taza/9 onzas) de leche tibia

750 g (6 tazas/1 libra 10 onzas) de harina, y algo más para amasar

120 g (⅔ de taza/4¼ onzas) de azúcar blanca (granulada)

1 pizca de sal

2 cditas. de ralladura fina de limón

6 gotas de esencia de almendras amargas

1 pizca de cardamomo y macis molidos

250 g (1 taza/9 onzas) de mantequilla, derretida

95 g (½ taza/3½ onzas) de cáscara de limón cristalizada, finamente picada.

100 g (1 taza/3½ onzas) de almendras molidas

60 g (¼ de taza/2¼ onzas) de mantequilla para barnizar

Azúcar glass, para espolvorear

PORCIONES 18

TIEMPO DE PREPARACIÓN 40 minutos, más 1½-2 horas

TIEMPO DE COCCIÓN 45-55 minutos

1 Sumerge todas las uvas pasas en el ron por 20 minutos y cuélalas. Bate la levadura, el azúcar y 60 ml (¼ de taza/2 onzas) de leche en un bol. Déjalo que esponje a temperatura ambiente por 15 minutos.

2 Pon 500 g (4 tazas/1 libra 2 onzas) de harina en un bol. Forma un volcán. Añade el azúcar, la sal, la ralladura de limón, la esencia de almendras, las especias y la mantequilla derretida.

3 Vierte la mezcla fermentada de leche en el hueco. Empezando por el centro, trabaja los ingredientes juntos. Agrega el resto de harina y amasa vigorosamente hasta que esté lisa y ya no se pegue al bol. Añade las pasas con las cáscaras cristalizadas y las almendras, y amasa para combinar. Cubre la masa con un lienzo, déjala que suba en un lugar caliente por 1 hora.

4 Esparce harina sobre una mesa de trabajo. Amasa y golpea la masa durante unos 10 minutos; sabrás que está lista cuando se sienta elástica y ya no esté pegajosa. Forma un círculo de 35 cm (14 pulgadas) con la masa. Dobla un lado casi hasta el centro para darle su forma tradicional.

5 Forra una charola para horno con papel para hornear. Coloca el stollen ahí; cúbrelo con un lienzo y déjalo que suba en un lugar caliente hasta que aumente la mitad de su tamaño original, de alto y ancho. Precalienta el horno a 250°C (500°F, marca 9).

6 Mete el stollen en el horno precalentado. Reduce la temperatura a 160°C (315°F, marca 2-3). Hornea de 45 a 55 minutos.

7 Derrite la mantequilla en un molde pequeño y con ella barniza generosamente el stollen mientras esté caliente. Espolvoréalo ligeramente con azúcar glass y déjalo enfriar completamente. Envuélvelo en papel aluminio y guarda por 2-3 semanas. Cierne una gruesa capa de azúcar glass sobre el pan antes de servir.

Barra dulce de frutos secos

Ésta es la receta ideal para los cocineros apurados en Navidad.
Solamente enrolla la mezcla, hornéala como una hoja y corta en rebanadas.

150 g (5 ½ onzas) de azúcar morena

235 g (⅔ de taza/8 ½ onzas) de miel

55 g (⅓ de taza/2 onzas) de cáscara de limón y naranja cristalizada, finamente picadas

310 g (2 ½ tazas/11 onzas) de harina

100 g (⅔ de taza/3 ½ onzas) de almendras toscamente picadas.

1 cdita. de ralladura de limón

1 cdita. de polvo de hornear

¼ de cdita. de nuez moscada

¼ de cdita. de clavos de olor en polvo

1 cdita. de canela molida

90 g (3 onzas) de azúcar glass

2-3 cdas. de Kirsch

1 Usa una charola honda para hornear de 30 x 20 cm (12 x 8 pulgadas). Con papel para horno, cubre la base y los lados. Pon el azúcar y la miel en una cacerola y caliéntalas hasta que se disuelvan. Deja enfriar la mezcla.

2 Pon la mezcla en un bol. Agrégale la cáscara, la harina, las almendras, la ralladura, el polvo de hornear y las especias. Amásala hasta que esté pegajosa, usando una batidora eléctrica o a mano. Forma una bola con la masa.

3 Enharina una superficie y con un rodillo extiende la masa a 1 cm (½-pulgada) de espesor y tan larga como esté la charola. Coloca la masa en la bandeja y cúbrela con un lienzo. Déjala en un lugar fresco toda la noche.

4 Precalienta el horno a 200°C (400°F, marca 6). Hornea las galletas por 15-20 minutos. Mientras están calientes, barnízalas con una mezcla de azúcar glass y Kirsch. Rebana en rectángulos de 2.5 x. 5 cm. Deja enfriar.

PIEZAS 50

TIEMPO DE PREPARACIÓN 20 minutos, más la noche para enfriar y reposar

TIEMPO DE COCCIÓN 15-20 minutos

Galletas con especias

En esta clásica receta se usan almendras en lugar de harina para obtener deliciosas galletas suaves un poco crujientes.

100 g (²/₃ de taza/3 ¹/₂ onzas) de almendras blanqueadas

200 g (2 tazas/7 onzas) de almendras molidas

55 g (¹/₃ de taza/2 onzas) de cáscara de limón y de naranja cristalizadas, finamente picas

1 cdita. de ralladura de limón

¹/₂ cdita. de clavos de olor molidos

¹/₂ cdita. de canela molida

¹/₂ cdita. de jengibre en polvo

3 huevos

225 g (1 ¹/₄ tazas/8 onzas) de azúcar morena

1 Usa 2 charolas grandes para horno, cúbrelas con papel para hornear. Precalienta el horno a 50°C (300°F, marca 2). Parte en mitades un cuarto de almendras, tuéstalas un poco en una charola por 10 minutos. Enfría.

2 Pica toscamente el resto de las almendras. Mezcla todas las almendras con la cáscara, la ralladura y las especias.

3 Pon los huevos y el azúcar en un bol a baño María, sin que hierva, revuelve por 6-8 minutos a mano hasta que esté gruesa y cremosa.

4 Con un batidor, vierte la mezcla de almendras en la de huevos. Pon cdas. llenas de la mezcla en las charolas, alzando un poco en el centro de cada galleta.

5 Decora con mitades de almendra tostada. Hornéalas por unos 20 minutos (esto es más un proceso de secado en un horno frío), una charola a la vez, las galletas deben quedar suaves. Sácalas del horno, déjalas en una rejilla por la noche para que se enfríen y sequen.

También, prueba esto...

Para galletas glaseadas de cereza, cocina como para la receta original; omite las almendras para la decoración. Mezcla 150 g (1¼ tazas/ 5½ onzas) de azúcar glass y 2-3 cditas. de ron o jugo de limón, esparce sobre las galletas calientes. Decóralas con cerezas cristalizadas

PIEZAS 40

TIEMPO DE PREPARACIÓN 35 minutos

TIEMPO DE COCCIÓN 20 minutos por charola, más la noche para enfriar

163

Galletas de vainilla

Se ven bonitas si los objetos horneados y el escenario están pintados con glaseado de color.

2 huevos

225 g (1 taza/8 onzas) de azúcar blanca (granulada)

1 cdita. de extracto de vainilla

250 g (2 tazas/9 onzas) de harina

1 pizca generosa de polvo de hornear y de bicarbonato de sodio.

PIEZAS 80

TIEMPO DE PREPARACIÓN 45 minutos, más 2 horas para enfriar, más la noche para reposar

TIEMPO DE COCCIÓN 35 minutos por charola

1 Usa 2 charolas para hornear. Fórralas con papel para horno. Bate los huevos, el azúcar y la vainilla con una batidora eléctrica hasta que la mezcla esté pálida y esponjada. Añádele los ingredientes secos. Agrega un poco más de harina si aún está pegajosa.

2 Cúbrela con una envoltura autoadherente y enfría por 2 horas. En una superficie de trabajo, extiende la masa a 5 mm (¼ de pulgada) de espesor.

3 Humedece un molde por el lado de la figura y con cuidado enharínalo. Presiona firmemente la masa para estampar la figura. Enharina cada vez.

4 Forma las galletas cortando las orillas de las figuras. Ponlas en las charolas; déjalas toda la noche para que se sequen. Precalienta el horno a 150°C (300°F, marca 2). Hornéalas, una charola a la vez por 25 minutos; no dejes que se doren. Pásalas a una rejilla y píntalas con glaseado de color, si lo deseas.

Galletas de limón

En esta receta se pueden usar otras cáscaras cristalizadas como de piña, papaya o mango.

1 limón

4 huevos y 6 yemas de huevo

500 g (2¼ tazas/1 libra 2 onzas) de azúcar blanca (granulada)

500 g (5 tazas/1 libra 2 onzas) de almendras molidas

55 g (⅓ de taza/3½ onzas) de cáscara cristalizada de limón y naranja, finamente picadas (peso combinado)

1 cdita. de canela molida

1 pizca de clavos de olor molidos

2 pizcas de bicarbonato de sodio

500 g (4 tazas/1 libra 2 onzas) de harina

55 g (½ taza/2 onzas) de azúcar glass

1 Usa 2 charolas para hornear. Obtén la ralladura de medio limón y su jugo. Pon las yemas y el azúcar en un recipiente y bate con una batidora eléctrica hasta que la masa esté pálida y esponjada.

2 Añade las almendras, el jugo (reserva 1 cdita.), la ralladura, la cáscara, las especias y el bicarbonato. Agrega la harina y amasa para suavizar. Tápala con una envoltura autoadherente y enfría por 30 min.

3 En una superficie enharinada, extiende la masa a 5 mm (¼ de pulg) de espesor. Corta 70 rectángulos de 4 x 8 cm (1½ x 3 pulg). Cubre con un lienzo y deja 3 horas.

4 Precalienta el horno a 180°C (350°F, marca 4). Forra las charolas con papel para horno. Pon las galletas con una separación de 2.5 cm (1 pulgada), hornea por 20-25 minutos hasta que esté café claras. Pásalas a una rejilla. Glaséalas con una combinación de azúcar glass y jugo de limón cuando se enfríen.

PIEZAS 70

TIEMPO DE PREPARACIÓN 25 minutos más 3 horas

TIEMPO DE COCCIÓN 20-25 minutos por charola

Galletas alemanas con especias

En alemán, a estas galletas las llaman spekulatius, si no tienes los moldes especiales, extiende la masa en una hoja y corta en figuras.

200 g (1 ½ tazas/7 onzas) de harina

¼ de cdita. de polvo de hornear

100 g (⅓ de taza/3 ½ onzas) de mantequilla, picada

100 g (½ taza/3 ½ onzas) de azúcar morena

1 yema de huevo

1-2 cdas. de leche

1 cdita. de una mezcla de canela, nuez moscada y pimienta, molidas.

1 cdita. de extracto de vainilla

30 g (⅓ de taza/2 onzas) de almendras peladas

Fécula de maíz, para dar forma.

PIEZAS 40

TIEMPO DE PREPARACIÓN 45 minutos, más 30 minutos

TIEMPO DE COCCIÓN 10-15 minutos por charola

Consejo práctico

Busque en tiendas especializadas, rodillos y moldes con escenas y diseños festivos.

1 Usa 2 charolas grandes para hornear. Fórralas con papel para horno. Pon la harina, el polvo para hornear, el azúcar, la yema, la leche, la mezcla de especias y el extracto de vainilla en un bol y amásalos. Forma una bola y tápala con una envoltura autoadherente y enfríala por 30 minutos.

2 Precalienta el horno a 180°C (350°F, marca 4). Salpica el papel con las almendras sin piel.

3 Enharina ligeramente la superficie de trabajo. Extiende la masa a 5 mm (¼ de pulgada) de espesor; corta piezas donde quepan los moldes spekulatius. Enharínalos con fécula de maíz y presiónalos en la masa.

4 Voltea los moldes para que las figuras de masa caigan. Ponlas en las charolas. Quita la fécula de la masa con una brocha húmeda.

5 Hornéalas por 10-15 minutos (dependerá del grosor de las galletas) o hasta que se doren. Sácalas del horno y déjalas enfriar en una rejilla.

También, prueba esto...

Para galletas de relleno de mazapán, (las galletas pequeñas de la fotografía), amasa 350 g (1¾ tazas/12 onzas) de harina, 2 cdas. de polvo de hornear, 155 g (⅔ de taza/5½ onzas) de mantequilla y de azúcar morena, 2 cdas. de la mezcla de especias y 310 g (3 tazas/11 onzas) de almendras molidas. Forma una bola y refrigérala. Precalienta el horno a 180°C (350°F, marca 4), forra la charola con papel para hornear. Con un tenedor desmorona finamente 310 g (11 onzas) de pasta de mazapán. Trabaja para lograr una masa suave con 210 g (1¾ tazas/7½ onzas) de azúcar glass y 5 cditas. de jugo de naranja. Extiende la masa en 2 hojas del mismo tamaño. Pon una en la charola. Esparce sobre ella la mezcla de mazapán y pon la segunda hoja encima y presiona las orillas. Barniza con una mezcla de yema de huevo y 2 cditas. de agua. Pica la masa con un tenedor. Pon mitades de almendras peladas sobre la masa. Hornéala por 40 minutos hasta que se dore. Corta rectángulos mientras esté caliente.

Bollitos almendrados

Con su festiva decoración de cerezas, estos bollitos se ven muy alegres.
También están rellenos de sabor.

2 claras de huevo

140 g (³/₄ de taza/5 onzas) de azúcar extrafina

75 g (²/₃ de taza/2 ½ onzas) de avellanas molidas

75 g (²/₃ de taza/2 ½ onzas) de almendras molidas

85 g (²/₃ de taza/3 onzas) de chocolate oscuro rallado (semidulce)

85 g (²/₃ de taza/3 onzas) de uvas pasas sin semilla

1 cdita. de ralladura de limón

1 cda. de ron

½ cdita. de canela molida

100 g (³/₄ de taza/3 ½ onzas) de harina

125 g (1 taza/4 ½ onzas) de azúcar glass

2 cdas. de jugo de limón

15 cerezas rojas cristalizadas, cortadas en mitades

PORCIONES 30

TIEMPO DE PREPARACIÓN 35 minutos

TIEMPO DE COCCIÓN 12-15 minutos

1 Usa 2 charolas para hornear. Precalienta el horno a 160°C (315°F, marca 2-3); fórralas con papel para horno.

2 Bate las claras a punto de turrón con la batidora eléctrica. Poco a poco agrega la mitad del azúcar, bate hasta que la mezcla esté brillante y el azúcar disuelta.

3 Añade el azúcar restante, la nuez molida, el chocolate, las uvas pasas, la ralladura, el ron, la canela y la harina y con un batidor de mano revuelve, procurando que las claras de huevo conserven su consistencia. Con una cucharita, forma 30 bollitos del tamaño de una nuez sobre las charolas.

4 Cocina por 12-15 minutos (una temperatura baja secará los bollitos en lugar de cocerlos); cuando estén listos, los lados deben estar aún suaves. Pásalos a una rejilla.

5 Combina el azúcar glass y el jugo de limón en un bol pequeño. Cubre ligeramente los bollitos con el glaseado mientras estén calientes, decora cada uno con una mitad de cereza cristalizada.

Consejo práctico

Para hacer una lujosa versión de estos bollitos, después de enfriarse y ser glaseados, cubre las bases con chocolate derretido.

Figurillas de shortbread

Convierte una receta sencilla en algo especial, con sólo usar moldes de formas diferentes.
A los niños les encanta cortar las estrellas, los corazones y los círculos.

400 g (3¼ tazas/14 onzas) de harina

185 g (¾ de taza/7 onzas) de mantequilla, en trozos

100 g (¾ de taza/3½ onzas) de azúcar glass

1 huevo y 1 yema de huevo

1 pizca de sal

2 cditas. de crema

Para decorar, azúcar, cerezas cristalizadas y almendras peladas.

PIEZAS 50

TIEMPO DE PREPARACIÓN 30 minutos, más 30 minutos para enfriar

TIEMPO DE COCCIÓN 10-15 minutos por charola

1 Usa 2 charolas para hornear, fórralas con papel para horno. Cierne la harina en una superficie para trabajar, haz un volcán. Ahí, pon la mantequilla, el azúcar glass, el huevo entero y la sal. Empezando por el centro, trabaja los ingredientes hasta obtener una masa suave. Forma una bola, cúbrela con envoltura autoadherente y enfríala por 30 minutos.

2 Precalienta el horno a 200°C (400°F, marca 6). Extiende la masa con un rodillo sobre una superficie enharinada. Usa moldes de formas variadas para galletas, y con ellos corta las 50 figurillas.

3 Coloca las figurillas en las charolas a 2.5 cm (1 pulgada) una de otra. Barnízalas con una combinación de yema de huevo y crema. Cubre con azúcar o cerezas cristalizadas picadas. Hornéalas una a la vez por 10-15 minutos hasta que se doren.

Galletas de Santa Claus

Servidas del horno con una taza de chocolate caliente, espolvoreado con canela, estas figuras festivas no durarán mucho. Es mejor hornear el doble y congelar una porción sin glasear. Descongela poco antes de servir, entonces glaséalas y recalienta un poco.

80 ml (⅓ de taza/2 onzas) de aceite vegetal

1 cdita. de sal

500 g (4 tazas/1 libra 2 onzas) de harina

200 ml (¾ de taza/7 onzas) de leche

10 g (¼ de onza) de levadura en polvo

60 g (⅓ de taza/2¼ onzas) de azúcar blanca (granulada)

2 huevos

1 cdita. de extracto de vainilla

PARA DECORAR

Una selección de nuez de anacardo, almendras, semillas de calabaza, avellanas y amapola

PARA GLASEAR

200 g (1⅔ tazas/7 onzas) de azúcar glass

1 cda. de mermelada de bayas (gelatina)

2-3 gotas de color vegetal rojo

1 clara de huevo

PIEZAS 14

TIEMPO DE PREPARACIÓN 1 hora, más 1½ horas de reposo

TIEMPO DE COCCIÓN 15-20 minutos por charola

1 Usa 2 charolas para hornear. Fórralas con papel para horno. Para la masa, mezcla el aceite con la sal y la harina en un bol. Bate la levadura, el azúcar y los huevos en 170 ml (⅔ de taza/5½ onzas) de leche y vierte ésto en la mezcla de harina.

2 Amásala para formar una masa suave; si es necesario, agrega sólo la suficiente de la leche restante para hacerla un poco pegajosa. Hazla una bola, cúbrela con un lienzo y deja que suba en un lugar caliente durante 30 minutos.

3 Amásala sobre una superficie de trabajo un poco enharinada por 5 minutos. Extiéndela con un rodillo para hacer 2 rectángulos, de 15 x 30 cm (6 x 12 pulgadas) cada uno. Corta 14 triángulos de igual tamaño y ponlos en las charolas.

4 Barniza los triángulos con leche. Decora las caras usando nueces y semillas. Cúbrelas y deja que suban por 30-40 minutos.

5 Precalienta el horno a 200°C (400°F, marca 6). Hornea las galletas, una charola a la vez, por 15-20 minutos o hasta que estén doradas. Ponlas en una rejilla.

6 Combina 50 g (⅓ de taza/2 onzas) de azúcar glass, la mermelada y el color vegetal. Usa esta combinación para pintar los sombreros de Santa Claus. Bate las claras a punto de turrón, vierte el resto del azúcar glass hasta que la mezcla esté muy brillante y forme picos.

7 Vierte el glaseado en una dulla y forma las líneas de las barbas y el ribete de los sombreros. Deja secar a temperatura ambiente o en el horno caliente a 70°C (150°F, marca ¼).

También, prueba esto...

Para hacer Niños de masa, prepara la masa como la receta principal, extiende a 2.5 cm (1 pulgada) de espesor. Corta 4 niños. Decora los ojos, la boca y los botones con uvas pasas. Barniza con una mezcla de 2 cditas. de leche y 1 cdita. de azúcar. Hornea como se describe en la receta principal por 15-20 minutos.

Pan de frutas

Envuelto en papel aluminio y atado con un listón de Navidad, este pan es el regalo ideal durante el Adviento y Navidad.

200 g (2²/₃ tazas/7 onzas) de peras deshidratadas

125 g (²/₃ de taza/4 ¹/₂ onzas) de higos secos

60 g (¹/₃ de taza/2 ¹/₄ onzas) de dátiles frescos

250 g (1 ³/₄ tazas/9 onzas) de avellanas

60 g (¹/₃ de taza/2 ¹/₄ onzas) de cáscara cristalizada de limón y de naranja (una de cada una)

60 g (¹/₂ taza/2 ¹/₄ onzas) de uvas pasas sin semillas

6 cdas. de licor de pera

1 cdita. de canela molida, y otra de la mezcla de canela, nuez moscada y pimienta molidas

¹/₂ cdita. de cilantro molido

¹/₄ de cdita. de semillas de hinojo y de anís.

100 g (²/₃ de taza/3 ¹/₂ onzas) de harina integral de centeno

50 g (¹/₃ de taza/1 ³/₄ onzas) de harina integral

125 ml (¹/₂ taza/4 onzas) de leche

10 g (¹/₄ de onza) de levadura en polvo

2 cdas. de mantequilla

1 cda. de jugo de limón

30 g (¹/₄ de taza/1 onza) de almendras peladas

2 cdas. de leche, extra

PORCIONES 1 hogaza

TIEMPO DE PREPARACIÓN 1 hora, más una noche para remojar y 2 ¹/₄ horas de reposo

TIEMPO DE COCCIÓN 1 hora

1 Pon las frutas secas en una cacerola y cúbrelas con agua. Tápala y déjalas en remojo toda la noche. Hiérvelas por 20 minutos y sécalas. Córtalas en piezas de tamaño mediano.

2 Quita las semillas a los dátiles y córtalos en tiras a lo largo. Pica las avellanas en trozos, y las cáscaras cristalizadas finamente.

3 Mezcla todas las frutas en un bol con las uvas pasas, el licor de pera, las especias, las semillas de hinojo y de anís. Cúbrelas y déjalas aparte.

4 Mezcla las harinas en un bol, forma un volcán. Entibia la leche. Espolvorea la levadura sobre 2 cditas. de leche: deja 5 minutos para disolver, bate una vez.

5 Vierte la levadura disuelta en el hueco; cúbrelo con un poco de harina. Tapa con un lienzo y deja que levante en un lugar caliente por 15 minutos.

6 Derrite la mantequilla. Agrega la leche sobrante, el jugo de limón y la mantequilla en la mezcla de harina. Amásala hasta obtener una masa suave, que no debe estar pegajosa. Cúbrela y deja que levante en un lugar caliente por 1½ horas, hasta que duplique su tamaño.

7 Incorpora la mezcla de fruta a la masa. Ponla en la superficie de trabajo un poco enharinada y da forma al pan. Deja que levante por otros 30 minutos.

8 Engrasa la charola de hornear. Precalienta el horno a 180°C (350°F, marca 4).

9 Decora el pan con almendras blanqueadas y barnízalo con leche. Hornea en la rejilla más baja del horno por 1 hora, barnizando varias veces durante la cocción.

Consejo práctico

Este pan sabe mejor si los sabores maduran un tiempo. Envuélvelo en papel aluminio y guárdalo por una semana.

Figuras navideñas

Junto con esferas, estrellas, velas y los demás ornamentos,
estas galletas de miel son muy vistosas en el árbol de Navidad.
¡Haz algunas para el árbol y otras para comer!

PARA LA MASA

260 g (³/₄ de taza/9 onzas) de miel

115 g (¹/₂ taza/4 onzas) de azúcar morena

1 cdita. de extracto de vainilla

1 huevo

2 cdas. de ron

250 g (2 tazas/9 onzas) de harina

250 g (2¹/₂ tazas/9 onzas) de harina de centeno

1 cdita. de polvo de hornear

1 cda. de canela molida

1 pizca de sal, 1 de nuez moscada molida y 1 de clavos de olor.

1 cdita. de ralladura de limón

PARA DECORAR

60 ml (¹/₄ de taza/2 onzas) de crema

Cerezas cristalizadas

Almendras blanqueadas, cortadas en mitades.

Grageas de azúcar de colores

PIEZAS 100

TIEMPO DE PREPARACIÓN 45 minutos

TIEMPO DE COCCIÓN 20-25 minutos por charola

1 Usa 2 charolas para hornear, cúbrelas con papel para horno. Calienta la miel y el azúcar en una cacerola a fuego lento. Viértelo en un recipiente y agrega el extracto de vainilla, el huevo y el ron, y bate hasta que esponje. Cierne las harinas, las especias, la sal, el polvo de hornear y la ralladura en la mezcla de miel. Amasa bien y forma una bola.

2 Precalienta el horno a 200°C (400°F, marca 6). Coloca la masa en una superficie de trabajo ligeramente enharinada y extiéndela con un rodillo a 1 cm de espesor. Usa una variedad de moldes para galletas con temas navideños y corta unas 100 galletas.

3 Ponlas en las charolas a 1 cm (½ pulgada) de distancia una de otra. Barnízalas con crema y decóralas con cerezas cristalizadas, almendras y grageas de azúcar. Usa una aguja de tejer para hacer agujeros en las galletas que vas a colgar en el árbol de Navidad; no los hagas muy pequeños porque se pueden cerrar al cocerse.

4 Hornéalas por 20-25 minutos Sácalas del horno y déjalas endurecer por un rato, aún en las charolas. Luego, levántalas con una espátula y enfríalas completamente sobre una rejilla.

5 Ata listones de colores en las galletas que van a decorar el árbol. Guarda las demás en recipientes herméticos o para el congelador, para que no se humedezcan y ablanden.

Consejo práctico

Prueba con diferentes tipos de miel. Las de sabor fuerte son particularmente buenas. Si la miel se solidifica en el frasco, sumérgelo en agua tibia, a menos de 30°C (70°F), ya que si la calientas se pierden importantes nutrientes.

Bollitos de avena

Estos crujientes y apetitosos bocadillos son fáciles de preparar.
Deja que los niños te ayuden en el proceso.

65 g (2¼ onzas) de mantequilla

150 g (5½ onzas) de hojuelas de
avena

1 huevo

55 g (2 onzas) de azúcar morena

½ cdita. de canela molida

1 pizca de clavos de olor molidos

115 g (4 onzas) de chabacanos o
dátiles deshidratados, finamente
picados.

1 cdita. de ralladura de limón

PIEZAS 35

TIEMPO DE PREPARACIÓN 30 minutos

TIEMPO DE COCCIÓN 15-18 minutos
por charola

1 Usa 2 charolas para hornear,
fórralas con papel para horno.
Precalienta el horno a 180°C (350°F,
marca 4). Derrite la mantequilla en
una cacerola, añade la avena y
dórala un poco, bate constantemente. Pásala a un plato grande y
déjala enfriar.

2 Bate el huevo, el azúcar y las
especias con una batidora
eléctrica hasta que esté muy
esponjada. Incorpora la avena, la
fruta seca y la ralladura de limón.

3 Con una cucharita mojada,
forma con la masa 35
montoncitos del tamaño de una
nuez y ponlos en las charolas a
unos 5 cm (1 pulgada) uno de otro;
los bollitos se expanden al cocerse.

4 Hornea los bollitos, una charola
a la vez, en la rejilla de arriba
del horno, por 15-18 minutos hasta
que doren un poco. Ponlos en una
rejilla para enfriar.

Besos de coco

El nombre de estas preciosas galletas les queda muy bien.
Agrega cacao en polvo a una parte de la mezcla para dar diferentes colores.

3 claras de huevo

75 g (⅓ de taza/2½ onzas) de azúcar blanca (granulada)

½ cdita. de jugo de limón

85 g (⅔ de taza/3 onzas) de azúcar glass

225 g (8 onzas) de coco deshidratado

100 g (3½ onzas) de chocolate oscuro machacado (semidulce)

PIEZAS 50

TIEMPO DE PREPARACIÓN 20 minutos

TIEMPO DE COCCIÓN 12-15 minutos por charola

1 Usa 2 charolas grandes para hornear; fórralas con papel para horno. Precalienta a 160°C (315°F, marca 2-3).

2 En un bol grande y con una batidora eléctrica, bate las claras de huevo a punto de turrón. Añade poco a poco el azúcar y el jugo de limón; bate bien. La mezcla debe estar brillante y el azúcar disuelta.

3 Mezcla el azúcar glass con el coco deshidratado y con cuidado incorpora a la mezcla de claras de huevo, evitando que se baje o que se haga líquida.

4 Con una cucharita, pon 50 montones de la mezcla en las charolas. Hornea, una a la vez por 12-15 minutos. Las galletas deben estar húmedas por dentro, se endurecerán al enfriarse. Pásalas a una rejilla para enfriar.

5 En un bol derrite chocolate a baño María. Viértelo en una dulla y forma líneas finas encima de las galletas.

También, prueba esto...

Para besos de piña colada, sustituye el jugo de limón por jugo de lima. Agrega 50 g (⅓ de taza/2 onzas) de piña deshidratada, finamente picada, al merengue con el coco.

Para besos oscuros y ligeros, pon color a la mitad de la mezcla de merengue con 1 cdita. de cacao en polvo y decora los merengues oscuros con chocolate blanco cuando se estén horneando.

Polvorones glaseados

Prepáralas 3 o 4 semanas antes de Navidad para dejar que los sabores se maduren. Estas tradicionales galletas alemanas, llamadas Pfeffernüsse, se pueden comprar.

2 huevos

230 g (8 onzas) de azúcar morena

2 cdas. de pasta de mazapán, congelada

60 g (2¼ onzas) de cáscara de limón cristalizada, finamente picada

250 g (2 tazas/9 onzas) de harina

1 cdita. de polvo de hornear

1 cdita. de canela, nuez moscada y pimienta negra molida, combinadas

60 ml (¼ de taza) de Kirsch

1 clara de huevo

210 g (1⅔ tazas/7½ onzas) de azúcar glass

....

PIEZAS 60-70

TIEMPO DE PREPARACIÓN 30 minutos, más una noche para reposar

TIEMPO DE COCCIÓN 20 minutos por charola, más 2 días para suavizar.

1 Usa 2 charolas grandes para hornear; fórralas con papel para horno. Bate los huevos y el azúcar por 5 minutos hasta que la mezcla esté pálida y esponjada. Ralla finamente la pasta de mazapán, incorpórala a la mezcla de huevo con la cáscara cristalizada.

2 Mezcla la harina, la mezcla de especias y el polvo de hornear, y cierne sobre la mezcla de huevo. Amasa bien para formar una mezcla suave. En una superficie de trabajo un poco enharinada, haz 60-70 bolitas, de unos 2.5 cm (1 pulgada) de diámetro. Ponlas en las charolas y aplánalas un poco. Cúbrelas y déjalas en un lugar frío toda la noche.

3 Precalienta a 160°C (315°F, marca 2-3). Barniza las bases de las galletas con Kirsch; reserva unas gotas para el glaseado. Hornéalas por 20 min.

4 Para el glaseado, bate la clara de huevo a punto de turrón: gradualmente incorpora el azúcar glass y el Kirsch. Sumerge las galletas en el glaseado y vuélvelas a la charola. Déjalas secar unos 3-4 minutos en el horno caliente.

5 Ahora las galletas estarán muy duras. Déjalas 2 días, cubiertas con un lienzo, en un lugar húmedo y caliente. Luego ponlas en un molde con una rebanada de pan fresco o una manzana o naranja pequeñas; déjalas por lo menos 2 semanas para dejar que se desarrollen los sabores.

Consejo práctico

Para que estas galletas se vean más festivas, añade unas gotas de color vegetal rojo a la mitad del glaseado. Cubre las galletas glaseadas con chispas de chocolate.

Tartaletas de fruta

Estos favoritos tradicionales de Navidad son deliciosos si se sirven calientes y con crema.
Esta versión tiene un inusual glaseado encima que se hornea con ellas.

215 g (1¾ tazas/7½ onzas) de harina

80 g (¾ de taza/2¾ onzas) de almendras molidas

La ralladura fina de 1 naranja

2 cdas. de azúcar extrafina

150 g (⅔ de taza/5½ onzas) de mantequilla, congelada y cortada en cubitos

1 huevo, ligeramente batido

Unos 550 g (1¾ tazas/1 libra 4 onzas) de fruta picada, comprada o hecha en casa

125 g (½ taza/4½ onzas) de mantequilla al brandy

2 cdas. de leche

1 clara de huevo

185 g (1½ tazas/6½ onzas) de azúcar glass

PIEZAS 20

TIEMPO DE PREPARACIÓN 40 minutos, más 30 minutos de refrigeración

TIEMPO DE COCCIÓN 35 minutos

1 Usa 20 moldes para tartaletas. Cierne la harina en un bol; mezcla las almendras molidas, la ralladura y el azúcar. Incorpora la mantequilla en la mezcla de harina hasta que parezca migajas de pan. Con un cuchillo redondeado incorpora el huevo en la masa. Forma una bola y amasa un poco en una superficie de trabajo enharinada hasta que suavice. Envuélvela en papel plástico por 30 minutos.

2 Precalienta el horno a 200°C (400°F, marca 6). Extiéndela con un rodillo hasta que la masa esté muy delgada, corta 20 círculos de 6 cm (2½ pulgadas) de diámetro con un cortador de galletas enharinado. Junta los recortes y extiende la masa; corta 20 círculos de 8 cm (3 pulgadas) de diámetro.

3 Coloca los círculos grandes en los moldes. Rellena con la fruta picada; cubre con 1 cdita. de

mantequilla al brandy. Barniza las orillas con leche y pon el círculo pequeño encima de cada tartaleta, presionando las orillas para sellar.

4 Barniza con leche y haz un hueco en la cubierta de cada tartaleta. Hornea en el centro del horno por 25 minutos o hasta que doren. Sácalas y déjalas enfriar en los moldes por 5 minutos, luego pásalas a una rejilla para que se enfríen por 10 minutos.

5 Para el glaseado, bate la clara de huevo hasta que esponje, luego incorpora el azúcar glass cernido. Esparce un poco de glaseado sobre las tartaletas y colócalas en una charola para hornear. Hornea a 200°C (400°F, marca 6) por 5-10 minutos o hasta que el glaseado haya dorado un poco y las tartaletas estén calientes. Déjalas enfriar por unos 5 minutos antes de servir.

Rosca de frutas

La mayoría de los pasteles de frutas tienen muchas calorías y mucha azúcar,
pero éste es relativamente bajo en grasas ya que las frutas secas son empapadas en jugo de manzana
para endulzar de forma natural.

85 g (3 onzas) de arándanos secos

85 g (3 onzas) de uvas pasas

85 g (1 taza/3 onzas) de peras deshidratadas

85 g ($^1/_3$ de taza/3 onzas) de ciruelas pasas envinadas

85 g (3 onzas) de higos secos

85 g ($^1/_2$ taza/3 onzas) de dátiles secos envinados

250 ml (1 taza/9 onzas) de jugo de manzana

55 g ($^1/_2$ taza/2 onzas) de nueces

55 g ($^1/_4$ de taza/2 onzas) de jengibre cristalizado, picado

La ralladura fina y el jugo de 1 limón

5 cdas. de aceite de girasol

1 huevo

80 g (2$^3/_4$ onzas) de azúcar morena

125 g (1 taza/4 onzas) de harina con levadura

115 g ($^3/_4$ de taza/4 onzas) de harina integral con levadura

1 cdita. de polvo de hornear

2 cditas. de una mezcla de canela, nuez moscada y pimienta molida

3-4 cdas. de leche

PARA DECORAR

2 cdas. de mermelada de chabacano

55 g ($^1/_4$ de taza/2 onzas) de cerezas cristalizadas

30 g (1 $^1/_4$ onzas) de avellanas

35 g ($^1/_3$ de taza/1 $^1/_4$ onzas) de nueces pacana en mitades

35 g (1 $^1/_4$ onzas) de nueces en mitades

55 g ($^1/_4$ de taza/2 onzas) de jengibre cristalizado, rebanado

Azúcar glass

1 Usa un molde para rosca de 23 cm (9 pulgadas) y barnízalo con un poco de aceite. Pica finamente todas las frutas secas y ponlas en una cacerola con el jugo de manzana; deja hervir a fuego lento durante unos 4 minutos o hasta que las frutas absorban el líquido.

2 Quítalas del fuego, tápalas y déjalas enfriar completamente. Mezcla las nueces pacanas, el jengibre, la ralladura y el jugo de limón.

3 Precalienta el horno a 150°C (300°F, marca 2). Bate el aceite de girasol, el huevo y el azúcar morena hasta suavizar.

4 En un bol, cierne las harinas, el polvo de hornear y la mezcla de especias, dejando la cáscara que quede en el cernidor. Agrega las frutas remojadas y la mezcla de huevos, bate bien para combinar. Vierte la suficiente leche para hacer una mezcla muy suave.

5 Con una cuchara, vierte la mezcla al molde preparado y alisa. Hornea por 1¼-1½ horas o hasta que alce, esté firme y dorada; debe estar empezando a reducir a los lados del molde.

6 Deja que la rosca se enfríe por lo menos 1 hora antes de pasar un cuchillo por la orilla y sacarla. Envuélvela en papel para hornear y en papel plástico. Guarda por 2-3 semanas antes de servir, para permitir que los sabores maduren.

7 Para decorar la rosca, calienta la mermelada con 1 cdita. de agua a fuego lento, pásala por un cernidor. Barniza la rosca con la mermelada. Presiona suavemente las cerezas, las nueces y el jengibre cristalizado en la mermelada. Espolvorea con azúcar glass cernida.

También, prueba esto...

Para un rebanado fácil, hornea en un molde grande de pan.

Empapa la fruta en licor de cereza o en el de tu elección, en lugar del jugo de manzana

Consejo práctico

Los higos secos son una buena fuente de fibra. Al secarse, la fruta concentra sus nutriente y se vuelve una fuente de hierro y calcio. Las nueces pacanas son una fuente de proteínas y de grasas insaturadas. También propocionan útiles cantidades de vitamina E, fibra y ácido fólico.

PORCIONES 18

TIEMPO DE PREPARACIÓN 40 minutos, más para impregnar y 2-3 semanas para madurar

TIEMPO DE COCCIÓN 1¼-1½ horas

Pastel de Navidad

Cubierto con pasta de almendras y glaseado en un sencillo estilo, este rico pastel de frutas se ve impresionante. Debería prepararse por lo menos un mes antes, para dejar que realcen los sabores.

PARA EL PASTEL

250 g (1 taza/9 onzas) de mantequilla

280 g (10 onzas) de azúcar morena

6 huevos

250 g (9 onzas) de harina, cernida

375 g (3 tazas/13 onzas) de uvas pasas sultana

300 g (2 tazas/10½ onzas) de uvas pasas

375 g (3 tazas/13 onzas) de uvas pasas sin semilla, picadas

420 g (2 tazas/15 onzas) de cerezas cristalizadas, cortadas en mitades

140 g (5 onzas) de una mezcla de cáscaras cristalizadas, picadas

80 g (¾ de taza/2¾ onzas) de almendras molidas

Ralladura fina de 1 naranja grande y de 1 limón grande

80 ml (⅓ de taza) de ron, whisky o brandy.

PARA LA PASTA DE ALMENDRAS

455 g (4½ tazas/1 libra) de almendras molidas

185 g (1½ tazas/6½ onzas) de azúcar glass, cernida

345 g (1½ tazas/12 onzas) de azúcar extrafina

8 yemas de huevo

1 cdita. de extracto de almendra

3 cdas. de mermelada de chabacano, caliente y pasada por un cernidor.

PARA EL GLASEADO

375 g (3 tazas/13 onzas) de azúcar glass, cernida

4 claras de huevo

2 cditas. de jugo de limón

PASTEL

1 Usa un molde para pastel de 23 cm (9 pulgadas); forra la base y los lados con doble capa de papel para horno.

2 Precalienta el horno a 150°C (300°F, marca 2). Pon la mantequilla y el azúcar en un bol; bate hasta que esté ligera y esponjosa. Agrega los huevos, uno a uno, batiendo bien durante el proceso. (En este punto, la mezcla se cuajará un poco debido a la gran cantidad de otros ingredientes. Cuando se agreguen los ingredientes secos, se compondrá).

3 Incorpora la harina, la fruta seca, las cerezas cristalizadas, la cáscara picada, las almendras molidas, las ralladuras y bátelas.

4 Con una cuchara vierte la mezcla en el molde: alísala. Hornea en el centro del horno por 3½-4 horas o hasta que un palillo insertado en el centro salga limpio.

5 Sácalo del horno y déjalo enfriar en el molde por 1 hora. Con cuidado, desmolda, ponlo en una rejilla y déjalo enfriar. No quites el papel para hornear.

6 Envuelve el pastel frío con el papel para hornear, en una envoltura autoadherente y en papel plástico. Ponlo en un bol hermético y guárdalo en una alacena fría, seca y ventilada hasta que lo glasees.

PORCIONES 12

TIEMPO DE PREPARACIÓN 1 hora

TIEMPO DE COCCIÓN 3½-4 horas

PASTA DE ALMENDRAS

1 Mezcla las almendras molidas con el azúcar glass cernida y el azúcar extrafina. Agrégale las yemas y el extracto de almendra; bate hasta formar una pasta suave, pero no pegajosa. Suaviza al amasarla un poco en una superficie espolvoreada con azúcar glass.

2 Retira las envolturas del pastel y voltéalo en el centro de una charola para pastel de 30 cm (12 pulgadas) de diámetro, o de preferencia en un platón para pastel.

3 Con un picahielos, haz varios agujeros en la base del pastel; de unos 4 cm (1½ pulgadas) de profundidad. Con una cuchara vierte ron, whisky o brandy sobre los agujeros y deja que se filtre poco a poco.

4 Con un rodillo extiende la pasta de almendras y forma un círculo de 33 cm (13 pulgadas) de diámetro. Voltea el pastel y barnízalo todo con la mermelada de chabacano caliente y tamizada.

5 Con cuidado, lleva la pasta sobre el pastel, alísala por encima y a los lados, presionando suave pero firmemente. Recorta cualquier exceso de pasta de la base y emparéjala con una paleta.

6 Deja el pastel destapado en un lugar frío y seco por 24 horas para que la pasta se seque bien antes de poner el glaseado.

TIEMPO DE PREPARACIÓN Y APLICACIÓN 1 hora

TIEMPO DE SECADO 24 horas

GLASEADO

1 En un bol grande pon el azúcar glass cernida y las claras de huevo y bate hasta que la mezcla esté suave y esponjosa; en el proceso, ve añadiendo el jugo de limón.

2 Pon 3 cdas. del glaseado sobre el pastel, esparce sólo por encima uniformemente. Con una regla de metal, empareja el glaseado pasándola por encima. Quita el exceso y deja secar por una noche.

3 Pon el glaseado restante en un bol limpio, cúbrelo sobre la superficie con un papel plástico y refrigéralo. Al día siguiente, bátelo y cubre el pastel por encima, empareja como antes.

4 Esparce el glaseado restante por el lado del pastel, deja que un poco llegue arriba (ver foto). Usa una paleta para trabajar el glaseado para adornar con picos y remolinos.

5 Deja que se seque el glaseado durante la noche. Decora con los ornamentos navideños de tu elección.

TIEMPO DE PREPARACIÓN Y GLASEADO 1 hora

TIEMPO DE SECADO 24 horas

panes
rápidos

Pan blanco ligero

Este pan es un buen básico de todos los días. Para hacerlo más suave, ralla finamente una papa cocida del día anterior e incorpórala a la masa.

500 g (4 tazas/1 libra 2 onzas) de harina

1 cdita. de sal

1 cdita. de aceite

250 ml (1 taza/9 onzas) de suero de leche

1 cdita. de azúcar

1 cda. (14 g/½ onza) de levadura en polvo

PORCIONES 1 hogaza

TIEMPO DE PREPARACIÓN 30 minutos, más 30 minutos para que levante

TIEMPO DE COCCIÓN 30 minutos

1 Usa una charola para hornear. Cúbrela con papel para horno. Pon la harina, la sal y el aceite en un bol. Entibia el suero en una cacerola con el azúcar. Espolvorea la levadura para disolver.

2 Agrega la mezcla de levadura a la de harina. Amasa hasta formar una masa suave, con las aspas de la batidora o a mano.

3 Pon la masa en una superficie de trabajo un poco enharinada; amasa y golpea fuerte con la mano por 10 minutos hasta que esté elástica y no pegajosa.

4 Dale una forma oval y ponla en una charola para hornear, rocíale agua. Con un cuchillo afilado marca 3 incisiones diagonales encima del pan.

5 Cúbrelo y deja que alce en un lugar caliente por 30 minutos hasta que duplique su tamaño. Precalienta el horno a 250°C (500°F, marca 9).

6 Hornea por 15 minutos; reduce la temperatura a 200°C (400°F, marca 6). Barnízalo con agua y cocínalo por 15 minutos más hasta que dore.

Panecillos fiesta

Los panecillos calientes, recién horneados, son un acompañamiento para una bandeja de quesos y ensaladas. Es mejor hornear los panecillos el día anterior y calentar un poco antes de servir.

500 g (4 tazas/1 libra 2 onzas) de harina

1 cdita. de sal

60 ml (¼ de taza/2 onzas) de aceite

1 pizca de pimienta

1 pizca de nuez moscada molida

250 ml (1 taza/9 onzas) de leche

1 cda. (14 g/½ onza) de levadura en polvo

½ cdita. de azúcar

1 huevo

PARA DECORAR

1 yema de huevo

2 cdas. de leche para barnizar

Sal gruesa, semillas de comino o de amapola para espolvorear

1 Usa 2 charolas para hornear. Fórralas con papel para horno. Pon la harina, la sal, el aceite, la pimienta y la nuez moscada en un bol. Entibia la leche, incorpora la levadura, el azúcar y el huevo y vierte en la mezcla de harina.

2 Amasa hasta obtener una masa pegajosa. Cubre, deja alzar en un lugar caliente por 30 minutos.

3 Ponla en una superficie de trabajo un poco enharinada, amasa y golpea por 10 minutos. Forma un cilindro y corta 20 piezas iguales. Haz pretzels, esferitas o anillitos y ponlos en las charolas.

4 Mezcla la yema con la leche y barniza las piezas. Espolvorea con la sal las semillas sobre los panecillos.

5 Haz una incisión en forma de cruz sobre algunos panecillos grandes. Cubre la masa y deja alzar en un lugar caliente por 20 minutos. Precalienta el horno a 200°C (400°F, marca 6).

6 Hornéalos, una charola a la vez, por 15-18 minutos. Enfría un poco en una rejilla; sirve calientes.

PIEZAS 20

TIEMPO DE PREPARACIÓN 30 minutos, más 50 minutos para alzar

TIEMPO DE COCCIÓN 15-18 minutos por charola

Trenza clásica

Si quieres servir esta trenza fresca para el desayuno, prepara la masa hasta
el paso 4 la noche anterior. La masa se puede guardar en el refrigerador por la noche en un
recipiente grande cubierto con plástico.

500 g (4 tazas/1 libra 2 onzas) de harina

250 ml (1 taza/9 onzas) de leche

85 g ($1/3$ de taza/3 onzas) de azúcar

1 cda. (14 g/$1/2$ onza) de levadura en polvo

90 g ($1/3$ de taza/3 $1/4$ onzas) de mantequilla, suavizada y cortada en trocitos

$1/2$ cdita. de sal

1 huevo

Ralladura de 1 limón

60 g ($1/2$ taza/2 $1/4$ onzas) de uvas pasas sin semilla

60 g ($1/3$ de taza/2 $1/4$ onzas) de almendras rebanadas

1 yema de huevo, para barnizar

60 g ($1/3$ de taza/2 $1/4$ onzas) de almendras en pedacitos para espolvorear.

PORCIONES 1 hogaza

TIEMPO DE PREPARACIÓN 40 minutos, más 65 minutos para alzar

TIEMPO DE COCCIÓN 35 minutos

1 Usa una charola para hornear. Fórrala con papel para horno. Reserva un poco de harina y pon el resto en un bol. Forma un volcán. Entibia 2 cdas. de leche y 1 cdita. de azúcar; viértela en la levadura para disolver. Pon en el hueco la mezcla de levadura; cubre ligeramente con el resto de la harina.

2 Cubre el bol con un lienzo; deja que suba en un lugar caliente por 15 minutos, hasta que se vean grietas en la harina. Añade la leche y el azúcar restante, la mantequilla, la sal y el huevo.

3 Amasa hasta que esté suave. Ponla en una superficie de trabajo un poco enharinada y por unos 10 minutos, amasa y golpea hasta que esté elástica y no se sienta pegajosa. Forma una bola y ponla en un bol. Cubre y deja que suba en un lugar caliente por 30 minutos.

4 Mete las uvas pasas en agua tibia y cuélalas. Vuelve a amasar y añade la ralladura de limón, las uvas pasa y las almendras.

5 Divide la masa en 3 partes iguales; forma cuerdas de igual tamaño y trénzalas. Presiona las puntas de la masa y dobla por debajo de la trenza. Ponla en una charola para hornear, cúbrela con un lienzo y deja alzar por 20 minutos. Precalienta el horno a 200°C (400°F, marca 6).

6 Bate la yema con 2 cdas. de agua. Barniza la trenza, espolvorea las almendras picadas. Hornea por 35 minutos. Si el pan se oscurece demasiado, protégelo con papel aluminio.

También, prueba esto...

Para un nido de pascuas, prepara la masa como se describe en la receta original y divide en 5 partes iguales. Haz una cuerda con cada uno y trénzalas. Forma con ella una corona y esconde las puntas. Tradicionalmente, se colocan huevos duros entre el trenzado y en el centro. Se hornea igual que la receta original.

Consejo práctico

Si prefieres la levadura fresca en lugar de levadura en polvo, recuerda que cuando está en polvo está doblemente concentrada que la fresca.

Pan irlandés

Rápido y sencillo de hacer, el pan sin levadura recién horneado tiene un delicioso sabor. Esta versión utiliza harina y harina integral, lo que le da su agradable textura rústica y almendrado sabor.

250 g (2 tazas/9 onzas) de harina

250 g (2 tazas/9 onzas) de harina integral, más un poco para espolvorear

1 cdita. de bicarbonato de sodio

½ cdita. de sal

310 ml (1 ¼ tazas/10¾ onzas) de suero de leche

PORCIONES 8

TIEMPO DE PREPARACIÓN 10 minutos

TIEMPO DE COCCIÓN 30 minutos

1 Engrasa una charola para hornear. Precalienta el horno a 200°C (400°F, marca 6). Cierne las harinas, la sal y el bicarbonato de sodio en un bol.

2 Haz un hueco en el centro y vierte el suero de leche. Con una cuchara de madera, incorpora gradualmente la harina para formar una masa suave. Júntala con las manos, pásala a una superficie de trabajo un poco enharinada. Amasa hasta suavizar. Forma una bola.

3 Pon la masa en la charola y aplánala poco para darle una forma redonda y de domo de unos 19 cm (7½ pulgadas) de diámetro. Con un cuchillo, marca una cruz profunda encima, cortando hasta la mitad de la masa. Espolvorea encima la harina integral restante.

4 Hornea por unos 30 minutos, hasta que levante bien, dore y suene hueco al golpear la base. (Si aún está húmedo, hornea de 3-5 minutos más y prueba otra vez.)

5 Transfiere el pan a una rejilla y deja enfriar por completo. Sirve el mismo día que se horneó, ya que se arrancia muy rápido. O lo puedes tostar al día siguiente.

También, prueba esto...

Si no puedes encontrar el suero de leche, usa la misma cantidad de leche semidescremada a la que se agrega 1 cda. de jugo de limón. Otra opción es usar leche semi-descremada y cernir 2 cditas. de crémor tártaro a las harinas, al bicarbonato de sodio y a la sal.

Pan sin gluten

Este crujiente pan dorado tiene una deliciosa textura interior. Agregar el bicarbonado de sodio y el crémor tártaro ayuda a que el pan levante.

200 g (7 onzas) de harina de arroz morena

200 g (7 onzas) de harina de papa

100 g (3½ onzas) de harina de soya

1 cdita. de sal

2 cditas. (¼ de onza) de levadura en polvo

400 ml (1½ tazas/14 onzas) de agua tibia

1 cdita. de miel

1 cdita. de aceite de oliva

1 cdita. de bicarbonato de sodio

2 cditas. de crémor tártaro

PIEZAS 1 hogaza

TIEMPO DE PREPARACIÓN 10 minutos, más unos 30 minuto para levantar

TIEMPO DE COCCIÓN 25-30 minutos

1 Usa un molde antiadherente de 900 g (2 libras) para pan; engrasa bien. Cierne las harinas de arroz, papa y soya en un bol grande con la sal. Retira un cuarto de la mezcla y apártala. Haz un hueco en el centro de los ingredientes secos.

2 Disuelve la levadura en agua. Vierte en el hueco con la miel y el aceite de oliva. Bate los ingredientes secos en el líquido para hacer una suave masa gruesa.

3 Cubre el bol con papel plástico y deja en un lugar caliente por unos 30 minutos. Precalienta el horno a 200°C (400°F, marca 6).

4 Incorpora el bicarbonato de sodio y el crémor tártaro con la mezcla de harina restante, ciérnela sobre la masa de levadura. Bate suavemente hasta combinar; la mezcla tendrá una apariencia espumosa. Pásala al molde de pan.

5 Hornea por 25-30 minutos o hasta que esté firme, crujiente y dorado. Pásalo a una rejilla para enfriar. Este pan se conserva bien durante 2 días y con buen sabor.

También, prueba esto...

Para un pan oscuro sin gluten, usa la mitad de la cantidad de harina de soya y en lugar de la de papa, 200 g (1 taza/7 onzas) de harina de trigo negro. El pan tiene una corteza oscura y el interior es oscuro, con textura compacta.

Para un pan sin gluten de harina de maíz, usa 200 g (1⅓ tazas/7 onzas) de harina de maíz y fécula de maíz y 100 g (3¼ tazas/3½ onzas) de harina de trigo negro en lugar de las de arroz, papa y soya. Disminuye el agua a 360 ml (1½ tazas/12 onzas). El pan queda con una corteza pálida.

Para un pan sin gluten de arroz molido, sustituye 200 g (1⅓ tazas/7 onzas) de fécula de maíz o polenta y 200 g (1⅓ tazas/7 onzas) de arroz molido por las harinas de arroz oscuro, papa y soya. Usa 360 ml (1½ tazas/12 onzas) de agua tibia. Este pan tiene una textura granulada.

Focaccia

Este pan italiano ligero se prepara de una masa suave enriquecida con aceite de oliva. Es tradicional rociar aceite de oliva extra sobre la masa antes de hornear para darle una mejor textura y sabor.

2 cditas. (7 g/¼ onzas) de levadura en polvo

300 ml (1¼ tazas/10¾ onzas) de agua tibia

450 g (1⅔ tazas/1 libra) de harina

1 cdita. de sal

4 cdas. de aceite de oliva extra virgen

¼ de cdita. de sal de mar en grano

PIEZA 1 hogaza

TIEMPO DE PREPARACIÓN 15 minutos, más unos 45 minutos para subir

TIEMPO DE COCCIÓN 15 minutos

1 Engrasa una charola para hornear. Mezcla la levadura en el agua. Pon la harina en un bol grande y añade la sal. Haz un hueco en el centro; vierte ahí la mezcla de levadura y 3 cdas. de aceite. Mezcla la harina con los ingredientes líquidos, primero, con una cuchara de madera, y luego con la mano para hacer una masa suave y un poco pegajosa.

2 Pon la masa a una superficie de trabajo un poco enharinada, amasa por unos 10 minutos o hasta que esté suave y elástica. No dejes de moverla, volteándola, golpeándola y enrollándola para impedir que se ponga pegajosa. Espolvorea un poco más de harina en la superficie, cuidando de no agregar mucha, o la masa se secará y perderá su elasticidad.

3 Forma una bola con la masa y colócala en una charola para hornear. Extiéndela con un rodillo (o empújala con las manos) en un círculo de 20 cm (8 pulgadas) de diámetro y 2 cm (¾ de pulgada) de espesor. Cubre la charola holgadamente con un lienzo, mete las puntas por debajo. Deja en un lugar caliente por 45 minutos o hasta que doble su grosor.

4 Precalienta el horno a 230ºC (450ºF, marca 8). Quita el lienzo. Con las puntas de los dedos mojadas, presiónalas en la masa, haciendo pequeños huecos sobre toda la superficie; moja los dedos cada vez, ya que la masa está muy húmeda. Barniza con el aceite remanente la superficie de la masa y espolvorea la sal de mar granulada.

5 Hornea el focaccia por 15 minutos o hasta que dore. Pásalo a una rejilla; enfría por 15 minutos. Envuélvelo en un lienzo limpio para suavizar la corteza mientras se enfría. Sirve frío o caliente. El focaccia se puede guardar en una bolsa de plástico hasta por 2 días.

Pastelillos para el té

Estos pastelillos con especias están llenos de fruta seca. Sencillos de hacer, son deliciosos servidos un poco tostados y con mantequilla o mermelada.

225 g (1 ¾ tazas/8 onzas) de harina blanca para pan

225 g (1 ¾ tazas/8 onzas) de harina integral

1 cdita. de sal

2 cditas. (7 g/¼ onzas) de levadura en polvo

300 ml (1 ¼ tazas/10¾ onzas) de suero de leche, o el necesario, más algo más para barnizar.

60 g (¼ de taza/2¼ onzas) de mantequilla sin sal, cortada en trocitos

2 cdas. de azúcar extrafina

85 g (⅔ de taza/3 onzas) de uvas pasas sultanas (sin semillas)

85 g (⅔ de taza/3 onzas) de uvas pasas

½ cdita. de canela molida

PORCIONES 10

TIEMPO DE PREPARACIÓN 25 minutos, más 1 ½-3 horas para levantar

TIEMPO DE COCCIÓN 10-15 minutos

1 Engrasa 2 charolas para hornear. Cierne las harinas y la sal en un bol. Disuelve la levadura en la leche.

2 Bate la mantequilla en las harinas. Incorpórala a la azúcar, uvas pasas y canela. En el centro, haz un hueco, vierte ahí la levadura. Mezcla los ingredientes secos en el líquido, agrega un poco de leche, si se necesita, para suavizar la masa.

3 Pásala a una superficie de trabajo un poco enharinada; amasa por 10 minutos hasta que esté suave y elástica. Ponla en un bol ligeramente engrasado, cubre con un lienzo y deja que levante en un lugar caliente por 1-2 horas o hasta que duplique su tamaño.

4 Ponla de nuevo en la superficie enharinada y golpéala. Amasa por 2-3 minutos, divide en 10 partes iguales. Dales la forma de pastelillos redondos para té.

5 Colócalos en las charolas; cubre con un lienzo. Deja que alcen en un lugar caliente por 30-60 minutos.

6 Hacia el final de esta etapa, precalienta el horno a 220°C (425°F, marca 7). Destápalos y barnízalos ligeramente con leche. Hornéalos por 10-15 minutos o hasta que doren; pásalos a una rejilla para enfriar un poco. Sirve calientes o ábrelos y tuéstalos un poco. Es mejor comerlos el mismo día que se hacen, pero si se tuestan se conservarán por 1 o 2 días.

También, prueba esto...

En lugar de hacer pastelillos individuales, forma un círculo grande con la masa. Ponlo en una charola engrasada. Cubre, deja levantar por 30-60 minutos. Hornea por unos 25 minutos.

Brioches

Dulces y mantecosos, estos bollos franceses para desayunar son bonitos a la vista y deliciosos. Aunque necesitan un poco de trabajo, el resultado es espectacular.

350 g (2³/₄ tazas/12 onzas) de harina

¹/₂ cdita. de sal

100 g (¹/₃ de taza/3¹/₂ onzas) de mantequilla, suavizada, más algo más para engrasar

80 ml (¹/₃ de taza/2¹/₂ onzas) de leche tibia

1 cdita. (3¹/₂ g/¹/₈ de onza) de levadura en polvo

3 huevos

1¹/₂ cdas. de azúcar

1 yema de huevo, para barnizar

PORCIONES 20

TIEMPO DE PREPARACIÓN 35 minutos, más 3-4 horas de reposo

TIEMPO DE COCCIÓN 15-20 minutos

1 Engrasa generosamente con mantequilla los moldes individuales para brioche. Para hacer la masa, pon la harina, la sal y la mantequilla en un bol. Pon la leche en una taza y disuelve ahí la levadura. Bate los huevos y el azúcar; agrega a la mezcla de harina. Amasa por 5 minutos con las aspas de una batidora eléctrica, hasta que no se pegue a los lados del bol. (Esta masa es húmeda y pegajosa, las aspas hacen más fácil la tarea que las manos.)

2 Cubre la masa, deja que levante en un lugar frío por 2 horas: no debe estar muy caliente. Amasa por 5 minutos. Cubre, deja que levante por 30-50 minutos, hasta que duplique su tamaño.

3 Pon la masa en una superficie de trabajo un poco enharinada, forma un cilindro. Corta 25 piezas y presiona cada una en su molde.

4 Con el dedo índice, haz un hueco profundo en medio de 20 de las bolas. Corta las remanentes en 4; haciendo bolas pequeñas. Dales una forma de cono y presiona la punta en el hueco de las bolas de masa más grandes.

5 Bate la yema con 2 cdas. de agua y barniza los brioches. Cubre y deja 30-50 minutos hasta que dupliquen su tamaño. Precalienta a 220°C (425°F, marca 7).

6 Hornea los brioches por 15-20 minutos hasta que doren; deben desprenderse con facilidad de los moldes.

También, prueba esto...

Para un pan brioche, prepara la masa como la original. Engrasa un molde grande para pan de 26 cm (10¹/₂ pulgadas) y vierte la masa. Deja que levante y barniza con una mezcla de yema. Haz varias incisiones diagonales con un cuchillo filoso. Hornea por 25-30 minutos hasta que dore.

Consejo práctico

Si los huevos son grandes, con 2 y 1 yema serán suficientes; de otro modo, la masa quedará aguada.

Pan de papa y girasol

Gracias a la papa, este pan lleno de grano es muy agradable.
Se rebanará mejor si se deja enfriar por completo toda la noche.

250 g (9 onzas) papas cocidas

1 cdita. de sal

2 cdas. de aceite de girasol

300 g (2 tazas/10½ onzas) de harina integral

100 g (1 taza/3½ onzas) de avena y de avena en hojuelas

2 cdas. de semillas de anís molidas

1 cda. (14 g/½ onza) de levadura en polvo

90 g (¾ de taza/3¼ onzas) de semillas de girasol

PORCIÓN 1 hogaza

TIEMPO DE PREPARACIÓN 40 minutos, más 35 minutos de reposo

TIEMPO DE COCCIÓN 1 hora

1 Engrasa un molde para pan de 30 x 11 cm (12 x 4¼ pulgadas). Pela las papas, córtalas en cuartos. Cuécelas en agua salada hasta suavizar; cuélalas. Ponlas en un bol grande y machácalas y agrega el aceite. Deja enfriar completamente.

2 Agrega la harina, la avena, la avena en hojuelas y las semillas de anís a las papas. Esparce la levadura. Amasa la mezcla hasta tener una masa suave. Cubre con un lienzo y deja levantar en un lugar caliente por 20 minutos.

3 Enharina un poco la superficie de trabajo y esparce la mitad de las semillas de girasol. Voltea la masa sobre la mezcla de harina y amasa bien.

4 Ponla en el molde, cubre y deja levantar en un lugar caliente por unos 15 minutos. Precalienta el horno a 200°C (425°F, marca 7).

5 Barniza el pan con agua y esparce las semillas de girasol restantes por encima. Hornea a la temperatura más baja por cerca de 1 hora. Sácalo del horno y déjalo enfriar por 20 minutos. Pásalo a una rejilla y deja enfriar por completo.

196

Panqué de fruta y frutos secos

A este panqué generosamente afrutado estilo alemán no se le agrega grasa (la única grasa presente es el de las frutas secas), las demás frutas le dan una rica textura y conserva sus cualidades.

400 g (3¼ tazas/14 onzas) de harina blanca fuerte

½ cdita. de sal

Ralladura de ½ limón

2 cditas. (7 g/¼ onza) de levadura en polvo

250 ml (1 taza/9 onzas) de agua tibia

85 g (½ taza/3 onzas) de chabacanos, peras y ciruelas pasas (de cada una)

50 g (⅓ de taza/2 onzas) de higos secos toscamente picados

50 g (⅓ de taza/2 onzas) de una mezcla de almendras, avellanas y castañas picadas

1 Engrasa bien una charola para hornear. Mezcla la harina, la sal y la ralladura de limón en un bol grande. Disuelve la levadura en el agua. Pon las frutas y las frutas secas picadas en un bol y añade la mezcla de levadura. Con las manos, haz una masa de suave textura.

2 Pon la masa en una superficie un poco enharinada y amasa por 10 minutos o hasta que esté elástica. Pásala a un bol un poco engrasado, cubre con un lienzo húmedo y deja que levante en un lugar caliente por 1½-2 horas o hasta que duplique su tamaño.

3 Voltea la masa en la superficie enharinada y amasa con los nudillos para volverla a su tamaño original. Amasa suavemente para formar un círculo. Ponlo en la charola y cubre con un lienzo húmedo, deja levantar en un lugar caliente por 1 hora o hasta que duplique su tamaño.

4 Precalienta en horno a 200°C (400°F, marca 6). Hornea por 30-40 minutos o hasta que la superficie esté café y suene hueco al golpear la base. Si se dora muy rápido, cúbrelo con papel aluminio. Pásalo a una rejilla para enfriar. El pan se conserva por 5 días.

Consejo práctico

Los chabacanos deshidratados son un excelente ingrediente que no debe faltar. Son nutritivos, una excelente fuente de betacaroteno y de calcio. Usa chabacanos secos en pasteles, galletas y panes dulces de levadura, también agrégalos a los guisados y a los cereales en el desayuno.

PORCIONES 10

TIEMPO DE PREPARACIÓN 50 minutos, más 2½-3 horas para levantar

TIEMPO DE COCCIÓN 30-40 minutos

Pan cubierto de semillas

Las semillas de girasol y de calabaza no sólo son nutritivas, sino que dan a este pan una textura tostada y crujiente.

285 g (2¼ tazas/10 onzas) de harina

¼ de cdita. de pimienta picante

1 pizca de sal

3 cditas. de mantequilla sin sal

170 ml (⅔ de taza/5½ onzas) de agua

1 cda. de aceite vegetal

1 clara de huevo un poco batida con 2 cditas. de agua

30 g (¼ de taza/1 onza) de semillas de calabaza peladas

30 g (¼ de taza/1 onza) de semillas de girasol, peladas, tostadas hasta secar

2 cdas. de queso parmesano rallado

PORCIONES 4

TIEMPO DE PREPARACIÓN 20 minutos, más 1 hora de reposo

TIEMPO DE COCCIÓN 12 minutos

1 Usa 2 charolas grandes para hornear y rocíalas con aceite en aerosol para cocinar. Pon la harina, la pimienta y 1 pizca de sal en un bol. Incorpora la mantequilla cortando con 2 cuchillos hasta que la mezcla parezca hecha de migas toscas. Agrega agua y aceite poco a poco; trabaja la mezcla hasta que esté suave. Amasa por 5 minutos o hasta que esté suave y elástica. Ponla en un bol engrasado. Cubre; deja reposar por 1 hora.

2 Precalienta el horno a 210°C (415°F, marca 6-7). Corta la masa en 4 partes iguales. Extiende con rodillo cada una para tener círculos de 23 cm (9 pulgadas) de diámetro y 2 mm (¹⁄₁₆ de pulgada) de espesor. Pásalas a las charolas. Barniza con la mezcla de clara de huevo y espolvorea semillas de girasol y calabaza. Cubre con el queso rallado. Hornea por 12 minutos o hasta que el pan esté ligeramente inflado, dorado y crujiente.

Bollitos de girasol

El gran sabor de estos rollos niega la simplicidad del método de cocinar. Si piensas que no tienes tiempo o las habilidades para hacer tu propio pan, empieza por esta receta.

185 g (1½ tazas/6½ onzas) de harina

2 cditas. de polvo de hornear

½ cdita. de bicarbonato de sodio

1 pizca de sal

1 pizca de pimienta picante

1½ cdas. de mantequilla sin sal

1½ cdas. de aceite vegetal

185 ml (¾ de taza/6 onzas) de suero de leche

60 g (½ taza/2¼ onzas) de semillas de girasol tostadas y secas

PORCIONES 12

TIEMPO DE PREPARACIÓN 10 minutos

TIEMPO DE COCCIÓN 15 minutos

1 Usa un charola grande para hornear, rocía con aceite en aerosol. Precalienta el horno a 220°C (425°F, marca 7).

2 Pon la harina, el polvo de hornear, el bicarbonato, la sal y la pimienta en un bol. Incorpora la mantequilla y córtala con 2 cuchillos hasta que la mezcla parezca migas toscas. Añade aceite, suero y semillas de girasol y mezcla hasta tener una masa suave.

3 Deja caer cucharadas de masa a una distancia de 5 cm (2 pulgadas) en la charola. Hornea por unos 12 minuto o hasta que estén dorados y crujientes.

Hogaza mediterránea

La masa de este pan es enrollado, con un relleno de verduras asadas para que cuando se rebane aparezca un colorido espiral corriendo por él.

250 g (2 tazas/9 onzas) de harina blanca para pan

200 g (1²/₃ tazas/7 onzas) de harina integral

1 cdita. de sal

1 pizca de azúcar exta fina

1 cda. de semillas de hinojo

310 ml (1¼ tazas/10 onzas) de leche

2 cdas. de mantequilla

2 cditas. (7 g/¼ de onza) de levadura en polvo

2 pimientos rojos en mitades y sin semillas

3 cdas. de pasta de tomate secada al sol o pesto de albahaca

½ cebolla morada pequeña, en rebanadas finas.

3 cdas. de queso parmesano fresco rallado.

1 cdita. de aceite de oliva extra virgen

PIEZA 1 hogaza

TIEMPO DE PREPARACIÓN 35 minutos, más 1½-2 horas para levantar

TIEMPO DE COCCIÓN 35-40 minutos

1 Engrasa un molde para pan de 900 g (2 libras). Cierne las harinas y la sal en un bol; agrega las cáscaras que quedan en el cernidor. Incorpora el azúcar y las semillas de hinojo. Haz un hueco en el centro.

2 Bate suavemente la leche y la mantequilla hasta que ésta se ablande. Disuelve la levadura en el líquido y viértela en el hueco. Incorpora poco a poco la harina en los ingredientes líquidos hasta hacer una masa suave.

3 Pon la masa en una superficie un poco enharinada y amasa por 10 min. o hasta que esté suave y no quede pegajosa. Haz una bola, ponla en un bol engrasado y cubre con un lienzo húmedo. Déjala alzar en un lugar caliente por 1-1½ horas o hasta duplicar su tamaño.

4 Precalienta la parrilla en lo más alto. Tuesta los pimientos, con la piel hacia arriba, hasta que se ennegrezcan un poco. Ponlos en una bolsa de plástico, deja enfriar y quita el pellejo. Corta tiras largas.

5 Pon la masa en una superficie de trabajo un poco enharinada y golpéala; amasa un poco hasta suavizar. Estírala con un rodillo para tener un rectángulo de 20 x 33 cm (8 x 13 pulgadas). Esparce la pasta de tomate, dejando una orilla de 1 cm. Cúbrela con una capa de tiras de pimientos y cebolla. Espolvorea 2 cditas. de queso parmesano por encima.

6 Enrolla la masa firmemente por un lado corto, para que parezca un rollo suizo. Mete las puntas por debajo. Ponlo en el molde. Cubre y deja en un lugar caliente por 30 minutos o hasta que levante y esté elástico al tacto.

7 Precalienta el horno a 230°C (450°F, marca 8). Descubre la masa y haz varias incisiones por encima con un cuchillo. Barniza con aceite de oliva y espolvorea el queso parmesano. Hornea por 15 minutos; reduce la temperatura a 200°C (400°F, marca 6). Hornea por otros 20-25 minutos o hasta que levante, dore y suene hueco al golpear la base.

8 Pásalo a una rejilla y deja enfriar. Es mejor comer este pan el mismo día de su elaboración.

Consejo práctico

Los pimientos rojos proporcionan una gran cantidad de compuestos que combaten las enfermedades. Además de una excelente fuente de vitamina C y betacaroteno, también contienen otros dos importantes fitoquímicos llamados luteína y zeaxantina. Se piensa que ayudan a proteger contra la degeneración macular de los ojos.

Bollitos de canela

Docenas de sabrosos bollitos de canela hechos en casa, se apilan en una torre que semeja un panal de miel. Este pan es fácil de hacer y espectacular de servirse.

625 g (5 tazas/1 libra 6 onzas) de harina

110 g (½ taza/3¾ onzas) de azúcar blanca (granulada)

1½ cditas. de sal

435 ml (1¾ tazas/15¼ onzas) de leche

185 g (¾ de taza/6½ onzas) de mantequilla, suavizada

1 cda. (14 g/½ onzas) de levadura en polvo

1 huevo

45 g (¼ de taza/1¾ onzas) de azúcar morena firmemente empacada

1 cdita. de canela

PORCIONES 24

TIEMPO DE PREPARACIÓN 25 minutos, más 30 minutos para levantar

TIEMPO DE COCCIÓN 35 minutos

1 Usa un molde de anillo o una cacerola de tubo de 25 cm (10 pulgadas). Cubre con aceite en aerosol para cocinar. Combina los 150 g (1¼ tazas/5½ onzas) de harina, la mitad del azúcar y toda la sal en el bol.

2 Entibia la leche con 4 cdas. de mantequilla. Disuelve la levadura; vierte en la mezcla de harina. Agrega el huevo y la harina (por lo menos 425 g/3½ tazas/15 onzas) y amasa hasta tener una masa suave.

3 Pon la masa en una superficie de trabajo un poco enharinada; amasa por unos 10 minutos, hasta que esté elástica; agrega la harina restante, para evitar que la masa se ponga pegajosa, y la mantequilla. Mezcla el azúcar blanca, la morena y la canela en un bol.

4 Con la masa, haz una bola del tamaño de una pelota de golf; forma una capa en el molde y barniza con la mitad de mantequilla derretida. Espolvorea encima la mitad de la mezcla de azúcar. Repite lo mismo para la segunda capa. Cubre con un lienzo húmedo. Deja levantar en un lugar caliente hasta duplicar su tamaño.

5 Precalienta el horno a 190°C (375°F, marca 5). Hornea el pan por unos 35 minutos o hasta que dore por encima; enfría por 10 minutos; desmolda y sirve los bollitos calientes.

Consejo práctico

Recetas tradicionales para panes desprendibles exigen que cada bola de masa se sumerja en mantequilla derretida antes de ponerse en el molde. En su lugar, rocíe mantequilla derretida en cada capa de masa y no a cada bola; así el contenido de grasas saturadas se mantiene en un nivel más aceptable.

Pan de plátano y nuez

Plátanos maduros, estrellas de los endulzantes naturales, son la base de este sabroso pan no seco.

50 g (½ taza/1¾ onzas) de hojuelas de avena

40 g (⅓ de taza/1½ onzas) de nueces toscamente picadas

155 g (1¼ tazas/5½ onzas) de harina

75 g (½ taza/2½ onzas) de harina integral

2 cditas. de polvo de hornear

¾ de cdita. de bicarbonato de sodio

¾ de cdita. de sal

300 g (1¼ tazas/10½ onzas) de plátano machacado

155 g (⅔ de taza/15½ onzas) de azúcar morena

125 ml (½ taza/4 onzas) de suero de leche

2 claras de huevo

2½ cditas. de aceite de nuez o aceite de oliva extra virgen

1 Cubre con aceite en aerosol un molde para pan, de tubo o plano, de 22 x 12 cm (8½ x 4½ pulgadas). Precalienta el horno a 190°C (375°F, marca 5).

2 Hornea la avena y las nueces; la avena debe quedar dorada; las nueces, crujientes.

3 Combina las harinas, el polvo de hornear, el bicarbonato y la sal en un bol. En otro, mezcla el plátano machacado, el azúcar, el suero, las claras de huevo y el aceite. Bate bien. Añade la mezcla de harina, la avena y nueces.

4 Pasa la masa al molde. Hornéala por 50-55 minutos o hasta que un palillo insertado en el centro salga limpio. Deja enfriar 10 minutos; pásalo a una rejilla para enfriar por completo.

Consejo práctico

Si los plátanos necesitan madurar, guárdalos en una bolsa de papel de estraza a temperatura ambiente. El plátano rebanado oscurece al exponerse al aire. Para evitarlo, imprégnalo con jugo de cítricos. Para impedir que maduren demasiado rápidamente, ponlos en el refrigerador: la cáscara se pondrá negra, pero por dentro estarán sin manchas.

PORCIONES 12 rebanadas

TIEMPO DE PREPARACIÓN 10 minutos

TIEMPO DE COCCIÓN 55 minutos

Pan de maple y nuez

Este saludable pan tiene la exacta cantidad de dulce, con un delicioso interior y un satisfactorio crujido de nueces. ¡Y no tiene demasiadas grasas dañinas!

340 g (2¾ tazas/12 onzas) de harina preparada con levadura

90 g (⅓ de taza/3¼ onzas) de mantequilla, suavizada

350 ml (1 taza/12 onzas) de jarabe de maple

1 huevo, un poco batido

170 ml (⅔ de taza/5½ onzas) de leche evaporada, baja en grasa

1 cdita. de extracto de vainilla

60 g (½ taza/2¼ onzas) de nueces, tostadas y picadas

PORCIONES 16 rebanadas

TIEMPO DE PREPARACIÓN 15 minutos

TIEMPO DE COCCIÓN 50 minutos

1 Usa un molde para pan de 23 x 13 cm (9 x 5pulgadas). Cubre con aceite en aerosol. Precalienta el horno a 180°C (350°F, marca 4). Pon la harina en un bol y haz un hueco en el centro.

2 Pon la mantequilla en un bol, bate hasta que esté cremosa y agrega el jarabe. Agrega el huevo, la leche y la vainilla. Vacía la mezcla en el hueco de la harina; bate sólo para combinar, se debe ver algo de la harina. Agrega las nueces.

3 Vierte la masa en el molde. Hornea por unos 50 minutos hasta que dore y que el palillo insertado en el centro salga con migas. Si el pan se dora demasiado rápido, cúbrelo holgadamente con un papel aluminio durante los últimos 15 minutos de horneado.

4 Pon el pan en una rejilla; deja enfriar por 10 minutos. Desmolda y déjalo en la rejilla para enfriar completamente.

Consejo práctico

La miel de maple (arce) pura, de mejor calidad, viene de la savia del árbol de arce, recolectada en un proceso conocido como golpear el maple. La miel de sabor a maple es una mezcla menos cara, como la miel de maíz, y contiene sólo un pequeño porcentaje de miel de maple pura. Con frecuencia, la miel para panqueques es una miel de maíz con sabor a maple. Para esta receta de pan, compra la mejor que puedas. Cuanto mejor sea la miel, mejor sabor tendrá.

Panecillos de cheddar

Uno de los más rápidos y deliciosos panes hechos en casa que jamás has horneado.

125 g (1 taza/4½ onzas) de harina

100 g (⅔ de taza/3½ onzas) de harina integral

35 g (¼ de taza/1¼ onzas) de salvado de avena

2 cdas. de azúcar

2 cditas. de polvo de hornear

¾ de cdita. de pimienta picante

¾ de cdita. de sal

½ cdita. de bicarbonato de sodio

2 cdas. de aceite de oliva

1 cda. de mostaza en grano

30 g (¼ de taza/1 onza) de queso cheddar rallado

3 cebollines, rebanados finamente

250 g (1 taza/9 onzas) de yogur natural

PORCIONES 8

TIEMPO DE PREPARACIÓN 15 minutos

TIEMPO DE COCCIÓN 30 minutos

1 Forra con papel para hornear una charola grande. Precalienta el horno a 200°C (400°F, marca 6).

2 Combina las harinas, el azúcar, el polvo de hornear, la pimienta, la sal y el bicarbonato en un bol grande. Incorpora el aceite y la mostaza y con dos cuchillos da cortes hasta que la mezcla se humedezca y forme migas.

3 Agrega el queso y los cebollines. Haz un hueco en el centro de la mezcla y bate incorporando el yogur. No batas de más.

4 Pasa la masa a la charola, enharina tus manos y dale una forma redonda de 20 cm (8 pulgadas). Marca 8 trozos iguales con un cuchillo afilado; corta toda la masa, pero sin separar los trozos.

5 Hornea el pan hasta que esté dorado y cocido por dentro, por unos 30 minutos. Enfría en la charola por 10 minutos antes de servir.

Panqué de duraznos y crema

Los duraznos frescos y la crema agria hacen de éste un pan blando. Se puede comer como postre cubierto de yogur helado y delgadas rebanadas de duraznos frescos.

2-3 duraznos

185 g (1½ tazas/6½ onzas) de harina

110 g (¾ de taza/3¾ onzas) de harina integral

25 g (¼ de taza/1 onza) de germen de trigo tostado

165 g (¾ de taza/5¾ onzas) de azúcar

1 cdita. de bicarbonato de sodio

½ cdita. de sal

125 g (½ taza/4½ onzas) de crema agria

1 huevo, más 2 claras

2 cdas. de aceite de oliva extra ligero

1 cdita. de esencia de almendra

1 Cubre con aceite en aerosol un molde para pan de 23 x 13 cm (9 x 5 pulgadas). Precalienta el horno a 180°C (350°F, marca 4).

2 Blanquea los duraznos en una olla con agua hirviendo por 20 segundos. Pélalos, deshuésalos y pícalos finamente; necesitarás 185 g (1 taza/6 onzas) de duraznos.

3 Combina las harinas, el germen de trigo, el azúcar, el bicarbonato y la sal en un bol. En otro, combina la crema, las claras, el huevo, el aceite y la esencia. Haz un hueco en medio de los ingredientes secos. Vierte la mezcla de crema,

bate sólo para combinar. Integra los duraznos.

4 Pon la mezcla en el molde con una cuchara y nivela. Hornea por 1 hora hasta que el palillo insertado en el centro salga limpio. Pon el molde en una rejilla y deja enfriar por 10 minutos. Desmolda y deja en la rejilla para enfriar completamente.

PORCIONES 16 rebanadas

TIEMPO DE PREPARACIÓN 15 minutos

TIEMPO DE COCCIÓN 1 hora

Consejo práctico

El "corazón" del grano de trigo, germen de trigo, tiene un sabor almendrado; contiene nutrientes cardioprotectores que incluye la vitamita E, el ácido fólico y el cinc. Es fácil de usarlo en los alimentos: agrégalo a las malteadas, a los pays y a las cubiertas y a las migas de pan para empanizar carne, pollo o pescado.

Bollos de queso y berros

El picante del berro y el cheddar maduro dan sabor a estos nutritivos bollos salados.
Se sirven calientes con la sopa en lugar de pan o rellenos de ensalada para una comida o cena ligera.

125 g (1 taza/4 1/2 onzas) de harina preparada con levadura

150 g (1 taza/5 1/2 onzas) de harina integral con levadura

1 cdita. de polvo de hornear

3 cdas. de mantequilla, cortada en trocitos.

50 g (1/3 de taza/1 1/2 onzas) de hojuelas de avena

85 g (3 tazas/3 onzas) de berros picados (sin el tallo grueso)

75 g (1/2 taza/2 1/2 onzas) de queso cheddar maduro

125 ml (1/2 taza/4 onzas) de leche, más algo extra para barnizar

PORCIONES 8

TIEMPO DE PREPARACIÓN 20 minutos

TIEMPO DE COCCIÓN 10-15 minutos

1 Engrasa una charola para hornear. Precalienta el horno a 230°C (450°F, marca 8). Cierne las harinas y el polvo de hornear en un bol; dejando las cáscaras en el cernidor. Incorpora la mantequilla con los dedos hasta que la mezcla parezca migas de pan.

2 Agrega la avena, los berros y tres cuartas partes del queso; sazona con sal y pimienta negra. Incorpora la leche con un tenedor. Junta la masa con una espátula y ponla en una superficie bien enharinada. Forma una bola tersa.

3 Con un rodillo, extiende la masa con 2 cm (¾ de pulgada) de espesor. Usa un cortador redondo de 7.5 cm (3 pulgadas). Junta los recortes presionando ligeramente, vuelve a extender y estampa más.

4 Ponlos en la charola, sin que se toquen. Barniza con leche y espolvorea el queso rallado restante Hornea de 10-15 minutos o hasta que levanten y doren. Enfría en una rejilla. Es mejor comerlos el mismo día que se hornean.

También, prueba esto...

Para hacer un pan redondo como bísquet, pon la masa en una charola para pan engrasada y presiona para formar un círculo plano de unos 2.5 cm (1 pulgada) de espesor. Corta en 8 trozos con toda la masa, pero no separes las orillas. Hornea por 15 minutos hasta que doren.

Pan de papa

Ésta es una buena receta para para los jóvenes que empiezan a cocinar. Se puede usar polvo de curry en lugar del de mostaza para un resultado más picante.

225 g (1 3/4 tazas/8 onzas) de harina preparada con levadura.

1/2 cdita. de sal

1/4 de cdita. de mostaza en polvo

1 1/2 cdita. de polvo de hornear

2 cdas. de mantequilla, cortada en trocitos

4 cdas. de leche

170 g (3/4 de taza/6 onzas) de papa machacada (sin leche ni mantequilla)

Leche extra o huevo batido para barnizar.

2 cditas. de avena

PORCIONES 6

TIEMPO DE PREPARACIÓN 10 minutos

TIEMPO DE COCCIÓN 15-20 minutos

1 Engrasa una charola para hornear. Precalienta el horno a 220°C (425°F, marca 7). Cierne la harina, la sal, la mostaza y el polvo de hornear en un bol. Añade la mantequilla y amasa hasta que la mezcla parezca migas de pan.

2 En otro bol, vierte la leche en la papa y mezcla bien. Agrega los ingredientes secos y mezcla con un tenedor; agrega 1-2 cdas. de leche para suavizar la masa.

3 Pon la masa en una superficie un poco enharinada; amasa por unos segundos hasta alisar; con un rodillo extiende un círculo de 15 cm (6 pulgadas) de diámetro y de 2 cm (3/4 de pulgada) de espesor. Pasa a la charola. Con un cuchillo marca 6 porciones en toda la masa.

4 Barniza con leche o huevo batido y espolvorea la avena. Hornea por 15-20 minutos o hasta que levante bien y dore.

5 Pásala a una rejilla, separa las porciones. Sirve calientes o frías. Pueden guardarse en un recipiente hermético hasta 3 días. Para recalentar, ponlos en una charola, cubiertos con papel aluminio y calienta en el horno en lo más bajo por 5 minutos.

También prueba esto...

Para pan de papa y queso feta, en lugar de mantequilla, bate 85 g (1/2 taza/3 onzas) de queso feta desmoronado y 2 cdas. de cebollines en los ingredientes secos.

Panes de zarzamora y limón

Prepara estos panecillos cuando sea tiempo de zarzamoras dulces.
Agregar el suero de leche a la mezcla garantiza un resultado ligero y hojaldrado.

125 g (1 taza/4½ onzas) de harina preparada con levadura

115 g (¾ de taza/4 onzas) de harina integral preparada con levadura

1 cdita. de polvo de hornear

55 g (¼ de taza/2 onzas) de azúcar extrafina

55 g (¼ de taza/2 onzas) de mantequilla sin sal, cortada en trocitos

Ralladura fina de cáscara de 1 limón.

85 g (½ taza/3 onzas) de zarzamora fresca

125 ml (½ taza/4 onzas) de suero de leche, o más si se necesita

PORCIONES 8

TIEMPO DE PREPARACIÓN 15 minutos

TIEMPO DE COCCIÓN 20-25 minutos

1 Engrasa una charola para hornear. Precalienta el horno a 200°C (400°F, marca 6). Cierne las harinas y el polvo de hornear en un bol grande, incluyendo la cáscara del cernidor. Incorpora en el azúcar. Añade la mantequilla, amasa con la punta de los dedos hasta que la masa parezca migas finas.

2 Añade la ralladura de limón. Incorpora suavemente las zarzamoras. No mezcles de más, ya que la fruta se rompe con facilidad.

3 Incorpora el suero usando un cuchillo de doble hoja, cuidando de no romper la fruta. Agrega un poco más de suero si hay algo seco en el bol.

4 Cuando la mezcla forme una masa suave, pásala a una superficie un poco enharinada y amasa sólo 2 o 3 veces, lo justo para formar una bola burda.

5 Golpea la masa con cuidado con las manos para hacer un círculo de 18 cm (7 pulgadas). Pásala a una charola. Marca 8 trozos; espolvorea con un poco de harina blanca. Hornea por 20-25 minutos o hasta que levante y esté ligeramente dorada. Sirve las porciones separadas y calientes. Es mejor comerlas recién horneadas o el mismo día, pero todavía al día siguiente saben bien, guárdalas en un recipiente hermético.

También, prueba esto...

Para hacer panes de uvas pasas y canela, usa 55 g (½ taza/2 onzas) de uvas pasas en lugar de zarzamoras y ½ cda. de canela molida en lugar de la ralladura de limón. Aumenta el suero de leche a 170 ml (⅓ de taza/5 onzas). Extiende con un rodillo a 2.5 cm (1 pulgada) de espesor y estampa círculos con un cortador liso de 5 cm (2 pulgadas). Ponlos en una charola engrasada, barniza con una mezcla de 1 cda. de leche y 2 cditas. de azúcar extrafina. Hornea por 12-15 minutos o hasta que levanten y se doren ligeramente.

bocadillos y comidas

Empanaditas de cerdo

Estas empanaditas son ideales para la lonchera y para un plato fuerte servido con ensalada. Es buena idea congelarlas un poco. Se pueden descongelar rápidamente y recalentarse.

PARA LA PASTA

500 g (4 tazas/1 libra 2 onzas) de harina

3 cditas. (10 g/¼ de onza) de levadura en polvo

250 ml (1 taza/9 onzas) de agua tibia

120 g (½ taza/4¼ onzas) de mantequilla

1 huevo

1 cdita. de sal

PARA EL RELLENO

2 cdas. de aceite de girasol

2 cebollas, peladas y en cubitos

150 g (5½ onzas) de escalopas de carne de cerdo crudas o carne de cerdo asada, finamente picadas

55 g (1½ tazas/2 onzas) de perejil, picado

2 cdas. de caldo

2 cdas. de crema agria

1 cdita. de páprika dulce

1 cdita. de mejorana seca

Sal y pimienta negra recién molida

1 huevo, para barnizar

PIEZAS 20

TIEMPO DE PREPARACIÓN 50 minutos, más 10 minutos para reposar

TIEMPO DE COCCIÓN 15 minutos por charola

1 Forra con papel para hornear 2 charolas para hornear. Cierne la harina en un bol. Disuelve la levadura en el agua; bate una vez.

2 Derrite la mantequilla; déjala entibiar. Agrega la levadura, la mantequilla, el huevo y la sal a la harina. Amasa hasta tener una masa pegajosa.

3 Ponla en una superficie de trabajo un poco enharinada: amasa vigorosamente por 10 minutos hasta que esté elástica y no pegajosa. Regrésala al bol, cubre y deja que levante en un lugar caliente por 30 minutos.

4 Calienta aceite en una cacerola; saltea las cebollas y las escalopas, moviendo hasta que las cebollas estén acitronadas y toda la carne café. Si usas carne cocida, agrégala cuando las cebollas estén acitronadas y recalienta un poco.

5 Retira la cacerola del fuego, incorpora el perejil, la crema agria, la páprika, la mejorana, la sal y la pimienta.

6 Precalienta el horno a 200°C (350°F, marca 4). En una superficie de trabajo un poco enharinada, extiende con un rodillo la masa a 1 cm (½ pulgada) de espesor. Corta 20 círculos de unos 8 cm (3 pulgadas) de diámetro. Pon 1 cda. de relleno en el centro de cada uno.

7 Separa la yema de la clara. Barniza las orillas de los círculos con la clara batida; dóblalos a la mitad y presiona para pegar las orillas. Barniza con la yema de huevo, ponlo en las charolas. Hornea por 15 minutos hasta dorar, una charola a la vez.

También, prueba esto...

Para empanaditas de pasta de hojaldre, en lugar de la masa de levadura, usa 2 piezas de pasta de hojaldre preparada, descongelada (unos 300 g/10½ onzas). Para el relleno, pica finamente 3 cebollas y 30 g (1 onza) de cebollines y corta en cubos 250 g (9 onzas) de carne de cerdo. Fríe la carne en 2 cdas. de aceite caliente. Mezcla la cebolla, los cebollines, las 2 cdas. de mantequilla, las 2 cdas. de harina y los 150 ml (½ taza/5 onzas) de crema y sazona con sal y pimienta; hierve brevemente. Pon las hojas de pasta una sobre otra y extiende con un rodillo. Corta los círculos, llénalos y sigue las instrucciones de la receta original.

Empanadas de queso feta

Grandes en sabor, estas deliciosas empanaditas son rápidas y fáciles de hacer. Si no tienes hierbas frescas para el relleno, usa 2 cucharadas de pesto.

2 hojas de pasta de hojaldre, enrollada y descongelada (300 g/10¼ onzas)

PARA EL RELLENO Y EL GLASEADO

110 g (4 onzas) de queso feta

40 g (1 taza/1¼ onzas) de eneldo y de perejil (de cada uno).

Unas ramitas de albahaca

Pimienta negra, para dar sabor

1 yema de huevo

1 cda. de leche

. . . .

PORCIONES 12

TIEMPO DE PREPARACIÓN 20 minutos, más 20 minutos para enfriar

TIEMPO DE COCCIÓN 15-20 minutos por charola

1 Forra con papel para hornear 2 charolas. Precalienta a 220°C (425°F, marca 7).

2 Para el relleno, desmorona finamente el queso feta. Pica muy fino el eneldo y el perejil, y corta las hojas de la albahaca en tiras. Incorpora las hierbas con el queso y sazona con pimienta.

3 Extiende con un rodillo la pasta muy delgada y corta cuadrados de 12 x 12 cm (4½ pulgadas). Pon 1 cdita. de la mezcla de queso en el centro de cada uno.

4 Barniza las orillas de los cuadros con un poco de yema batida con leche. Dobla los cuadrados en triángulos, presiona las orillas para pegar y decora con las puntas de un tenedor.

5 Ponlos en las charolas, barniza con la mezcla de huevo restante, refrigera por unos 20 minutos. Hornea por 15-20 minutos hasta que doren. Sirve calientes o fríos.

Triangulitos de verduras

Sirve estas empanaditas ligeramente picantes como un entremés o como comida ligera con ensalada. La salsa picante de mango o el yogur con ajo y menta le van bien.

PARA LA PASTA

350 g (2³/₄ tazas/12 onzas) de harina

1 huevo

60 ml (¹/₄ de taza/2 onzas) de aceite

1 cda. de vinagre

PARA EL RELLENO

2 dientes de ajo

2 cdas. de aceite

4 cebollines picados

150 g (1 taza/5¹/₂ onzas) de calabacitas ralladas

150 g (1 taza/5¹/₂ onzas) de papa rallada

100 g (1¹/₂ tazas/3¹/₂ onzas) de brócoli picado

1 cda. de curry en polvo suave

2 cditas. de jugo de limón

1 yema de huevo

60 ml (¹/₄ de taza/2 onzas) de crema

Aceite y 1 clara, para barnizar

Semillas de ajonjolí, para espolvorear

1 Forra una charola para horno con papel para hornear. En un bol, pon la harina, el huevo, el aceite y el vinagre; amasa suavemente para combinar. Pásala a una superficie un poco enharinada y amasa por 10 minutos; forma una bola. Calienta un bol cerámico; ponlo invertido sobre la masa. Deja reposar por 30 minutos.

2 Para el relleno, pela y machaca el ajo. Calienta el aceite en un sartén grande. Agrega las verduras y cocina por 5 minutos. Añade el polvo de curry, el jugo de limón, la yema de huevo y la crema; sazona con sal y pimienta.

3 Precalienta el horno a 220°C (425°F, marca 7). Aplana un poco la bola de pasta y corta 12 piezas iguales; estira cada una para formar rectángulos de 8 x 30 cm (3¼ x 12 pulgadas) aproximadamente. Barniza con aceite.

4 Pon 1 cda. de relleno en un extremo del rectángulo, dobla sobre la punta opuesta y envuelve la pasta algunas veces diagonalmente alrededor del relleno para formar un triángulo. Asegúrate de que las orillas estén selladas. Repite con la masa restante. Barniza generosamente con aceite; ponlos en una charola. Hornea por 20 minutos. Barniza con la clara de huevo batida y espolvorea semillas de ajonjolí, hornea por otros 5 minutos.

PORCIONES 12

TIEMPO DE PREPARACIÓN 50 minutos

TIEMPO DE COCCIÓN 25 minutos

Galettes de jitomate y albahaca

Galette es el término francés para una empanadita redonda y plana. En esta receta, las galettes se hacen de una masa de avena para pan condimentada con un poco de queso parmesano. Sírvelos como refrigerio o entrada, o como comida ligera con ensalada verde.

PARA LA PASTA

125 g (1 taza/4½ onzas) de harina preparada con levadura

60 g (½ taza/2¼ onzas) de harina integral con levadura

1 cdita. de polvo de hornear

1 pizca de sal

2 cdas. de mantequilla, enfriada y en cubos

2 cdas. de queso parmesano finamente rallado

120 ml (½ taza/4 onzas) de leche

PARA EL TOQUE FINAL

3 cditas. de aceite de oliva extra virgen

1 diente de ajo, machacado

3 cdas. de pasta de tomate secado al sol o de pesto de albahaca

3 cdas. de hojas frescas de albahaca ralladas

3 jitomates ciruela grandes, en rebanadas delgadas

40 g (¼ de taza/1½ onzas) de piñones

Hojas de albahaca para adornar

PORCIONES 6

TIEMPO DE PREPARACIÓN 20 minutos

TIEMPO DE COCCIÓN 10-12 minutos

1 Usa una hoja para hornear antiadherente. Precalienta el horno a 220ºC (425ºF, marca 7). Cierne las harinas, el polvo de hornear y la sal en un bol; incluye las cáscaras que quedan en el cernidor. Incorpora la mantequilla hasta que la mezcla parezca migas finas. Añade el queso parmesano.

2 Haz un hueco en el centro y vierte ahí la leche. Mezcla para hacer una masa suave. Amasa un poco hasta alisar.

3 En una superficie enharinada, extiende la masa con un rodillo a 5 mm (¼ de pulgada) de espesor. Corta 6 círculos de unos 10 cm (4 pulgadas) de diámetro. Necesitarás volver a extender los recortes y a cortar más círculos. Pásalos a la hoja para hornear, con suficiente espacio entre ellos. Marca las orillas con un tenedor

4 Barniza con 2 cdas. de aceite de oliva. Mezcla el resto con ajo, pasta de jitomate y albahaca y pon una capa ligera en los círculos, dejando limpia una orilla de 5 mm (¼ de pulgada). Arregla las rebanadas de jitomate encima y rocía con la mezcla de albahaca.

5 Hornea por 7 minutos, luego esparce los piñones sobre los jitomates. Mete la bandeja al horno por 3-5 minutos más o hasta que los galettes levanten y las orillas estén doradas. Sirve caliente, adornando con la albahaca.

También, prueba esto...

Para galettes de cebolla caramelizada, rebana muy fino 4 cebollas moradas. Fríelas con 2 cdas. de aceite de oliva a fuego lento, parcialmente tapadas, por 10 minutos, moviendo de vez en cuando. Agrega 2 cditas. de vinagre balsámico y 1 cdita. de azúcar morena. Cocina 2 minutos más, moviendo hasta que esté suave. Retira del fuego; bate 1 cda. de jitomates secados al sol, picados, y sazona con pimienta negra. Haz bases para galette siguiendo la receta original; pon 2 cditas. de tomillo fresco picado a los ingredientes secos y sólo 1 cda. de mantequilla y 55 g (¼ de taza/2 onzas) de queso feta desmoronado. Con una cuchara pon la mezcla de cebolla sobre los galette. Hornea en un horno precalentado a 220ºC (425ºF, marca 7) por 10 minutos.

Consejo práctico

La harina integral contiene más vitamina B, hierro, selenio y cinc, pero si se usa sola hace panes y empanadas pesados. Mézclala con harina blanca: darán un resultado más ligero.

Además de sus usos culinarios, los herbolarios prescriben la albahaca como tranquilizante natural y ayuda a aliviar los malestares estomacales y los calambres.

Tartaletas de salmón soufflé

Las tartaletas individuales servidas con un jardín de ensalada hacen una atractiva entrada. El relleno de pescado que se usa aquí es muy ligero; claras de huevo batidas se incorporan en la salsa, produciendo una textura vaporosa parecida al soufflé. Sirve directamente del horno.

PARA LA PASTA

125 g (1 taza/4½ onzas) de harina

55 g (¼ de taza/2 onzas) de mantequilla fría y en cubos

PARA EL RELLENO

25 g (1 onza) de fécula de maíz

170 ml (⅔ de taza/5½ onzas) de leche

Unos 180 g (⅔ de taza/6 onzas) de salmón rosado enlatado, sin piel ni espinas, escurrido y sin escamas.

2 cdas. de eneldo fresco y cebolleta picados (de cada uno)

2 yemas y 2 claras

PARA SERVIR

175 g (4 tazas/6 onzas) de hojas verdes para ensalada mixta, como endivia y arúgula

1 pimiento rojo, sin semillas, cortado en tiras delgadas

PORCIONES 6

TIEMPO DE PREPARACIÓN 40 minutos, más 30 minutos más para enfriar

TIEMPO DE COCCIÓN 15 minutos

1 Usa 6 moldes para tartaleta individual antiadherentes de 9 cm (3½ pulgadas). Cierne la harina en un bol grande. Agrega la mantequilla, amasa hasta que la mezcla semeje migas finas, luego vierte 2 cdas. de agua fría. Mezcla con un cuchillo de punta redondeada para formar la masa. Junta en una bola lisa, cubre con una envoltura autoadherente y refrigera por 30 minutos por lo menos.

2 Mezcla la fécula de maíz con 2 cdas. de leche para hacer una pasta lisa. Calienta la leche restante a punto de hervor; vierte un poco de la mezcla de fécula, batiendo. Agrega la mezcla de leche en la cacerola, hierve y mueve hasta que la salsa se espese. Reduce el calor y deja hervir a fuego lento por 2 minutos.

3 Retira la olla del fuego. Incorpora el salmón, el eneldo y la cebolleta, sazona con sal y pimienta negra. Agrega las yemas de huevo y deja aparte.

4 Precalienta el horno a 200°C (400°F, marca 6). Divide la pasta en 6 piezas iguales. Extiende con un rodillo cada pieza tan delgada como para cubrir los moldes de tartaleta.

5 Pica las tartaletas varias veces con un tenedor. Coloca los moldes en una hoja para hornear. Cubre los moldes con papel para hornear; rellena con frijoles secos.

Cuece por 10 minutos. Retira el papel y los frijoles, hornea por otros 5 minutos más o hasta que la pasta esté ligeramente dorada. Deja enfriar, luego retírala del molde con cuidado y colócalas en hojas para hornear.

6 Bate las claras de huevo a punto de turrón y añade la mezcla de salmón. Con una cuchara, vierte la mezcla a las pastas y hornea por 15 minutos o hasta que levante bien y esté dorada. Sirve de inmediato en platos individuales, con un jardín de ensalada de hojas en tiras de endivia y arúgula.

También, prueba esto...

En lugar de salmón, usa atún enlatado en agua, bien escurrido.

Sirve las tartaletas frías para un platillo campestre. Aunque no tengan la apariencia de soufflé, tendrán un sabor delicioso.

Para hacer tartaletas de espinacas y parmesano tipo soufflé, descongela 125 g (4½ onzas) de espinacas congeladas. Elimina el exceso de líquido, viértela en la salsa con ½ cdita. de nuez moscada rallada, omite el salmón, la endivia y la arúgula. Incorpora las yemas de huevo y 2 cdas. de queso parmesano fresco y las claras de huevo, hornea como en la receta original. Sirve con ensalada verde y tomates cherry.

Bollos de hierbas y ricotta

Estos sabrosos bollos se hacen con queso suave y muchas hierbas frescas.
La mezcla de perejil, cebolleta, tomillo y romero es deliciosa, aunque cualquier combinación favorita
quedará bien. Los bollos se comen calientes del horno, con sopa o ensalada.

450 g (3 ⅔ tazas/1 libra) de harina preparada con levadura

½ cdita. de sal

Pimienta negra, para condimentar.

225 g (1 taza/8 onzas) de queso ricotta

1 huevo

3 cdas. de una mezcla de hierbas frescas picadas.

250 ml (1 taza/9 onzas) de leche o la necesaria, y algo más para barnizar

1 cda. de semillas de ajonjolí

PORCIONES 8

TIEMPO DE PREPARACIÓN 20 minutos

TIEMPO DE COCCIÓN 20-25 minutos

1 Engrasa una charola grande para hornear. Precalienta el horno a 190°C (375°F, marca 5). Cierne la harina en un bol grande e incorpora la sal y la pimienta negra.

2 Pon el ricotta, los huevos y las hierbas en otro bol; bate hasta alisar. Agrega a la harina; mezcla con un cuchillo de hoja redondeada. Trabaja con suficiente leche para hacer una masa suave y no pegajosa.

3 Pon la masa en una superficie de trabajo un poco enharinada; amasa brevemente hasta alisar. Divide la masa en 8 porciones iguales, haz bolas rústicas con ellas.

4 Pon los bollos en la charola; no se deben tocar. Barniza un poco con leche, cubre con semillas de ajonjolí. Hornea por 20-25 minutos o hasta que doren un poco. Debe sonar hueco al golpearse en la base.

5 Pásalos a una rejilla, enfría un poco. Sírvelos de inmediato o guárdalos en un recipiente hermético por 24 horas.

También, prueba esto...

En lugar de la mezcla de hierbas, usa una, como perejil picado u hojas de albahaca fresca picadas.

Para bollos de queso de cabra, aceitunas y tomillo, reemplaza el ricotta con la misma cantidad de queso de cabra suave y las hierbas frescas con 2 cdas. de aceitunas negras rebanadas y 1 cda. de tomillo fresco picado.

Consejo práctico

El ricotta, que se hace del suero drenado cuando hacen quesos como el mozzarella, tiene mucha humedad. Esto lo hace más bajo en grasas y calorías que otros quesos suaves y cremosos.

Usar hierbas frescas al cocinar ayuda a reducir la necesidad de sal, que es un sabor adquirido. Si gradualmente reduces la cantidad que usas, tu paladar se adaptará en unas 4 semanas.

Muffins mediterráneos

Sirve con verduras asadas, sopas y ensaladas. Cómelos solos o con queso ricotta untado.

225 g (1 ¾ tazas/8 onzas) de harina

1 cda. de polvo de hornear

1 pizca de sal

1 cda. de tomillo fresco picado

Un puñito de hojas frescas de albahaca, trozadas finamente.

75 g (½ taza/2 ½ onzas) de fécula de maíz fina o polenta instantánea, más algo para espolvorear.

3 cebollines, en rebanadas finas

2 cdas. de queso parmesano finamente rallado

60 ml (¼ de taza/2 onzas) de aceite de oliva extra virgen

140 g (⅔ de taza/5 onzas) de yogur natural

170 ml (⅔ de taza/6 onzas) de leche

2 huevos

PORCIONES 12

TIEMPO DE PREPARACIÓN 15 minutos

TIEMPO DE COCCIÓN 20 minutos

1 Usa una bandeja para muffin de 12 moldes. Cúbrelos con moldes de papel. Precalienta el horno a 190ºC (375ºF, marca 5).

2 Cierne la harina, el polvo de hornear y la sal en un bol. Incorpora el tomillo, la albahaca, la fécula, los cebollines y el parmesano hasta que estén mezclados.

3 Bate el aceite, el yogur, la leche y los huevos en otro bol. Incorpora la mezcla de huevo en los ingredientes secos; se debe ver un poco de harina seca.

4 Con cuchara, pon mezcla en los moldes y espolvorea un poco de fécula. Hornea por 20 minutos o hasta que hayan levantado, estén dorados y firmes al tacto.

5 Ponlos en una rejilla para enfriar. Sirve frescos, de preferencia un poco calientes del horno. Es mejor comerlos dentro de las 24 horas de horneados.

También, prueba esto…

Para muffins de parmesano y puerro, reemplaza las hierbas y los cebollines con 1 puerro finamente picado (unos 150 g/5½ onzas). Cocínalo con un poco de mantequilla por 3 minutos o hasta que suavice, pero sin color. Enfría y agrega los ingredientes secos.

Consejo práctico

El queso parmesano es alto en grasas, pero tiene mucho sabor así que puede usarse en cantidades modestas para que haga menos daño.

Las cebollas forman parte de muchas recetas por su sabor. Las investigaciones indican que pueden ayudar a bajar el nivel de colesterol en la sangre y a reducir el riesgo de que se formen coágulos sanguíneos.

Bultitos de jamón y arroz

Los sabores del jamón, los champiñones y el calabacín combinan bien con el arroz silvestre en el relleno de estos bollos de pasta filo. El acompañamiento ideal es una simple ensalada al lado.

5 hojas de pasta filo de 30 x 50 cm (12 x 20 pulgadas) cada una (unos 150 g/5 1/2 onzas en total)

2 cdas. de mantequilla, derretida

2 cditas. de semillas de amapola

PARA EL RELLENO

100 g (1/2 taza/3 1/2 onzas) de basmati y arroz silvestre

310 ml (1 1/4 tazas/10 3/4 onzas) de caldo de pollo

1 cda. de aceite de oliva extra virgen

1 cebolla morada, finamente picada

100 g (1 taza/4 onzas) de hongos shiitake, rebanados

100 g (1 taza/4 onzas) de hongos nuez, rebanado

2 calabacines pequeños, en cubos

150 g (1 taza/5 1/2 onzas) de jamón, sin grasa y cortado en tiras

2 cditas. de estragón fresco picado (opcional)

PORCIONES 4

TIEMPO DE PREPARACIÓN 40 minutos

TIEMPO DE COCCIÓN 10 minutos

1 Usa una charola antiadherente para hornear. Precalienta el horno a 190°C (375°F, marca 5). Para el relleno, pon el arroz y el caldo en una cacerola y pon a hervir. Reduce el fuego a lo más bajo, luego cubre y deja hervir suavemente por unos 20 minutos o hasta que el arroz se suavice.

2 Calienta el aceite en un sartén. Añade la cebolla, los hongos y el calabacín, cubre y cocina por 6-8 minutos; mueve ocasionalmente, hasta suavizar. Deja enfriar.

3 Pon 4 hojas de pasta filo, una sobre otra. (Cubre las 15 restantes para que no se sequen.) Recorta la pila de filo en rectángulos de 30 x 45 cm (12 x 18 pulgadas). Corta en mitades a lo largo y luego diagonalmente en 3, haciendo rectángulos de 24 x 15 cm (6 pulgadas).

4 Pon los 4 rectángulos en la superficie de trabajo y barnízalos muy ligeramente con mantequilla. Haz 4 pilas desiguales, de 6 rectángulos de pasta enmantequillados.

5 Agrega el arroz y el jamón a la mezcla de hongos. Vierte el estragón, si lo usas, y sazona con sal y pimienta. Divide la mezcla de hongos entre las pilas de filo, separa un poco en el centro. Levanta las orillas de la pasta para contener, pero no completamente, el relleno; los bultitos deben estar un poco abiertos en lo alto. Ponlos en la charola.

6 Corta las demás hojas de pasta filo en mitades diagonales y luego crúzalas en tiras delgadas. Barnízalas con la mantequilla restante; haz una bola con ellas y ponlas sobre los bultitos para cubrir el relleno.

7 Esparce semillas de amapola sobre ellos. Hornea por 10 minutos o hasta que la pasta esté crujiente y dorada. Sirve calientes.

También, prueba esto…

Para bultitos de chorizo picante, arroz y aceitunas, cocina 100 g (1/2 taza/3 onzas) de arroz blanco de grano grande en una cacerola cubierta de jitomates secados al sol, y 250 ml (1 taza/9 onzas) de caldo de pollo por 10-15 minutos o hasta que se suavice el arroz y el caldo se haya consumido. Calienta 1 cda. de aceite en una cacerola. Agrega 100 g (3 onzas) de chorizo picado, 1 cebolla roja en rebanadas finas y 1 chile rojo; cubre y cocina por 6-8 minutos o hasta que las cebollas estén suaves. Añade la mezcla de arroz con 45 g (1/4 de taza/2 onzas) de aceitunas negras rebanadas, unos 200 g (1 taza/7 onzas) de granos de maíz enlatados, escurridos y 20 hojas de albahaca fresca toscamente trozadas. Sazona con sal y pimienta negra. Usa para rellenar los bultitos de pasta filo. Esparce semillas de ajonjolí; cocina igual que la receta original.

Tartaletas de queso y arándano

Los moldes pequeños de pasta tienen un relleno agridulce de salsa de arándano, queso de cabra y natilla de yogur. Hacen una comida muy refinada.

3 hojas de pasta de hojaldre enrollada, descongelada

PARA EL RELLENO

3 huevos grandes

125 ml (½ taza/4 onzas) de yogur natural bajo en grasa

310 ml (1 ¼ tazas/10 onzas) de leche

4 cdas. (⅓ de taza) salsa de arándano

3 cdas. de cebolletas frescas cortadas en tiras

85 g (⅔ de taza/3 onzas) de queso de cabra, desmenuzado

PIEZAS 6

TIEMPO DE PREPARACIÓN 45 minutos

TIEMPO DE COCCIÓN 25-30 minutos

1 Usa moldes antiadherentes para tartaleta de 12.5 cm (5-pulgadas) con base sueltas. Precalienta el horno a 190°C (375°F, marca 5). Corta la pasta en 6 piezas iguales. En una superficie de un poco enharinada, extiéndelas con un rodillo muy delgadas y úsalas para cubrir los moldes.

2 Pica la pasta varias veces con un tenedor. Pon los moldes en una hoja para hornear. Cubre con papel para horno, llena con frijoles secos. Hornea por 12 minutos; quita el papel y los frijoles. Mete de nuevo los moldes en el horno por 8-10 minutos hasta que doren. Retíralos del horno. Baja la temperatura 180°C (350°F, marca 4).

3 Bate los huevos en un bol pequeño. Agrega yogur y leche, y sazona con sal y pimienta; mezcla bien.

4 Esparce 2 cdas. de salsa de arándanos sobre cada molde de pasta. Cubre con cebolleta y queso de cabra. Vierte la mezcla de huevo en los moldes. Hornea por 25-30 minutos o hasta que el relleno esté un poco inflado y dorado. Sirve caliente.

También, prueba esto...

Agrega textura a la pasta al enrollarla sobre hojuelas de avena. Esto hace que la pasta sea más nutritiva.

Tartaletas de camarón

Rellenos con camarones (grandes) fritos y una mezcla de coloridas verduras crujientes, los hacen un buen bocadillo o una entrada ligera. Los moldes de pasta se pueden hacer con anterioridad.

1 cda. de aceite de girasol

1 cdita. de aceite de ajonjolí tostado

3 hojas de pasta filo de 30 x 50 cm (12 x 20 pulgadas) cada una (unos 90 g/3 ¼ onzas en total)

1 diente de ajo, machacado

3 cebollines, rebanados

1 cda. de raíz fresca de jengibre finamente picada

1 zanahoria, cortada en tiras

300 g (10 ½ onzas) de camarones grandes crudos y pelados

75 g (2 ½ onzas) de ejotes chinos rebanados diagonalmente

85 g (3 onzas) de pak choy (calabaza china), rebanada

65 g (2 ½ onzas) de germen

1 cda. de salsa de soya ligera

Brotes de cilantro fresco

PORCIONES 4

TIEMPO DE PREPARACIÓN 30 minutos

TIEMPO DE COCCIÓN 15 minutos

1 Usa una charola antiadherente para muffin de 12 moldes. Precalienta el horno a 200°C (400°F, marca 6). Mezcla los aceites de girasol y ajonjolí. Coloca las hojas de pasta filo una sobre otra. Recórtala en 30 x 40 cm (12 x 16 pulgadas). Vuelve a cortarla a lo largo en 3 y luego en 4 a lo ancho, haciendo cuadrados de 10 cm (4 pulgadas). Tendrás 36 piezas.

2 Pon un cuadrado en cada molde de la charola. Barniza con un poco de la mezcla de aceites. Coloca otro cuadrado encima, en sentido opuesto al primero. Barniza con aceite, y pon un tercero encima, nuevamente con las esquinas en sentido contrario. Hornea por 5-7 minutos o hasta que estén dorados y crujientes.

3 Mientras, calienta la mezcla de aceites restantes en un wok o en un sartén grande. Agrega el ajo, los cebollines y el jengibre y fríe sin dejar de mover a fuego moderado por 30 segundos. Añade la zanahoria y sigue friendo por 2 minutos. Sigue con los camarones y fríe por 2 minutos o hasta que estén rosados.

4 Agrega los ejotes con el pak choy y el germen. Fríe sin dejar de mover a fuego alto por 2-3 minutos o hasta que las verduras estén tiernas y la mezcla muy caliente. Añade la salsa de soya y revuelve para mezclar.

5 Con una cuchara, pon algo de la mezcla en cada molde de pasta y sirve de inmediato; adorna con los brotes de cilantro.

También, prueba esto...

Para vegetarianos, remplaza los camarones con 300 g (2 tazas/10 ½ onzas) de tofu enchilado en cubos. Agrega al final del paso 3; fríe sin dejar de mover por 2-3 minutos.

Remplaza el pak choy con otras verduras de hoja como las hojas chinas o espinacas miniatura despedazadas.

Empanadas de pavo

Hay muchas versiones de estas empanadas saladas mexicanas. El relleno aquí es una mezcla de pavo sin grasa y verduras, sutilmente condimentado con especias, almendras y frutas secas.

175 ml (²/₃ de taza/6 onzas) de agua tibia

1 paquete de pan blanco o harina de pasta para pizza (250 g/9 onzas)

1 huevo pequeño, batido

¼ de cdita. de páprika

PARA EL RELLENO

1 cda. de aceite de girasol

1 cebolla, finamente rebanada

1 diente de ajo, machacado

1 chile verde o rojo fresco, sin semillas y finamente picado

250 g (2½ tazas/9 onzas) de pavo molido

300 g (10½ onzas) de papas, peladas y cortadas en cubos de 1 cm (½ pulgada)

½ cdita. de canela, cilantro y comino (una de cada uno)

80 ml (⅓ de taza/2¼ onzas) de jerez seco o vino blanco

1 zanahoria grande, toscamente rallada

45 g (⅓ de taza/½ onza) de uvas pasas

40 g (¼ de taza/1½ onza) de almendras blanqueadas, tostadas y toscamente picadas

2 cdas. de cilantro fresco picado

2 cdas. de puré de tomate (puré concentrado)

PORCIONES 5

TIEMPO DE PREPARACIÓN unos 30 minutos, más 10-15 minutos para que levante

TIEMPO DE COCCIÓN 25 minutos

1 Usa una charola para hornear antiadherente. Para el relleno, calienta el aceite en un sartén, cocina la cebolla, el ajo y el chile a fuego medio por 2-3 minutos, moviendo hasta que suavice y dore un poco. Agrega el pavo molido; mueve por otros 5 minutos.

2 En una cacerola con agua hirviendo, cuece un poco las papas en cubo por 5 minutos. Cuela.

3 Pon las especias molidas en la mezcla de pavo; cocina por 30 segundos. Añade el jerez o vino; hierve por 2-3 minutos o hasta que casi se evapore el líquido.

4 Incorpora las papas, las uvas pasas, el cilantro y el puré de tomate; sazona con sal y pimienta. Retira del fuego.

5 Vierte el agua sobre el pan o la harina para pasta de pizza; amasa por 2 minutos o hasta que alise. Cubre y deja reposar por 5 minutos, luego haz 5 partes iguales. En una superficie un poco enharinada, extiéndelas con rodillo a 20 cm (8 pulgadas) de diámetro.

6 Pon una cucharada de relleno en el centro de los círculos. Barniza las orillas con huevo batido, dobla en forma de media luna. Para sellar, presiona las orillas y voltéalas. Ponlas en la hoja, cubre con papel plástico aceitado. Déjalas en un lugar caliente por 10-15 minutos o hasta que levanten un poco. Precalienta el horno a 220°C (425°F, marca 7).

7 Descubre las empanadas, barniza con el resto de huevo batido y espolvorea páprika. Hornea por 10 minutos. Baja la temperatura a 180°C (350°F, marca 4) y hornea por otros 15 minutos.

También, prueba esto...

Haz un pay. Extiende con un rodillo dos terceras partes de la masa y cubre un molde para pay engrasado, de 23 cm (9 pulgadas). Añade el relleno, alisando la superficie. Humedece las orillas con huevo batido. Extiende el resto de la masa y cubre el pay; sella las orillas. Pica la tapa en el centro. Deja que levante en un lugar tibio 15 minutos; barniza con huevo batido. Hornea 10 minutos. Reduce el calor y hornea por otros 20-25 minutos.

Consejo práctico

El pavo molido contiene menos grasa que la carne de res, el cordero, el cerdo o el pollo. Es una de las carnes disponibles más bajas en grasa.

El pan blanco y la masa para pizza son buenas fuentes de carbohidratos. Se recomienda que al menos la mitad de calorías en una dieta venga de alimentos de fécula.

Giros de queso y ajonjolí

Estos crujientes palitos de queso son deliciosos si se sirven frescos y aún calientes del horno. Enriquecidos con yema de huevo con queso parmesano fresco rallado, se hacen con la combinación de harina integral y harina para que sean sustanciosos sin ser pesados.

85 g (²/₃ de taza/3 onzas) de harina integral

85 g (²/₃ de taza/3 onzas) de harina

3 cdas. de mantequilla, suavizada

3 cdas. de queso parmesano fresco rallado

1 huevo grande

2 cdas. de leche

1 cdita. de páprika

1 cda. de semillas se ajonjolí

PORCIONES 40

TIEMPO DE PREPARACIÓN 10-15 minutos

TIEMPO DE COCCIÓN 15 minutos

1 Cubre con papel para hornear 2 hojas grandes para hornear. Precalienta el horno a 180ºC (350ºF, marca 4). Cierne la harina, incluyendo el salvado que queda en el cernidor, y 1 pizca de sal en un bol. Incorpora la mantequilla hasta que la mezcla parezca migas de pan. Cierne el queso parmesano.

2 Mezcla el huevo y la leche. Reserva 1 cdita.; vierte el resto de los ingredientes secos para hacer una masa firme. Amasa un poco en una superficie de trabajo un poco enharinada hasta alisar.

3 Sobre la superficie enharinada esparce páprika, extiende la masa con un rodillo y forma un cuadrado de un poco más de 20 cm (8 pulgadas). Empareja las orillas.

4 Barniza la masa con la mezcla de huevo restante; espolvorea las semillas de ajonjolí. Córtala a la mitad, luego en tiras de 10 cm (4 pulgadas) y de 1 cm (½ pulgada) de ancho aproximadamente.

5 Tuerce los palitos, ponlos en las hojas. Presiona las puntas para que no se enderecen al hornearse.

6 Hornea por 15 minutos o hasta que estén dorados y crujientes. Enfría un poco en las hojas, sirve aún calientes. O ponlos en una rejilla para enfriar. Se pueden guardar en un recipiente hermético por 5 días.

Consejo práctico

Las semillas de ajonjolí son una buena fuente de calcio, además de hierro y cinc.

La harina integral tiene mucho que ofrecer a una dieta saludable: fibra dietética, vitaminas B y E, así como hierro, selenio y magnesio.

Galletas de pizza

La comida ligera, elegante y simple, es un regalo para el cocinero ocupado.

PARA LA PASTA

400 g (14 onzas) de pasta para pizza preparada, a temperatura ambiente

1 yema de huevo

PARA LA CUBIERTA

Semillas de alcaravea

Almendras picadas

Semillas de amapola

Semillas de girasol

PORCIONES 36

TIEMPO DE PREPARACIÓN 15 minutos

TIEMPO DE COCCIÓN 10-15 minutos por charola

1 Cubre con papel para hornear 2 o 3 charolas, según el tamaño. Precalienta a 200°C (400°F, marca 6).

2 En una superficie enharinada, extiende la masa para pizza a 5 mm (½ pulgada) de espesor. Mezcla la yema con 2 cdas. de agua; barniza la masa. Córtala en cuadrados de 6 cm (2½ pulgadas); haz 36 en total.

3 Combina los demás ingredientes y espolvoréalos sobre los cuadrados. Ponlos en las charolas y hornea, una a la vez, por 10-15 minutos. Retíralos de las charolas, enfría un poco y sírvelos.

Tambien, prueba esto...

Para galletas turcas de feta, extiende 400 g (14 onzas) de masa para pizza con un rodillo, en una hoja delgada. Esparce queso feta desmenuzado sobre la mitad de la masa. Dobla por encima la otra mitad y presiona para sellar. Por 25 minutos, hornea en un horno precalentado a 200°C (400°F, marca 6). Retira del horno, corta en piezas y sirve.

Triángulos de filo con especias

Esta versión de la samosa hindú se hornea, más que freírse en mucho aceite, para un resultado saludable y ligero. Los triángulos crujientes contienen verduras condimentadas con curry y se sirven calientes del horno con una salsa de mango y jengibre como entrada o bocadillo.

2 hojas de pasta filo de 30 x 50 cm (12 x 20 pulgadas) cada una (60 g/2 onzas en total)

1 cda. de aceite de girasol

½ cdita. de semillas de cilantro, toscamente machacadas

PARA EL RELLENO

170 g (6 onzas) de papa pelada y en cubos.

1 zanahoria pequeña, pelada y en cubos.

65 g (½ taza/2½ onzas) de chícharos congelados

1 cda. de curry suave molido

1 cda. de cilantro fresco picado

1 pizca de sal

SALSA DE MANGO Y JENGIBRE

1 mango grande, maduro pero firme

½ cdita. de raíz de jengibre fresca rallada

1 cdita. de jugo de limón

1 cdita. de azúcar extrafina

¼ de cdita. de chile seco machacado

1 cdita. de aceite de girasol

PORCIONES 12

TIEMPO DE PREPARACIÓN 35 minutos

TIEMPO DE COCCIÓN 10-15 minutos

1 Usa 2 hojas para hornear auto-adherentes. Precalienta el horno a 200°C (400°F, marca 6). Para el relleno, cuece la papa y la zanahoria por 5 minutos. Agrega los chícharos y cuece por 2 minutos. Escurre bien; pásalos a un bol. Mezcla la pasta de curry, el cilantro y la sal; mueve la mezcla ligeramente para combinar. Deja enfriar.

2 Toma 1 hoja de pasta (guarda la otra y cúbrela para evitar que se seque) y córtala diagonalmente en tiras de 6 x 30 cm (12 pulgadas). Barnízalas con un poco de aceite.

3 Coloca las tiras a lo largo; pon 1 cucharada de relleno en la punta más cercana. Levanta una orilla y dóblala diagonalmente sobre el relleno para formar triángulos, aplastando un poco el relleno. Sigue doblando la tira en una forma triangular hasta llegar casi al final. Elimina el exceso de pasta. Repite con la pasta de filo y el relleno restante hasta hacer 12 triángulos.

4 Pon los triángulos en las hojas, barnízalas con el aceite restante y espolvorea las semillas de cilantro picado encima. Hornea por 10-15 minutos o hasta dorar.

5 Para hacer la salsa, rebana el mango por los dos lados del hueso, luego pélalo y corta la pulpa en cubos pequeños. En un bol, combina el jengibre, el limón, los chiles y el aceite. Sirve con los triángulos de filo calientes.

Consejo práctico

Usar verduras de formas imaginativas y sabrosas, como este relleno, puede ayudar a cumplir con la ingesta de 5 porciones diarias recomendadas de frutas o verduras.

Los mangos frescos son una excelente fuente de betacaroteno, que el cuerpo puede convertir en vitamina A. El betacaroteno actúa como un poderoso antioxidante que ayuda a evitar enfermedades cardiacas y el cáncer.

Es probable que los chícharos congelados sean más nutritivos que los frescos, ya que se congelan justo después de cosecharse y desvainarse. En particular, el contenido de vitamina C es más alto.

Briks de atún y huevo

Tradicionalmente hechos en Túnez con una pasta llamada malsouka y fritos en mucho aceite, esta versión usa pasta filo horneada más baja en grasas y aún así tienen un gran sabor.

2½ cdas. de aceite de oliva extra virgen

8 cebollines, finamente rebanados

200 g (7 onzas) de hojas de espinaca baby, trozadas

4 hojas de pasta filo, de 30 x 50 cm (12 x 20 pulgadas) cada una (120 g/4 onzas en total)

Unos 200 g (7 onzas) de atún enlatado en agua, escurrido

2 huevos duros, finamente picados.

1 pizca de salsa de chile

PARA SERVIR

4 jitomates maduros, picados

1 pepino pequeño, picado

1 cda. de jugo de limón

4 cdas. de salsa chutney (picante) de mango o chabacano

PORCIONES 4

TIEMPO DE PREPARACIÓN 30 minutos

TIEMPO DE COCCIÓN 12-15 minutos

1 Usa una charola grande auto-adherente. Calienta 2 cdas. de aceite en un sartén grande. Agrega los cebollines, cocina a fuego lento por 3 minutos hasta que empiece a suavizar. Agrega las espinacas, cubre con una tapa hermética y cocina por otros 2-3 minutos o hasta que estén tiernas y marchitas; mueve de vez en cuando. Cuela, deja escurrir y enfriar.

2 Con un plato como guía, corta 24 círculos de pasta filo de unos 12.5 cm (5 pulgadas) de diámetro, 6 en cada hoja. Apila los círculos y cubre con envoltura autoadherente para evitar que se resequen.

3 Cuando las espinacas enfríen, escúrrelas lo más posible; ponlas en un bol. Agrega el atún, los huevos y la salsa y condimenta con sal y pimienta. Mezcla bien.

4 Precalienta en el horno a 200°C (400°F, marca 6). Toma 1 círculo de filo y barnízalo ligeramente con el aceite restante. Pon un segundo encima y barniza igual. Repite con un tercero.

5 Pon una cucharada de relleno en medio del círculo, dobla la pasta por encima para hacer una media luna. Dobla las orillas para sellar; ponla en la charola. Repite

con la demás pasta y relleno hasta hacer 8 briks.

6 Barniza ligeramente los briks con el aceite restante. Hornea por 12-15 minutos o hasta que la pasta esté crujiente y dorada.

7 Pon los jitomates y los pepinos en un bol, vierte el jugo de limón y sazona. Sirve los briks calientes con ensalada y salsa chutney.

También, prueba esto...

Sirve con yogur natural bajo en grasa en lugar de la salsa chutney de frutas.

Para boreks turcos con feta y tomate, corta pasta filo en cuadrados de 24 x 12.5 cm (5 pulgadas). Desmenuza 200 g (1⅓ tazas/7 onzas) de queso feta; mezcla con 3 jitomates picados (sin semillas), 30 g (1 onza) de almendras peladas y tostadas, 2 cdas. de cilantro y menta frescos (de cada uno). Sazona con sal y pimienta negra. Para cada borek, apila 3 cuadrados de pasta, barniza cada uno con aceite. Agrega una cucharada de relleno, junta las 4 puntas por encima, pellizcando para sellar. Barniza con el aceite restante y hornea como la receta original.

Croissants de jamón

Estos croissants son muy versátiles. Se pueden rellenar también con carne, mariscos o verduras.
Prueba mezclar tiras finas de salmón ahumado y jamón en cubos.

2 hojas de hojaldre enrollada, descongeladas (300 g/10½ onzas)

PARA EL RELLENO

110 g (⅔ de taza/4 onzas) de una
mezcla de carnes frías como jamón
Parma, tocino y salami

1 pepinillo pequeño

PARA EL GLASEADO

2 cdas. de crema

....

PORCIONES 12

TIEMPO DE PREPARACIÓN 30 minutos,
más 20 minutos para enfriar

TIEMPO DE COCCIÓN 10-15 minutos

1 Cubre 1 charola grande con papel para hornear.

2 En una superficie enharinada extiende la pasta con un rodillo y haz un círculo de 3 mm (⅛ de pulgada) de espesor. Córtalo como pastel en 12 triángulos.

3 Haz una incisión hacia el centro de unos 2.5 cm (1 pulgada) en los picos de las rebanadas, luego sepáralos un poco. Para hacer el relleno, corta las carnes y el pepinillo en pedazos pequeños o en tiras finas, y mezcla.

4 Esparce un poco de relleno en la parte ancha de cada pieza y luego enrolla para hacer un mini croissant. Dobla las puntas suavemente, luego ponlos en la charola. Enfría por 20 minutos. Precalienta el horno a 220°C (425°F, marca 7).

5 Mezcla la crema con 2 cdas. de agua y barniza los croissants. Hornea por 10-15 minutos hasta que doren. Enfría un poco en la charola, y sírvelos calientes aún.

234

Caracoles con aceitunas

Barnizados con una aromática pasta, el hojaldre se convierte en un delicioso bocadillo.

2 hojas de pasta de hojaldre enrollado (300 g/10½ onzas)

PARA EL RELLENO

2 filetes de anchoas marinadas

4 dientes de ajo, pelados

150 g (5 onzas) de aceitunas negras deshuesadas

1 chile seco

6 hojas de salvia

1 cda. de alcaparras

1 cdita. de jugo de limón

½ cdita. de tomillo y romero secos (una de cada uno)

120 ml (½ taza) de aceite de oliva

PORCIONES 24

TIEMPO DE PREPARACIÓN 15 minutos, más 70 minutos para enfriar

TIEMPO DE COCCIÓN 10-15 minutos por charola

1 Cubre con papel para hornear 2 charolas. En una superficie un poco enharinada, extiende la pasta con un rodillo en un rectángulo.

2 Para el relleno, enjuaga los filetes de anchoas y escurre. Pica finamente las anchoas, los ajos, las aceitunas, el chile, la salvia y las alcaparras, y mezcla todo. Añade el jugo de limón, el tomillo, el romero y el aceite de oliva para formar una una pasta; agrega sal y pimienta.

3 Esparce la mezcla sobre la pasta de hojaldre, deja un margen de 2 cm (¾ de pulgada) a todo lo largo de un lado. Enrolla holgadamente la pasta, empezando por el lado más largo. Cubre con una envoltura autoadherente; y mete al refrigerador por 40-50 minutos y voltea dos veces la pasta.

4 Corta en piezas de 4 mm (1½ pulgadas) de espesor. Ponlas en las charolas dejando espacio para que inflen. Enfría por 20 minutos.

5 Precalienta en horno a 220°C (425°F, marca 7). Barnízalos con un poco de agua y hornea, una charola a la vez, por 10-15 minutos hasta que doren. Reduce a 140°C (275°F, marca 1). Déjalos en el horno por unos 5-10 minutos más para secar. Retira del horno y enfría en las charolas.

Bocadillos de cebolla y tomillo

La cebolla morada y el cebollín son particularmente buenos para hornearse rápido ya que no pierden su sabor ni firmeza.

2 cebollas moradas pequeñas

4 cebollines grandes

2 hojas de pasta de hojaldre enrollado, descongeladas (300 g/10½ onzas)

1 huevo

12 brotes de tomillo

4 cdas. de aceite de oliva

PARA LA ENSALADA

115 g (4 onzas) de hojas de espinaca baby

115 g (4 onzas) de berros

30 g (¼ de taza/1 onza) de nueces picadas

50 g (⅓ de taza/2 onzas) de queso Stilton

2 cdas. de crema

3 cditas. de aceite de nuez

1 cdita. de vinagre de jerez

PORCIONES 4

TIEMPO DE PREPARACIÓN 30 minutos

TIEMPO DE COCCIÓN 20 minutos

1 Usa una charola grande para hornear. Precaliente el horno a 220°C (425°F, marca 7). Pela y pica muy finamente las cebollas. Pela los cebollines y corta en cuartos.

2 En una superficie de trabajo enharinada, extiende con un rodillo cada pieza de pasta en un rectángulo de unos 30 x 15 cm (12 x 6 pulgadas). Corta 2 círculos grandes en cada una, usando un plato de 13-15 cm como guía; ponlos en la charola.

3 Bate un poco el huevo y barniza los bocadillos, cuidando de no gotear en las orillas.

4 Divide las cebollas y los cebollines en el centro de cada pieza, deja una orilla de 2 cm (¾ de pulgada) alrededor. Pon 3 brotes de tomillo encima de cada una.

5 Barniza la mezcla de cebollas con un poco de aceite de oliva: condimenta con sal y pimienta negra. Hornea por 20 minutos o hasta que esponjen y doren.

6 Pon ensalada de hojas verdes y nueces en un platón. Quita la corteza al queso Stilton. Ponlo en un bol pequeño, agrega la crema y bate bien. Incorpora el aceite de nuez y el vinagre de jerez hasta alisar. Sazona con una buena cantidad de pimienta negra molida. Vierte el aderezo sobre la ensalada. Sirve los bocadillos calientes con la ensalada.

También, prueba esto...

Para un aderezo de queso azul más suave y dulce, prueba el Blue Brie, el Dolcelatte o el Castello Azul cremoso

Consejo práctico

Usar cuchara gruesa de madera y un bol fuerte facilita el trabajo de batir el queso con la crema cuando se está preparando el aderezo de la ensalada.

Chous de guacamole

Los chous se ven espectaculares y son fáciles de preparar. Aquí están rellenos de una cremosa mezcla de aguacate, tomate, pepino y frijoles condimentados con jugo de limón y ajo.

Pasta para chous (ver receta básica en página 298 de la sección Para hornear mejor)

2 lechugas pequeñas y crujientes, separadas en hojas

PARA EL RELLENO

410 g (14½ onzas) de frijoles bayos en lata, escurridos

2 aguacates pequeños

Jugo de 1 limón

1 jitomate grande, sin semillas, y en cubos finos

1 cebolla pequeña, finamente picada

1 pepino de 12.5 cm (5 pulgadas), cortado en cubos finos

1 diente de ajo, machacado

2 cdas. de cilantro fresco picado

Sal y pimienta de Cayena, para sazonar

PORCIONES 5

TIEMPO DE PREPARACIÓN 40 minutos

TIEMPO DE COCCIÓN 25 minutos

1 Engrasa un charola grande para hornear. Precalienta el horno a 220°C (425°F, marca 7). Pon cucharadas de pasta de chous en la charola en 5 montones iguales de unos 7.5 cm (3 pulgadas) de ancho por 3 cm (1¼ pulgadas) de alto, con suficiente espacio entre ellos. Hornéalos por 18-20 minutos o hasta que levanten bien y doren.

2 Retira la charola del horno. Haz un pequeño orificio en cada chous con una brocheta o la punta de un cuchillo pequeño. Vuelve a poner la charola en el horno por 5 minutos más. Pásalos a una rejilla para enfriar.

3 Para el relleno, en un bol machaca los frijoles con un triturador de papas hasta que esté muy lisa. Corta los aguacates a la mitad, quita los huesos y pasa la pulpa a otro bol; machaca toscamente con un tenedor. Mezcla con los frijoles y el jugo de limón.

4 Agrega el tomate, la cebolla, el pepino, el ajo y el cilantro, y sazona con sal y pimienta de Cayena. Mezcla bien.

5 Antes de servir, abre los chous a la mitad y rellénalos con la mezcla de aguacate. Sirve con una guarnición de hojas de lechuga.

También, prueba esto...

Para hacer chous crujientes de hummus, escurre una lata de garbanzos, unos 410 g (14½ onzas). Hazlos puré con 1 cda. de pasta tahini, 1 diente de ajo machacado y el jugo de 1 limón. Incorpora un pepino de 10 cm (4 pulgadas), en cubos, 1 zanahoria rallada, 2 cebollines picados y 1 pimiento, sin semillas y finamente picado. Agrega ½ cdita. de comino molido, y sal y pimienta para sazonar. Pon una cucharada de la mezcla en chous horneados. Adorna con hojas de lechuga. Sirve con ensalada de tomates.

Consejo práctico

Los frijoles, como las alubias u otras legumbres, son una buena fuente de proteínas y carbohidratos, y bajos en grasa.

Es inusual que los aguacates sean frutas, ya que contienen mucha grasa que en su mayoría es mono-insaturada; particularmente en la forma de ácido oleico. Esto puede ayudar a bajar los niveles del dañino colesterol LDL mientras que eleva los del colesterol LAD.

El jugo de limón contiene vitamina C; ayuda a mejorar la absorción de hierro de los frijoles.

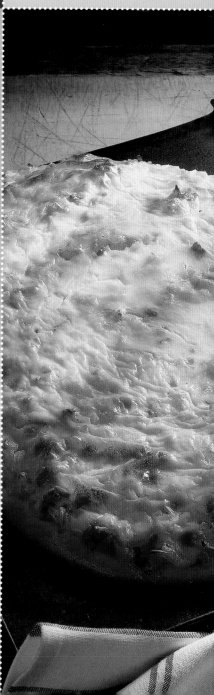

pizzas
y tartas

Quiche de papa y puerros

Un cremoso relleno de papa, puerros y queso se complementa con un crujiente molde de pasta, espolvoreado con chile y tomillo.

PARA LA PASTA

170 g (1 ⅓ tazas/6 onzas) de harina

2 chiles rojos frescos, sin semillas, finamente picados

2 cditas. de tomillo picados

1 huevos

80 ml (⅓ de taza/2 ½ onzas) de aceite de girasol

1 cda. de agua tibia

PARA EL RELLENO

350 g (12 onzas) papitas nuevas

250 g (9 onzas) de puerros, cortados en tiras de 1 cm (½ pulgada)

65 g (½ taza/2 ¼ onzas) de queso gruyère rallado

2 cdas. de cebollín picado

55 g (1 ¼ tazas/2 onzas) de rúcula toscamente picada

2 huevos

150 ml (½ taza/5 onza) de leche

PORCIONES 4

TIEMPO DE PREPARACIÓN 30 minutos, más 30 minutos para reposar

TIEMPO DE COCCIÓN 40-45 minutos

1 Usa una charola para hornear y un molde de quiche de 20 cm (8 pulgadas), redondo, acanalado y desmontable. Cierne la harina y la pizca de sal en un bol grande. Añade el chile y el tomillo; forma un volcán. Bate el huevo, el aceite y el agua con los ingredientes secos, mezcla con un tenedor para hacer una masa.

2 Pon la masa en una superficie un poco enharinada, amasa brevemente sólo hasta alisar. Pásala a un bol seco, cubre con un lienzo húmedo y deja reposar por unos 30 minutos antes de extender.

3 Para el relleno, cuece las papas en agua hirviendo por 10-12 minutos o hasta que estén casi tiernas. Añade los puerros y deja por otros 6-7 minutos, hasta que estén tiernos. Escurre y deja enfriar hasta poder manejarlos.

4 Precalienta el horno a 200°C (400°F, marca 6) y mete la charola para que se caliente. En una superficie de trabajo un poco enharinada, extiende la pasta con un rodillo muy delgada y cubre con ella el molde. Esparce la mitad del queso encima.

5 Corta las papas en rebanadas gruesas y revuelve con el puerro, el queso restante y el cebollín. Sazona con sal y pimienta. Cubre con la mitad de esta mezcla el molde de pasta. Esparce rúcula y vierte el resto de la mezcla encima.

6 Bate ligeramente los huevos en un tazón. Calienta la leche a punto de hervor, luego agrega los huevos, bate para combinar.

7 Coloca el molde en la charola caliente. Vierte la mezcla de huevo encima del molde. Hornea por 10 minutos, luego reduce la temperatura a 180°C (350°F, marca 4). Cocina por otros 30-35 minutos o hasta que el relleno esté un poco asentado. Deja en el molde por 5 minutos. Sirve caliente.

Consejo práctico

Los chiles contienen más vitamina C gramo por gramo que los cítricos. Pero la cantidad de chile que uno come es muy baja.

La rúcula, como otras verduras de hoja verde oscura, es una buena fuente de ácido fólico, vitamina que participa en la producción de glóbulos rojos o eritrocitos.

Como muchos quesos, el gruyère tiene un alto contenido de grasas saturadas, por lo que es una buena fuente de vitaminas solubles en grasa, como la A y la D.

Tarta de puerros y piñones

El puerro le da a esta tarta un agradable sabor ligero. También se puede usar una combinación de cebollas moradas y puerros. Prueba agregar tocino picado frito al relleno.

100 g (⅓ de taza/3½ onzas) crema agria baja en grasa para pasta; 2 cdas. más para relleno

4 huevos

100 ml (8 cdas./3½ onzas) de aceite de oliva

180 g (1½ tazas/6 onzas) de harina

2 cditas. de polvo de hornear

2 cdas. de mantequilla

1 kilo (2 libras 4 onzas) de puerro, cortado en tiras finas

100 ml (8 cdas./3½ onzas) de leche

185 g (¾ de taza/6½ onzas) de queso ricotta

2 cdas. de perejil picado

55 g (⅓ de taza/2 onzas) de piñones

1 pizca de nuez moscada molida

1 Engrasa un molde desmontable de 26 cm (10½ pulgadas). Mezcla la crema agria, 1 huevo, 1 pizca de sal y 3 cdas. de aceite en un bol. Reserva 1 cda. de harina. Cierne el resto de la harina y el polvo de hornear sobre la mezcla de crema; amasa. Forma una bola, cubre y deja en un lugar frío.

2 Precalienta el horno a 200°C (350°F, marca 4). En un sartén grande, calienta 2 cdas. de aceite y la mantequilla. Fríe el puerro hasta que esté transparente. Espolvorea la harina restante, añade la leche y mueve hasta combinar.

3 Hierve la mezcla. Retira del fuego y deja enfriar. Incorpora el ricotta, 3 huevos, 2 cdas. extras de crema agria, perejil y dos terceras partes de piñones. Sazona con nuez moscada, sal y pimienta.

4 Extiende con rodillo la pasta muy delgada en una superficie un poco enharinada para cubrir el molde. Vierte la mezcla de puerro en el molde y esparce los piñones restantes.

5 Hornea la tarta por 40 minutos, hasta que esté ligeramente dorada. Sirve caliente.

PORCIONES 8

TIEMPO DE PREPARACIÓN 50 minutos

TIEMPO DE COCCIÓN 40 minutos

Quiche de brócoli con salmón

Haz una cantidad extra de pasta y guárdala en el refrigerador para cuando necesites preparar una comida de prisa.

PARA LA PASTA

100 g (⅓ de taza/3½ onzas) de crema agria, baja en grasa

2 huevos

1 cdita. de aceite de girasol

1 pizca de sal

220 g (1¾ tazas/8 onzas) de harina

1 cdita. (3 g/⅛ de onza) de levadura en polvo

PARA EL RELLENO

600 g (10 tazas/1 libra 5 onzas) de brócoli

200 g (7 onzas) de salmón ahumado en tiras

200 g (¾ de taza/7 onzas) de crema agria baja en grasa

3 huevos

1 cda. de fécula de maíz

20 g (⅓ de taza/¾ de onza) de eneldo finamente picado

1 pizca de nuez moscada molida

1 cdita. de rábano rallado

1-2 cditas. de jugo de limón

PORCIONES 8

TIEMPO DE PREPARACIÓN 45 minutos

TIEMPO DE COCCIÓN 35-45 minutos

1 Usa un molde acanalado de cerámica para quiche de 28 cm (11¼-pulgadas). Mezcla la crema, los huevos, el aceite y la sal en un bol hasta alisar. Combina la harina y la levadura e incorpora a la mezcla. Amasa hasta que la pasta tenga una consistencia pegajosa. Cubre el bol, deja que levante en un lugar caliente por 30 minutos.

2 Quita las flores de los troncos del brócoli. Pela los troncos y córtalos en piezas largas.

3 Cuece las flores y los troncos en un bol a baño María por unos 8 minutos. Separa las flores de los troncos y machaca estos últimos finamente en el bol con el agua en que se cocieron. Deja enfriar.

4 Corta las rebanadas de salmón en tiras estrechas. Mezcla la crema agria, los huevos y la fécula de maíz y añade el eneldo. Incorpora la mezcla al puré de brócoli. Añade la nuez moscada, el rábano y el jugo de limón, y sazona con sal y pimienta.

5 Precalienta el horno a 200°C (400°F, marca 6); engrasa el molde. En una superficie de trabajo un poco enharinada, extiende la masa con un rodillo para cubrir el molde. Esparce las flores de brócoli y las tiras de salmón sobre la pasta. Vierte la mezcla de brócoli encima.

6 Hornea 35-45 minutos hasta que la pasta esté crujiente y el relleno dorado. Sirve caliente.

También, prueba esto…

Para quiche de espárragos con salmón, haz la pasta como se describe para la receta original y úsala para cubrir el molde. En lugar del brócoli, utiliza 500 g (1 libra 2 onzas) de espárragos verdes, pela las puntas finamente si es necesario. Córtalos en piezas de 5 cm (2 pulgadas); cuécelos en 250 ml (1 taza/9 onzas) de agua por 5-8 minutos hasta que estén crujientes y tiernos. Pela 2 cebolletas y corta en cubos. Calienta 1 cda. de mantequilla y fríe las cebolletas hasta que estén acitronadas. Esparce 1 cda. de harina encima y deja que las cebolletas vaporicen a fuego lento. Agrega los espárragos cocidos, mezcla rápidamente con un mezclador; asegúrate de que la harina no forme grumos. Pon a hervir; cocina hasta que la mezcla empiece a engrosar. Retira del fuego. Mezcla 3 huevos y 100 g (⅓ de taza/3½ onzas) de crema agria. Sazona con jugo de limón, nuez moscada, sal y pimienta. Agrega 2 cdas. de perejil finamente picado. Corta 200 g (7 onzas) de salmón ahumado en tiras; espárcelas sobre la pasta base con los espárragos: vierte la salsa encima. Hornea el quiche siguiendo las instrucción de la receta original. Sirve caliente.

Quiche de papa y calabacín

Éste es un versátil quiche sin pasta que queda bien con diferentes verduras y quesos. Conserva la papa como una constante, pero prueba con zanahorias ralladas o puerros en tiras delgadas en lugar del calabacín. Remplaza el queso emmentaler con gouda o cheddar.

60 ml (¼ de taza/2 onzas) de aceite de oliva

1 cebolla, picada

1 diente de ajo, picado

200 g (7 onzas) de papitas nuevas

2 calabacines firmes

1 cdita. de ralladura de limón

20 g (⅓ de taza/¾ de onza) de perejil finamente picado

2 cditas. de mejorana, tomillo limonero y tomillo finamente picados (una de cada uno)

1 cdita. de orégano seco

2 huevos

3 cdas. de fécula de maíz

2 cdas. de crema agria

40 g (⅓ de taza/1½ onzas) de queso emmentaler rallado

2 cdas. de queso parmesano fresco finamente rallado

2 cdas. de avellana rallada

PORCIONES 8

TIEMPO DE PREPARACIÓN 40 minutos

TIEMPO DE COCCIÓN 35 minutos

1 Engrasa un molde acanalado de cerámica para quiche de 24 cm (9½ pulgadas). Precalienta el horno a 210°C (415°F, marca 6). Calienta 2 cdas. de aceite de oliva en un sartén. Saltea la cebolla y el ajo hasta que estén transparentes. Retira del fuego y deja enfriar.

2 Pela las papas y rállalas finamente. Quita las puntas a los calabacines y ralla lo demás toscamente. Combina la mezcla de cebolla, los vegetales rallados y la ralladura de limón en un bol. Añade las hierbas picadas y el orégano.

3 Bate los huevos, la fécula de maíz, 1 cda. de aceite de oliva, la crema agria y el queso en la mezcla de verduras. Sazona bien con sal y pimienta.

4 Vierte la mezcla en el molde, y alisa. Espolvorea el queso parmesano y la avellana. Hornea por 35 minutos hasta que dore. Sirve caliente.

También, prueba esto...

Para una tarta de papa y calabacín con tocino, corta 175 g (6 onzas) de tocino en tiras delgadas, fríe hasta que estén crujientes. Añade cebolla y ajo, y cuece hasta que estén transparentes. Prepara la mezcla como la receta original, agrega la mezcla de tocino y cebolla. Alisa el molde con unos 115 g (4 onzas) de tiras de tocino, luego vierte las verduras. Hornea como la receta original. Usa poca sal, ya que el tocino es muy salado.

Consejo práctico

El quiche quedará ligero si separas las yemas y las claras y bates primero las yemas. Bate las claras a punto de turrón e incorpora con cuidado en la mezcla de verduras, usando un batidor.

Tarta de cebolla

Para una económica, pero elegante comida, una tarta de cebolla recién salida del horno es siempre un acierto. El vino blanco joven va particularmente bien con esta tarta.

250 g (2 tazas/9 onzas) de harina

2 cditas. (7 g/¼ de onza) de levadura en polvo

125 ml (½ taza/4 onzas) de leche tibia

125 g (½ taza/4½ onzas) de mantequilla

¼ de cdita. de sal

2 kilos (4 libras 8 onzas) de cebolla morada, finamente rebanada

2 huevos

55 g (2 onzas) de tocino, en cubitos

¼ de cdita. de comino

3 yemas de huevo

185 ml (¾ de taza/6 onzas) de crema

1 Engrasa un molde desmontable de 28 cm (11¼-pulgadas). Con la harina forma un volcán en un bol. Esparce la levadura en la leche. Bate bien. Viértela en el hueco; incorpora la harina de los lados. Cubre y deja que levante en un lugar caliente por 15 minutos.

2 Añade 1 cda. de mantequilla y sal a la mezcla. Amasa. Cubre y deja que levante en un lugar caliente por 30 minutos. Amasa con fuerza 10 minutos; deja que levante por otros 30 minutos.

3 Precalienta el horno a 220°C (425°F, marca 7). Calienta la mantequilla en un sartén, y fríe la cebolla hasta que esté transpa-rente. Mezcla los huevos en un bol; incorpora en las cebollas.

4 Con un rodillo, extiende la masa para cubrir el molde. Vierte la mezcla de cebolla, esparce el tocino y el comino. Hornea por 10 minutos. Reduce la temperatura a 180°C (350°F, marca 4). Mezcla las yemas, 1 pizca de sal y la crema. Vierte la mezcla sobre la tarta, hornea por 50 minutos más.

PORCIONES 8

TIEMPO DE PREPARACIÓN 45 minutos, más 1¼ de hora de reposo

TIEMPO DE COCCIÓN 1 hora

Quiche de espinacas

La base de este quiche puede hornearse con anticipación. Pon una mezcla de espinacas, y crema encima, 30 minutos antes de servir y hornea hasta que se cueza.

PARA LA PASTA

200 g (1²/₃ tazas/7 onzas) de harina

¹/₂ cdita. de sal

1 yema de huevo

115 g (4 onzas) de mantequilla

PARA EL RELLENO

90 g (¹/₃ de taza) de crema agria

125 ml (¹/₂ taza/4 onzas) de crema

3 huevos y 1 clara de huevo

55 g (¹/₂ taza/2 onzas) de queso parmesano rallado

1 pizca de nuez moscada molida

600 g (1 libra 5 onzas) de hojas de espinaca descongeladas

1 cebolla, finamente picada

1 diente de ajo, finamente picado

2 cdas. de almendras laminada

1 Engrasa un molde desmontable de 26 cm (10½ pulgadas). Precalienta el horno a 180°C (350°F, marca 4). Pon la harina, la sal, la yema, la mantequilla y 2 cdas. de agua en un bol. Amasa bien; junta en una masa lisa. Forma una bola, cubre con una envoltura autoadherente y enfría por 30 minutos.

2 Combina la crema, la crema agria, los huevos, la ½ clara, el queso parmesano y la nuez moscada. Escurre la espinaca y pica toscamente.

3 Extiende la masa con un rodillo sobre una superficie un poco enharinada y cubre el molde. Pica la base de la pasta con un tenedor; cubre con papel para hornear y frijoles secos. Hornea por 12 minutos. Quita el papel y los frijoles.

4 Barniza la base de la pasta con la clara restante. Esparce la espinaca, la cebolla y el ajo picados en la base. Vierte la mezcla de crema y esparce las almendras. Hornea por 30-35 minutos. Sirve caliente.

PORCIONES 6

TIEMPO DE PREPARACIÓN 45 minutos, más 30 minutos para enfriar

TIEMPO DE COCCIÓN 12 minutos, más 30-35 minutos

Quiche Lorraine

Este clásico francés es simplemente inevitable. Si estás planeando abastecer tu refrigerador, retira el quiche del horno 5 minutos antes de que termine el tiempo de hornear, déjalo enfriar, corta en piezas y refrigera en porciones individuales.

PARA LA PASTA

200 g (1²/₃ tazas/7 onzas) de harina

120 g (¹/₂ taza/4¹/₄ onzas) de mantequilla, en trocitos

¹/₂ cdita. de sal

1 yema de huevo

PARA EL RELLENO

160 g (²/₃ de taza/5³/₄ onzas) de crema agria

3 huevos, más 1 yema de huevo

1 pizca de nuez moscada, molida

150 g (1 taza/5¹/₂ onzas) de jamón o tocino rebanados

200 g de queso suizo o emmentaler rallado

PORCIONES 6

TIEMPO DE PREPARACIÓN 35 minutos, más 30 minutos para enfriar

TIEMPO DE COCCIÓN 1 hora 20 minutos

1 Engrasa un molde desmontable de 26 cm (10½ pulgadas). Pon la harina, la mantequilla, la sal, la yema y 2 cdas. de agua en un bol. Mezcla hasta que se forme una masa lisa. Haz una bola, cubre con envoltura autoadherente y enfría por 30 minutos.

2 Precalienta el horno 180°C (350°F, marca 4). Extiende la masa con un rodillo en una superficie un poco enharinada para cubrir el molde; los lados del molde de pasta debe ser de unos 5 cm (2 pulgadas) de altura.

3 Pica la base de la pasta varias veces con un tenedor, cubre con papel para hornear y frijoles secos y hornea por 12 minutos. Quita el papel y los frijoles, y cocina la base por unos 45 minutos. Retira del horno, enfría ligeramente.

4 Para el relleno, combina la crema agria con los huevos, la yema, la nuez moscada, la pimienta y un poco de sal.

5 Corta el jamón en tiras y espárcelas sobre la base de pasta con el queso. Vierte la mezcla de huevo.

6 Hornea por 25-35 minutos. Cubre con papel aluminio si parece que se está dorando muy rápido. Deja enfriar por 5 minutos antes de servir.

También, prueba esto...

Este quiche se puede hacer muy rápido, si usas pasta para pizza congelada en lugar de hacer tu propia pasta.

Consejo práctico

Tanto Francia como Alemania han tenido un papel en la historia de este quiche clásico. Lorraine es una provincia del norte de Fancia, pero también estuvo bajo la soberanía de Alemania varias veces en el pasado. Se cree que la palabra quiche (o kiche) puede proceder del alemán kuchen, que significa pastel o pasta.

Tarta alsaciana flameada

Tradicionalmente, los panaderos alsacianos hornean esta tarta en la parte más baja de sus hornos. Como la grasa del tocino cae en el piso del horno, se enciende –de ahí su nombre– produciendo un marcado sabor ahumado.

PARA LA MASA

2 cdas. de aceite de girasol

½ cdita. de sal

350 g (2¾ tazas/12 onzas) de harina

185 ml (¾ de taza/6 onzas) de leche tibia

½ cdita. de azúcar

2 cdita. (7 g/¼ onzas) de levadura en polvo

PARA EL RELLENO

80 g (½ taza/3 onzas) de tocino ahumado, en cubos

3-4 cebollas grandes, en cubos

310 g (1¼ tazas) de crema agria

2 yemas de huevo

1 cda. de aceite de girasol

1 pizca de nuez moscada molida

1 Usa una charola para hornear. Barniza con aceite. Pon aceite de girasol, sal y harina en un bol. Mezcla la leche y el azúcar y espolvorea la levadura encima para disolver. Viértela en la mezcla de harina. Por 5 minutos, amasa con las aspas de una batidora, hasta que la masa no se pegue a los lados del bol. Alternadamente, amasa con la mano. Cubre y deja que levante en un lugar caliente por 30 minutos.

2 Pon el tocino en un sartén y calienta hasta que la grasa esté transparente. Añade la cebolla, fríe hasta que esté transparente. Mezcla la crema agria, las yemas, el aceite y la nuez moscada en un tazón.

3 Amasa por 5 minutos en una superficie un poco enharinada. Con las manos húmedas, extiéndela en la charola. Achata las orillas; pica la superficie con un tenedor.

4 Deja que levante la masa por otros 30 minutos hasta que duplique su tamaño. Precalienta el horno a 220°C (425°F, marca 7).

5 Esparce la mezcla de cebolla, luego la de crema sobre la pasta. Hornea 15-18 minutos. Corta en rebanadas y sirve de inmediato.

PORCIONES 6-8

TIEMPO DE PREPARACIÓN 35 minutos más 1 hora para reposar

TIEMPO DE COCCIÓN 15-18 minutos

Tarta de espárragos

Esta pasta es sorprendentemente baja en grasas.
El acompañamiento perfecto serían papitas nuevas.

PARA LA MASA

155 g (1 ¼ tazas/5 ½ onzas) de harina

45 g (1 ½ onzas) de mantequilla, refrigerada y en cubos

1 cdita. (3 g/⅛ onzas) de levadura en polvo

1 huevo

2 cdas. de agua tibia

PARA EL RELLENO

4 dientes de ajo, sin pelar

20 espárragos delgados, en mitades

1 cda. de queso pecarino finamente rallado

55 g (⅓ de taza/2 onzas) de jamón prosciutto o parma, quitar el exceso de grasa y cortar en tiras

55 g (⅓ de taza/2 onzas) de chícharos descongelados

2 huevos, más 1 yema de huevo

250 ml (1 taza/9 onzas) de leche

1 Usa un molde desmontable para tarta de 25 cm (10 pulgadas), no muy hondo. Cierne la harina y 1 pizca de sal en un bol grande, incorpora la mantequilla hasta que la mezcla parezca migas finas de pan. En un poco de leche disuelve la levadura; agrega a la mezcla. Bate el huevo y el agua e incorpora en la mezcla de harina. Trabaja los ingredientes hasta formar una masa.

2 Pásala a una superficie de trabajo un poco enharinada, amasa brevemente hasta alisar. Ponla en un bol, cubre con envoltura autoadherente y deja en un lugar caliente por 45 minutos.

3 Pon el ajo en la parte inferior de una vaporera y unos 5 cm (2 pulgadas) de agua caliente. En la superior, pon los espárragos y cuece por 1 minuto a fuego moderado. añade las puntas de los espárragos y deja otros 1-1½ minutos o hasta

que empiecen a suavizar. (Para espárragos más gruesos necesitarás más tiempo). Saca el ajo y los espárragos de la vaporera y deja a un lado.

4 Precalienta el horno a 200°C (400°F, marca 6) y pon una charola para hornear a calentar. En una superficie de trabajo un poco enharinada, extiende la masa muy delgada con un rodillo (no es necesario amasar otra vez) para cubrir el molde.

5 Esparce el queso pecorino sobre la base del molde de pasta, coloca los espárragos y el jamón Parma encima, llenando los espacios con chícharos.

6 Quita la cáscara del ajo y machácalo. Mézclalo con los huevos y la yema, y sazona con sal y pimienta. Calienta leche a punto de ebullición; agrega la mezcla de huevo, y mezcla.

7 Pon el molde en la charola caliente. Vierte la mezcla de huevo encima. Hornea por 5 minutos, reduce la temperatura a 180°C (350°F, marca 4). Hornea por 25-30 minutos o hasta que el relleno se asiente y la pasta dore. Deja la tarta en el molde por 5 minutos. Sirve caliente o tibio.

PORCIONES 4

TIEMPO DE PREPARACIÓN 30 minutos, más 45 minutos de reposo

TIEMPO DE COCCIÓN 30-35 minutos

Pay de pollo y jamón

Pays como éste se ven atractivos decorados con hojas de pasta o con marcas de cortes en la orilla del pay.

PARA LA PASTA

250 g (2 tazas/9 onzas) de harina

120 g (½ taza/4½ onzas) de mantequilla, en trocitos

1 huevo, batido

Leche, para barnizar

PARA EL RELLENO

500 g (3 tazas/1 libra 2 onzas) de pollo sin hueso ni piel y en cubos grandes

30 g (1 taza/1 onza) de perejil fresco picado

1 cebolla pequeña, pelada y picada

Unos 250 g (3 tazas/1 libra 2 onzas) de jamón grueso, cortado en cubos idénticos a los del pollo

¼ de cdita. de macis molido

170 ml (⅔ de taza/5½ onzas) de crema (espesa para batir)

1 Usa un molde profundo para pay de 20 cm (8 pulgadas). Cierne harina y 1 pizca de sal en un bol, añade la mantequilla, amasa hasta que la mezcla parezca migas de pan. Vierte el huevo batido y suficiente agua fría para hacer una masa firme. Cúbrela con envoltura autoadherente; refrigera por 30 minutos.

2 Precalienta el horno a 220°C (425°F, marca 7). Extiende la mitad de la masa con un rodillo en un círculo lo suficientemente grande para cubrir la base y los lados del molde. Pon un embudo de pay en el centro y arregla el pollo alrededor. Sazona con pimienta y esparce perejil y cebolla. Agrega el jamón, luego espolvorea con macis y más pimienta negra.

3 Barniza las orillas de la masa con agua fría. Extiende el resto de la masa en un círculo lo suficientemente grande para cubrir el pay. Haz un corte en el centro para acomodar el embudo de pay. Presiona firmemente las orillas de la masa para sellarlas, luego recorta y decora la orilla con un tenedor o cuchara. Si quieres, adorna la cubierta del pay con hojas hechas con los recortes.

4 Barniza el pay con leche por todos lados; hornea en el centro del horno por 15 minutos. Baja la temperatura a 190°C (375°F, marca 5); hornea por 1 hora más. Cubre holgadamente con papel aluminio si la pasta se está dorando muy rápido.

5 Retira el pay del horno. Pon la crema en un sartén y calienta casi hasta hervir. Con cuidado viértela en el embudo. Sirve de inmediato

PORCIONES 4-6

TIEMPO DE PREPARACIÓN 30 minutos, más 30 minutos para enfriar

TIEMPO DE COCCIÓN 1¼ horas

Pay de champiñones

Usa tu combinación preferida de hongos, champiñones y setas.

PARA LA PASTA

500 g (1 libra 2 onzas) de harina

2 cditas. (7 g/¼ de onza) de levadura en polvo

250 ml (1 taza) de agua tibia

115 g (²/₃ de taza/4 onzas) de mantequilla, suavizada

1 huevo

PARA EL RELLENO

500 g (5½ tazas/1 libra 2 onzas) de mezcla de hongos

1 cda. de mantequilla

500 g (1 libra 2 onzas) de cebollas, en cubos

2 dientes de ajo, finamente picados

250 ml (1 taza/9 onzas) de crema

30 g (1 onza) de perejil picado

1 cdita. de tomillo fresco picado

1 cda. de jugo de limón

1 huevo, más 1 yema

2 cdas. de leche

1 Engrasa un molde acanalado para quiche de 28 cm (11¼ pulgadas). Pon la harina en un bol. Espolvorea la levadura en unos 250 ml (1 taza/9 onzas) de agua tibia para disolver. Agrega la mantequilla, el huevo y 1 cda. de sal a la harina. Amasa con las aspas de una batidora o a mano. Pon la masa en un bol; cubre y deja levantar en un lugar caliente por 30 minutos.

2 Para el relleno, limpia los hongos con una toalla de papel y pícalos. Calienta la mantequilla en una cacerola y saltea la cebolla hasta que esté transparente. Agrega los hongos y el ajo, y fríe por 5 minutos. Vierte la crema y deja reducir por 2 minutos.

3 Añade el perejil y el tomillo a la mezcla de hongos. Sazona con jugo de limón, sal y pimienta. Retira del fuego y agrega el huevo.

4 Precalienta el horno a 200°C (425°F, marca 7). En una superficie de trabajo un poco enharinada, amasa por 10 minutos. Extiende con un rodillo a 5 mm (¼ pulgada) de espesor. Invierte el molde sobre la masa y corta un círculo para la tapa, que es un poco más grande que el molde; haz un hoyo en medio. Extiende el resto de la masa y cubre el molde. Pon la mezcla de hongos en la base de pasta y cubre con la otra; presiónala a los lados del molde para sellar. Bate la yema con leche; barniza la cubierta del pay. Hornea por 60-70 minutos.

PORCIONES 8

TIEMPO DE PREPARACIÓN 1 ¼ horas

TIEMPO DE COCCIÓN 60-70 minutos

Pay de carne

El relleno puede hornearse por separado en un molde y cortarse en rebanaditas.

PARA LA PASTA

200 g (1²/₃ tazas/7 onzas) de harina

115 g (4 onzas) de mantequilla

1 huevo

2 hojas de pasta de hojaldre descongelada

1 yema de huevo

1 cda. de leche

PARA EL RELLENO

600 g (1 libras 5 onzas) de carne de cerdo molida

2 hojas de laurel

125 ml (½ taza) de vino blanco

125 ml (½ taza) de caldo de pollo

1 zanahoria, en cubos finos

2 tallos de apio, en cubos finos

2 cebollas, finamente picadas

1 diente de ajo, machacado

85 g (3 onzas) de tocino ahumado, en cubos finos

30 g (1 onza) de perejil picado

Hojas de 4 brotes de mejorana y orégano picadas (de cada una)

2 huevos, ligeramente batidos

55 g (2 onzas) de migas de pan blanco (fresco)

1 cda. de harina

2 cditas. de pimienta verde en grano, marinada

1 pizca de nuez moscada

1 pizca de especias

2 cditas. de tomillo seco

½ cdita. de páprika dulce

PORCIONES 6

TIEMPO DE PREPARACIÓN 2 horas, más 1 noche para refrigerar

TIEMPO DE COCCIÓN 65-70 minutos

1 Usa un molde desmontable de 26 cm (10½ pulgadas). Para el relleno, pon la mitad de la carne de cerdo y las hojas de laurel en un recipiente de cerámica o vidrio y vierte vino hasta cubrir. Tapa y refrigera por 1 noche.

2 Para hacer la pasta, pon harina en un bol grande y forma un volcán. Esparce la harina con la mantequilla. Vierte el huevo, 1 pizca de sal y 2 cdas. de agua en el hueco. Empezando por el centro, amasa hasta que esté lisa. Forma una bola, cubre con papel autoadherente y refrigera por 1 hora.

3 Pon a hervir el vino y el caldo, agrega zanahorias y apio por 6-8 minutos hasta suavizar. Haz un puré fino.

4 En un bol, combina la carne marinada (quita el laurel), la carne restante, el puré de verduras, la cebolla, el ajo, el tocino, las hierbas picadas, los huevos, las migas de pan, la harina y la pimienta en grano. Añade las demás hierbas y especias; sazona con sal y pimienta.

5 Extiende con un rodillo las hojas de pasta de hojaldre, muy delgadas, en una superficie de trabajo un poco enharinada. Engrasa el molde. Precalienta el horno a 200°C (400°F, marca 6).

6 En una superficie un poco enharinada extiende la pasta con un rodillo, para cubrir el molde. Llena con la carne, cubre con 1 hoja de hojaldre. Haz un orificio en medio, inserta un rollo de papel aluminio, para que el vapor escape al hornearse.

7 Corta estrellas u otras figuras con la segunda hoja de hojaldre y úsalas para decorar el pay. Bate la yema de huevo con leche; barniza la cubierta. Hornea por 65-70 minutos o hasta que esté dorado. Sirve caliente.

Consejo práctico

En lugar de la carne de puerco se puede usar carne de res molida o de pavo recién molida.

Pay de carne y riñones

Este clásico inglés es un excelente platillo familiar y un ganador para agasajar particularmente en invierno. Aunque representa mucho trabajo, se puede hacer por anticipado y recalentarlo en el horno cuando se necesite.

60 ml (¼ de taza/2 onzas) de aceite de oliva

1 cebolla, pelada y picada

1 kilo (2 libras/4 onzas) de carne para asar; quitar el exceso de grasa y cortar en cubos de 5 cm (2 pulgadas)

250 g (9 onzas) de riñón de res, sin piel, sin centro y rebanado

30 g (¼ de taza/1 onza) de harina, sazonada con sal y pimienta blanca recién molida

625 ml (2½ tazas/21½ onzas) de caldo de carne

500 ml (2 tazas/17 onzas) de cerveza oscura

1 manojo de hierbas

125 g (1⅓ tazas/4½ onzas) de hongos silvestres, planos o de copa abierta, limpios y en cuartos

625 g (1 libra/6 onzas) de pasta de hojaldre descongelada

1 huevo batido

PORCIONES 6

TIEMPO DE PREPARACIÓN
Día 1: 25 minutos
Día 2: 30 minutos, más 1 noche de refrigeración

TIEMPO DE COCCIÓN
Día 1: unas 3 horas
Día 2: 1 hora

1 Usa un molde para pay de 1.25 litros (5 tazas/44 onzas) de capacidad. Calienta 1 cda. de aceite de oliva en un sartén grueso, agrega cebolla y fríe a fuego lento hasta suavizar, sin dorar, luego pásala a un plato.

2 Calienta el resto del aceite en una cacerola, fríe la carne y los riñones por grupos hasta que doren uniformemente. Retira la carne conforme se dore y mezcla con la cebolla.

3 Pon la harina en la cacerola, luego gradualmente bate en el caldo y la cerveza. Ponlo a hervir, moviendo y quitando cualquier residuo café. Devuelve la carne y la cebolla a la cacerola, agregando los jugos que quedaron en el plato. Pon a hervir, agrega el manojo de hierbas. Reduce la temperatura lo más posible, cubre y cocina por 2 horas o hasta que la carne esté suave. Agrega los hongos, cocina otros 10 minutos. Retira del fuego, deja enfriar y refrigera por 1 noche.

4 Al día siguiente, retira el manojo de hierbas, sazona con sal y pimienta y pásala al molde de pay. Añade los suficientes jugos de carne para cubrir la carne, guarda el resto.

5 En una superficie de trabajo enharinada, extiende con rodillo la pasta de hojaldre a 5 cm (2 pulgadas) más larga que el molde para pay. Recorta una tira de 2-3 cm (1 pulgada) de ancho de la orilla.

6 Barniza la orilla del molde de pay con agua, presiona la tira de pasta y barnízala con agua. Cubre el pay con el resto de la pasta, presionando las orillas para sellar. Recorta y decora la orilla. Barniza con huevo batido y haz un hoyo pequeño en el centro de la cubierta. Enfría el pay mientras el horno se calienta a 220°C (425°F, marca 7).

7 Hornea por 25-30 minutos, luego cubre holgadamente con papel aluminio para evitar que dore de más. Reduce la temperatura a 160°C (315°F, marca 2-3); cocina por otros 20-25 minutos o hasta que la pasta esté cocida. Recalienta los jugos de carne y sirve por separado con el pay. Al recalentarlo, pon encima un papel aluminio para impedir que la pasta se dore demasiado.

Sobre de cebolla y manzana

Esta ricura envuelta en pasta es ideal para un día de campo.

PARA LA PASTA

250 g (9 onzas) de harina

1 pizca de sal

125 g (4¼ onzas) de mantequilla

60 ml (2 onzas) de agua fría

1 huevo pequeño, batido, o leche para barnizar

PARA EL RELLENO

4 cebollas pequeñas, peladas, en mitades y rebanadas muy fino

3 manzanas pequeñas para cocer, peladas y en pequeñas rebanadas

2 cditas. de salvia fresca picada o 1 cdita. de salvia seca

¼ de cdita. de sal y pimienta negra molida (de cada una)

80 g (3 onzas) de crema agria

Hojas de salvia, para adornar

PORCIONES 4

TIEMPO DE PREPARACIÓN 1 hora, más 1 hora para enfriar

TIEMPO DE COCCIÓN 40 minutos

1 Usa una charola grande para hornear. Para la pasta, cierne harina en un bol. Revuelve la mantequilla hasta que la mezcla parezca migas finas de pan. Agrega agua y mezcla para tener una masa firme. Pásala a una superficie de trabajo un poco enharinada, amasa suavemente hasta alisar. Haz una bola, cubre con envoltura autoadherente y refrigera por 30 minutos.

2 En una superficie ligeramente enharinada, extiende la masa con un rodillo en un cuadrado de un poco más de 30 cm (12 pulgadas). Recorta a esa medida; ponla en la charola. Pon la mitad de la cebolla, seguidas por la mitad de las manzanas, en el centro del cuadrado y espolvorea la mitad de la salvia, sal y pimienta. Añade la cebolla y las manzanas restantes, los sazonadores y esparce la crema agria encima.

3 Barniza con huevo batido o leche las orillas de la masa y dobla las esquinas opuestas sobre el relleno hasta que se junten y se encimen un poco en el centro. Haz lo mismo con las otras 2 orillas para formar un sobre. Presiona con suavidad para sellar. Decora con los recortes. Refrigera por 30 minutos por lo menos

4 Precalienta el horno a 220°C (425°F, marca 7). Barniza todo el pay enfriado con el resto del huevo batido o leche y hornea enmedio del horno por 40 minutos o hasta que la pasta esté crujiente y dorada. Si la pasta se está dorando de más, cubre holgadamente con papel aluminio.

5 Pasa el pay a un plato o a una tabla de servir; adorna con hojas de salvia. Sirve caliente o frío, solo o con embutidos y queso.

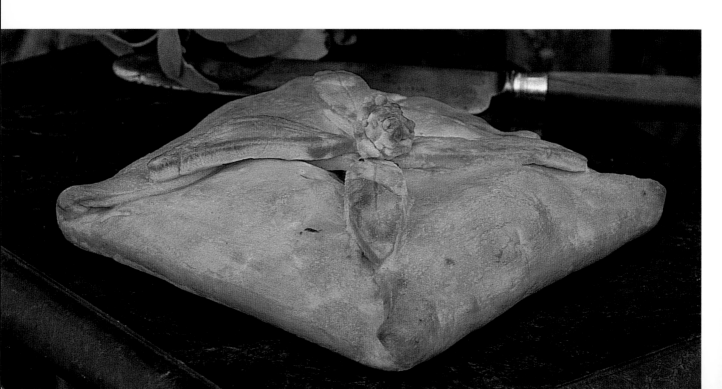

Pizza de champiñones

La masa para pizza congelada es una opción que corta radicalmente el tiempo en la cocina.
Es ideal para que los niños aprendan a preparar y a cocinar comida sencilla.

570 g (1 libra 4 onzas) de masa de pizza descongelada.

Unos 125 ml (½ taza/4 onzas) de aceite de oliva

PARA EL RELLENO

1 cebolla blanca, en cubos

2 dientes de ajo, cortados finamente

400 g (1⅔ tazas/14 onzas) de jitomates de lata picados

2 cdas. de pasta de tomate (puré concentrado)

1 cdita. de hojas de orégano

300 g (3⅓ tazas/10½ onzas) de hongos mezclados

100 g (3½ onzas) de jamón

110 g (4 onzas) de queso gouda y mozzarella

2 cdas. de perejil picado

1 Engrasa una charola grande para hornear. Extiende la masa con un rodillo y colócala sobre la charola hasta cubrirla totalmente.

2 Calienta 2 cdas. de aceite de oliva en una cacerola, fríe la cebolla y el ajo hasta que estén transparentes. Agrega los jitomates, cocina sin tapar por 5 minutos para reducir. Mezcla la pasta de tomate y sazona con orégano, sal y pimienta.

3 Precalienta el horno 250°C (500°F, marca 9). Si es necesario, limpia los hongos con una toalla de papel, rebánalos finamente. Corta el jamón en tiras. Quita la corteza del gouda y rállalo grueso; el mozzarella va rebanado.

4 Unta la mezcla de tomate sobre la masa. Esparce los hongos, el jamón, los quesos y el perejil encima. Sazona con sal y pimienta y vierte el resto del aceite de oliva. Hornea por 12-15 minutos hasta que las orillas de la masa se doren un poco.

PORCIONES 12

TIEMPO DE PREPARACIÓN 20 minutos

TIEMPO DE COCCIÓN 12-15 minutos

261

Pizza cuatro quesos

Los tipos de quesos suaves que se usan aquí se derriten en una deliciosa consistencia.
También puedes probar rallar algún queso más duro como gouda, pecorino o emmentaler.

PARA LA MASA

310 g (2½ tazas/11 onzas) de harina

2 cdas. de aceite de oliva

½ cdita. de sal

2 cditas. (7 g/¼ onzas) de levadura en polvo

PARA EL RELLENO

60 ml (¼ de taza) de aceite de oliva

2 dientes de ajo, finamente picado

400 g (1⅔ tazas/14 onzas) de jitomates picados enlatados

2 cdas. de puré concentrado de tomate

1 cdita. de hojas de orégano fresco

85 g (3 onzas) de los siguientes quesos frescos: mozzarella, Bel Paese, gorgonzola y ricotta firme

100 g (3½ onzas) aceitunas negras

1 Engrasa con aceite una charola grande para hornear. Pon la harina, 2 cdas. de aceite de oliva y sal en un bol. Espolvorea levadura sobre 160 ml (⅔ de taza/5½ onzas) en agua tibia para disolver; añade a la mezcla de harina.

2 Mezcla los ingredientes en un bol. Después vacíalos en una superficie un poco enharinada. Amasa vigorosamente por lo menos 5 minutos. Extiende con un rodillo hasta que cubra la charola, tapa y deja que levante en un lugar caliente por 30 minutos.

3 Para la capa de encima, calienta 1 cda. de aceite en un sartén y fríe el ajo hasta que esté transparente. Agrega los jitomates; cocina, sin tapar, por 5 minutos

para reducir. Incorpora la pasta de tomate y sazona con orégano, sal y pimienta.

4 Precalienta el horno a 250°C (500°F, marca 9). Corta los quesos en rebanadas pequeñas, casi de 1 cm de espesor. Cubre la masa con la salsa de jitomate y luego con el queso. Esparce las aceitunas. Baña la pizza con el aceite restante y deja que levante por unos minutos. Hornea por 10-12 minutos.

PORCIONES 10

TIEMPO DE PREPARACIÓN 40 minutos, más 30 minutos de reposo

TIEMPO DE COCCIÓN 10-12 minutos

Pizza con alcachofas

Hornea esta pizza tan pronto como le hayas puesto la capa de encima para que la masa no se remoje con las anchoas y las alcachofas.

PARA LA MASA

310 g (2 ½ tazas/11 onzas) de harina

60 ml (¼ de taza/2 onzas) de aceite de oliva

½ cdita. de sal

2 cditas. (7 g/¼ de onza) de levadura en polvo

160 ml (⅔ de taza) de agua tibia

PARA EL RELLENO

60 ml (¼ de taza) de aceite de oliva

2 dientes de ajo, finamente picados

2 latas de 400 g (1 ⅔ tazas/14 onzas) de jitomates picados

2 cdas. de puré de tomate concentrado

1 cdita. de hojas de orégano fresco

250 g (9 onzas) de jamón

6 filetes de anchoas

220 g (8 onzas) de corazones de alcachofas marinadas en aceite

100 g (3 ½ onzas) de aceitunas negras

PORCIONES 10

TIEMPO DE PREPARACIÓN 40 minutos

TIEMPO DE COCCIÓN 12-15 minutos

1 Engrasa con aceite una charola para hornear. Pon harina, aceite de oliva y sal en un bol. Espolvorea la levadura sobre agua tibia para disolver; viértela en la mezcla de harina.

2 Amasa los ingredientes en un bol, luego pásalos a una superficie un poco enharinada. Amasa vigorosamente por lo menos 5 minutos. Extiende con un rodillo hasta que cubra la charola, tapa y deja que levante en un lugar caliente por 30 minutos.

3 Para la capa de encima, calienta 1 cda. de aceite en un sartén y fríe el ajo hasta que esté transparente. Agrega los jitomates; cocina, sin tapar, por 5 minutos para reducir. Incorpora el puré de tomate y sazona con orégano, sal y pimienta.

4 Precalienta el horno a 250°C (500°F, marca 9). Corta en tiras el jamón. Cuela las anchoas y córtalas en tiras. Cuela las alcachofas y córtalas en cuartos.

5 Cubre la base de pizza con la salsa de tomate. Cubre con jamón, anchoas, alcachofas y aceitunas y esparce 2 cdas. de aceite de oliva. Hornea la pizza por 12-15 minutos hasta que la orilla de la masa esté un poco dorada. Corta en rebanadas en la charola mientras está caliente. Sirve de inmediato.

Pissaladière

Esta versión francesa de una pizza, tradicionalmente se hace con masa con levadura, pero también se puede hacer con pasta de hojaldre.

1 cantidad de masa de levadura (usar la receta de la página 263)

PARA EL RELLENO

3-4 cebollas moradas grandes

2 cdas. de aceite de oliva

60 ml (¼ de taza/2 onzas) de vino blanco

6-8 tomates cherry

½ cdita. de hojas de tomillo fresco

1 cdita. de hojas de orégano fresco

150 g (1¼ tazas/5½ onzas) de queso gruyère o emmentaler rallado

16 filetes de anchoa

150 g (1 taza/5½ onzas) de aceitunas negras

1 huevo

PORCIONES 10

TIEMPO DE PREPARACIÓN 20 minutos, más 30 minutos de reposo

TIEMPO DE COCCIÓN 10-15 minutos

1 Engrasa con aceite una charola para hornear. Extiende la masa con un rodillo para que cubra la charola, tapa y deja que levante por 30 minutos. Precalienta el horno a 250°C (500°F, marca 9).

2 Para el relleno, pela las cebollas y corta rodajas delgadas. En una cacerola, calienta el aceite y cocina las cebollas a fuego medio hasta que estén transparentes. Añade vino, sal y pimienta. Espárcela sobre la masa, deja una orilla de 2.5 cm (1 pulgada) de ancho.

3 Rebana los tomates, espárcelos sobre las cebollas. Espolvorea las hierbas y el queso. Escurre las anchoas, sacúdelas y rebánalas en 2 piezas a lo largo. Forma rombos encima del pissaladière. Pon una aceituna en el centro de los rombos.

4 Mezcla el huevo con 1 cda. de agua y barniza en las orillas de la masa. Deja reposar para levantar en un lugar frío, luego hornea por 10-15 minutos. Rebana mientras está caliente y sirve.

264

Gruyère Gougère

Hay algo muy satisfactorio sobre hacer pasta de chous y definitivamente impresiona. ¡No es difícil de hacer, pero necesita de un brazo fuerte para la cuchara de madera!

PARA LA PASTA

60 g (¼ de taza/2 onzas) de mantequilla

85 g (⅔ de taza/3 onzas) de harina

2 huevos, batidos

55 g (½ taza/2 onzas) de queso gruyère rallado fino

½ cdita. de pimienta de Cayena

PARA EL RELLENO

2 cdas. de aceite de oliva extra virgen

1 berenjena grande, cortada en trozos de 2 cm (³/4 de pulgada)

2 calabacines, cortados en trozos de 2 cm (³/4 de pulgada)

1 pimiento rojo y 1 verde, sin semillas y en cubos

1 cebolla, picada

3 dientes de ajo, finamente picados

Unos 420 g (15 onzas) de frijoles enteros enlatados, escurridos

Unos 400 g (1 ²/3 tazas/15 onzas) de tomates picados

3 cdas. de perejil fresco picado

2 cdas. de tomillo fresco picado

PORCIONES 6

TIEMPO DE PREPARACIÓN 40 minutos

TIEMPO DE COCCIÓN 1 hora aproximadamente

1 Para el relleno usa un molde para asar, y un molde redondo de 1.25 litros (5 tazas/44 onzas), engrasado, para el gougère. Precalienta el horno a 220°C (425°F, marca 7). Haz el relleno. Rocía el aceite sobre el molde para asar. Agrega la berenjena, el calabacín, el pimiento, la cebolla y el ajo; revuelve. Cocina por 40 minutos o hasta que estén dorados y suaves, vuelve a mover después de 20 minutos.

2 Para la pasta, pon la mantequilla y 125 ml (½ taza/4 onzas) de agua en una cacerola. Calienta a fuego lento hasta que la mantequilla se derrita, luego sube el fuego para que hierva. Tan pronto como rompa el hervor retira del fuego, y vierte rápido toda la harina. Bate con fuerza con una cuchara de madera hasta que la mezcla forme una bola y al fondo del molde lo cubra una capa blanca. Enfría por 2 minutos. Incorpora los huevos, uno a la vez, batiendo para hacer una masa dura y lisa. Incorpora el queso y la pimienta de Cayena.

3 Con una cuchara, esparce la masa por la orilla del molde engrasado. Métalo al horno (a la misma temperatura) y hornea por 25 minutos hasta que levante bien y esté dorado. (No abras el horno mientras horneas).

4 Cuando el gougère esté casi listo, pon los frijoles en una cacerola. Agrega los tomates con su jugo, perejil y tomillo, y sal y pimienta para sazonar. Cocina a fuego lento, moviendo de vez en cuando, hasta calentar todo.

5 Añade las verduras asadas a la mezcla de frijoles y mueve para combinar. Pon una cucharada en el centro del gougère recién horneado antes de servir.

Tarta de pizza de tomates

Una pasta para pizza condimentada con parmesano hace un delicioso molde para un relleno de queso ricotta y hierbas, todo cubierto con tomates cherry y aceitunas negras.

PARA LA MASA

170 g (1 ⅓ tazas/6 onzas) de harina

½ cdita. de sal

30 g (⅓ de taza/1 onza) de queso parmesano recién rallado

2 cditas. (7 g/¼ de onzas) de levadura en polvo

125 ml (½ taza/4 onzas) de agua tibia

1 cda. de aceite de oliva extra virgen

PARA EL RELLENO

170 g (6 onzas) de queso ricotta

2 cdas. de orégano y perejil picados (de cada uno)

250 g (1 ⅔ tazas/9 onzas) de tomates cherry, en mitades

60 g (½ taza/2 ¼ onzas) de aceitunas negras, sin hueso

2 cdas. de vinagre balsámico

1 cda. de aceite de oliva

1 ramita de romero fresco

1 diente de ajo, machacado

PARA LA ENSALADA

55 g (⅓ de taza/2 onzas) de semillas de calabaza y girasol (de cada una)

2 cditas. de semillas de amapola

1 cdita. de salsa de soya

2 cditas. de aceite de girasol

1 cdita. de aceite de nuez y vinagre de sidra (de cada uno)

150 g (3 tazas/5 ½ onzas) de una ensalada verde de tu elección

PORCIONES 4

TIEMPO DE PREPARACIÓN 35-40 minutos, más 1 hora para levantar

TIEMPO DE COCCIÓN 15-20 minutos

1 Engrasa con aceite una charola para hornear y un molde para tarta no muy hondo de 25 cm (10 pulgadas) con base desmontable. Para la masa, cierne la harina y la sal en un bol. Añade queso parmesano. Forma un volcán. Disuelve la levadura en el agua, viértela en el hueco con aceite. Mezcla para hacer la masa, añade agua si lo necesita.

2 Pon la masa en una superficie enharinada, amasa 10 minutos o hasta que esté lisa y elástica. Regrésala al bol, cubre con una envoltura autoadherente y deja en un lugar caliente para que levante por 1 hora o hasta duplicar su tamaño.

3 Precalienta el horno a 220°C (425°F, marca 7), mete la charola al horno. Golpea la masa, ponla en una superficie enharinada y amasa. Extiende con un rodillo en un círculo de 30 cm (12 pulgadas) de diámetro y 5 mm (¼ de pulgada) de espesor. Úsala para cubrir el molde; deja las orillas desiguales y que sobresalgan del molde.

4 Para el relleno, combina el ricotta, el orégano y el perejil; sazona con sal y pimienta. Esparce bien sobre la masa. Distribuye las mitades de tomate con el corte hacia arriba y pon aceitunas.

5 En una cacerola pequeña, calienta el vinagre con aceite de oliva, el romero y el ajo. Deja hervir por 1-2 minutos o hasta reducir un poco, viértelo sobre los tomates.

6 Pon el molde sobre la charola precalentada. Hornea por 15-20 minutos o hasta que la base de masa esté crujiente y dorada y los tomates un poco caramelizados.

7 En un sartén pequeño anti-adherente, tuesta las semillas de calabaza, girasol y amapola a fuego medio por 2-3 minutos, mueve con frecuencia. Vierte salsa de soya y mueve para cubrir las semillas; al principio se pegarán, pero se separan al secarse. Retira del fuego.

8 Mezcla los aceites y vinagre en un tazón pequeño y sazona. Pon la ensalada en un platón y esparce las semillas tostadas. Añade el aderezo y revuelve.

9 Retira la tarta del molde y corta en 4 porciones. Sirve caliente con la ensalada.

Pizza a la napolitana

Si están formando un recetario de pizzas, esta clásica de Nápoles con su relleno de tomates, mozzarella, anchoas y aceitunas es obligatoria.

PARA LA MASA

2 cditas. (7 g/¼ onzas) de levadura en polvo

200 ml (¾ de taza/7 onzas) de agua tibia

340 g (2¾ tazas/12 onzas) de harina para pan

½ cdita. de sal

2 cdas. de aceite de oliva extra virgen

PARA EL RELLENO

2 cdas. de aceite de oliva extra virgen

1 cebolla pequeña, finamente picada

2 dientes de ajo, machacados

800 g (3¼ tazas/1 libra 12 onzas) de tomates enlatados picados

½ cdita. de azúcar extrafina

Un manojito de hojas de albahaca fresca, cortada en piezas

150 g (1 taza/5½ onzas) de queso mozzarella, en rebanadas finas

8 filetes de anchoas, en mitades a lo largo

8 aceitunas negras, sin hueso y en mitades

PORCIONES 4

TIEMPO DE PREPARACIÓN 45 minutos más, 1-1½ horas para que levante

TIEMPO DE COCCIÓN 20-25 minutos

1 Engrasa una charola redonda para pizza de 30 cm (12 pulgadas). Disuelve levadura en agua. En un bol, pon la harina y la sal y forma un volcán. Añade el aceite de oliva y la mezcla de levadura. Mezcla con un cuchillo de puntas para hacer una masa suave; si es necesario, agrega un poco de agua.

2 Pon la masa en una superficie enharinada y amasa hasta que esté lisa y elástica. Pásala a un bol un poco engrasado, cubre con una envoltura autoadherente y deja que levante en un lugar tibio por 1½ horas para duplicar su tamaño.

3 Para el relleno, calienta el aceite en una cacerola, añade cebolla y ajo, cocina hasta suavizar. Agrega los tomates con su jugo y el azúcar; sazona con sal y pimienta. Deja hervir. Cocina, sin cubrir, hasta que reduzca la mitad a una salsa gruesa, moviendo con frecuencia. Retira del fuego y deja enfriar.

4 Pon la masa en una superficie de trabajo un poco enharinada y golpéala; luego amasa muy poco. Extiende o presiona para formar un círculo que quepa en la charola de pizza y colócala ahí.

5 Mezcla la albahaca en la salsa. Espárcela sobre la base de pizza dejando una orilla 1 cm (½ pulgada). Distribuye el mozzarella, las anchoas y las aceitunas encima; déjala en un lugar tibio por 15 minutos. Precalienta el horno a 220°C (425°F, marca 7).

6 Hornea la pizza por 20-25 minutos o hasta que la corteza levante y dore, y el queso se derrita. Rebana y sirve caliente.

También, prueba esto...

Para pizza de espinacas y chorizo, pon 200 g (2 tazas/7 onzas) de hojas de espinacas baby en una cacerola, cubre y cocina por 1-2 minutos, justo hasta que se marchiten. En 2 cdas. de mantequilla, fríe 200 g (2 tazas/7 onzas) de hongos rebanados hasta que el líquido se evapore y empiecen a tener color. Pon las espinacas y los hongos sobre la salsa de tomate. Esparce 30 g (1 onza) de chorizo y 2 cdas. de piñones encima. Deja que levante; cocina como la receta original.

Consejo práctico

El tomate enlatado es una rica fuente de licopeno fitoquímico (otras buenas fuentes incluyen la toronjas, la sandía y la guayaba). El licopeno puede ayudar a proteger contra varios tipos de cáncer y también enfermedades cardiacas.

La alicina, el compuesto que da al ajo su olor y sabor característicos, actúa como un poderoso antibiótico. También tiene propiedades antivirales y antimicóticas. Los estudios recientes indican que el ajo también puede proteger contra el cáncer de estómago.

Pizza Margarita

Los colores de Italia son evidentes aquí. El relleno está hecho de albahaca verde, mozzarella blanco y jitomates rojos. Para un mejor sabor, usa jitomates madurados en vino.

PARA LA MASA

1 cdita. (3 g/$\frac{1}{8}$ de onza) de levadura en polvo

155 g (1 $\frac{1}{4}$ tazas/5 $\frac{1}{2}$ onzas) de harina

$\frac{1}{2}$ cdita. de sal

60 ml ($\frac{1}{4}$ de taza/2 onzas) de aceite de oliva

PARA EL RELLENO

500 g (1 libra 2 onzas) de jitomares aromáticos, madurados en vino

60 ml ($\frac{1}{4}$ de taza/2 onzas) de aceite de oliva

1 dientes de ajo, en cubos finos

80 ml ($\frac{1}{3}$ de taza/2 $\frac{1}{2}$ onzas) de vino tinto

150 g (1 taza/5 $\frac{1}{2}$ onzas) de mozzarella fresco, escurrido y en cubos

3 cdas. de hojas de albahaca fresca picadas

1 cda. de queso parmesano rallado

PORCIONES 4-6

TIEMPO DE PREPARACIÓN 30 minutos, más 1 $\frac{1}{2}$ horas para que levante

TIEMPO DE COCCIÓN 10-18 minutos

1 Engrasa una charola redonda para pizza de 30 cm (12 pulgadas). En un poco de agua tibia disuelve la levadura. Mezcla la harina y la sal en un bol, agrega el aceite y la mezcla de levadura. Con las manos enharinadas, amasa para obtener una masa pegajosa; si es necesario, agrega un poco de agua.

2 Pon la masa en una superficie de trabajo un poco enharinada. Amasa por unos 10 minutos hasta que esté elástica y no pegajosa.

3 Forma una bola, pon en un bol, cubre y deja levantar en un lugar caliente unas 1½ horas o hasta duplicar su tamaño.

4 Para el relleno, haz un corte en cruz en la base de cada jitomate con un cuchillo. Sumerge en una cacerola con agua hirviendo hasta que la piel se levante en la cruz (unos 15 segundos, dependiendo de la madurez). Pásalos a un bol con agua fría con una espumadera; enfría. Quita la piel. Córtalos en mitades y pélalos. Corta las puntas, quita las semillas y corta en cubos.

5 Calienta 2 cdas. de aceite de oliva en una cacerola y fríe el ajo hasta que esté transparente. Agrega los tomates y el vino, cocina por unos 5 minutos para reducir, mueve de vez en cuando. Sazona la salsa con sal y pimienta, retírala del fuego y deja enfriar.

6 Precalienta el horno a 250°C (500°F, marca 9). Extiende la masa con rodillo en una superficie de trabajo un poco enharinada y forma un círculo que quepa en la charola.

7 Hornea por unos 3 minutos. Retira del horno. Esparce la salsa de tomate y luego el mozzarella sobre la base de pizza. Espolvorea el parmesano y la albahaca encima; sazona con sal y pimienta. Rocía el resto del aceite de oliva encima. Hornea por 10-15 minutos hasta que el mozzarella se funda y la orilla de la pizza se dore.

Consejo práctico

Prueba poner hojas de albahaca en la pizza 3-4 minutos antes de que termine el tiempo de horneado. Hornear las hojas un poco las hace particularmente aromáticas

Rollo picnic

Los días de campo requieren de comida transportable, que permanezca intacta durante el camino. Este rollo de carne es ideal. Hornéalo un día antes, envuelve en papel aluminio y deja que se desarrollen los sabores. La masa de ricotta es una rápida alternativa.

PARA LA MASA

200 g (³/₄ de taza/7 onzas) de queso ricotta bajo en grasa

250 g (2 tazas/9 onzas) de harina

2 cditas. de polvo de hornear

¹/₂ cdita. de sal

1 huevo

80 ml (¹/₃ de taza/2¹/₂ onzas) de aceite de girasol

PARA EL RELLENO

1 bollo de pan suave

2 cdas. de aceite canola

150 g (1 taza/5¹/₂ onzas) de tocino en cubos

2 cebollas, en cubos finos

1 dientes de ajo, finamente picado

400 g (14 onzas) de carne molida mixta, como cerdo y pollo o res y cordero

1 huevo

1 cdita. de hojas de albahaca, orégano y tomillo frescos (de cada uno)

1 pizca de pimienta de Cayena

200 g (1¹/₃ tazas/7 onzas) de pimiento rojo en tiras en escabeche

1 yema de huevo y 2 cdas. de leche, para barnizar

PORCIONES 10

TIEMPO DE PREPARACIÓN 40 minutos

TIEMPO DE COCCIÓN 40-45 minutos

1 Cubre con papel para hornear una charola grande. Pon todos los ingredientes de la masa en un bol y trabaja a mano o con las aspas de una batidora eléctrica, para hacer una masa suave. Precalienta el horno a 200°C (400°F, marca 6).

2 Para el relleno, empapa el pan en agua y escurre para quitar el líquido. Calienta aceite en una cacerola; fríe el tocino hasta que esté transparente. Agrega la cebolla y ajo, y fríe del mismo modo. Vierte todo en un bol y enfría un poco.

3 Desmenuza el pan en pedazos pequeños; agrega la mezcla de cebolla con la carne, el huevo, las hierbas y la pimienta de Cayena. Mezcla bien los ingredientes con las manos.

4 Extiende la masa con un rodillo en una superficie de trabajo un poco enharinada hasta formar un rectángulo de 35 x 40 cm (14 x 15½ pulgadas). Esparce el relleno, dejando sin cubrir una tira de 1 cm (½ pulgada) por uno de los lados largos. Escurre bien las tiras de pimientos y ponlas en el relleno.

5 Empezando por el lado cubierto, enrolla la masa y el relleno como un rollo suizo y ponlo en la charola con la juntura hacia abajo. Barniza la superficie con la mezcla de huevo; dobla las puntas y presiónalas para sellar.

6 Hornea por 40-45 minutos hasta que dore.

Consejo práctico

Para eliminar la humedad de los panes. Pártelos en pedacitos al mismo tiempo. Usa 2 tablas pequeñas para pan y pon el pan entre ellas, colócalas en ángulo sobre el fregadero y presiona las tablas una contra otra.

Strudel de carne

Este strudel hace un sustancial plato fuerte. Sírvelo caliente con una crujiente ensalada mixta.

PARA LA PASTA

3 hojas de pasta para tarta descongelada

150 g (^{2}/$_3$ de taza/5^1/$_2$ onzas) de mantequilla, derretida

170 ml (^{2}/$_3$ de taza/5^1/$_2$ onzas) de leche o crema, para bañar

PARA EL RELLENO

2 cdas. de aceite de oliva

1 cebolla, finamente picada

1 diente de ajo, machacado

400 g (14 onzas) de carne molida

400 g (1^2/$_3$ tazas/14 onzas) de jitomates enlatados picados

1 cda. de albahaca fresca picadas

1 cdita. de hojas de orégano fresco

1 cdita. de páprika dulce

1 cebolla morada, en rebanadas finas

1 pimiento amarillo, 1 verde y 2 rojos, en tiras

65 g (^{1}/$_2$ taza/2^1/$_2$ onzas) de queso emmentaler rallado

PORCIONES 6-8

TIEMPO DE PREPARACIÓN 1 hora

TIEMPO DE COCCIÓN 35-45 minutos

1 Engrasa con mantequilla un recipiente para hornear. Para hacer el relleno, calienta aceite en una cacerola y sofríe la cebolla hasta que acitrone. Agrega la carne, moviendo de vez en cuando, fríe a fuego alto hasta que tome color y esté crujiente.

2 Agrega los jitomates con sus jugos, las hierbas y la páprika a la carne. Cocina, sin tapar, por 5 minutos, moviendo en ocasiones. Sazona con sal y pimienta.

3 Precalienta el horno a 220°C (425°F, marca 7); pon un bol con agua caliente en el piso del horno para mantener la humedad ahí adentro. Barniza las hojas de pasta con mantequilla derretida. Divide la mezcla de carne entre las hojas, pon las tiras de pimiento encima.

4 Enrolla las hojas, con la juntura hacia abajo, colócalas una junto a otra en el recipiente. Pica la pasta con un tenedor varias veces y barniza con mantequilla derretida. Hornea por 35-45 minutos; baña con la leche o la crema cada 10 minutos. Espolvorea con el queso rallado 10 minutos antes de que termine el tiempo de cocción. Cuando esté listo, retira del horno y enfría en el recipiente por 5 minutos antes de servir.

Strudel de tocino y col

El sabor salado y agrio de la col en salmuera va bien con el tocino ahumado.
Este saludable platillo es ideal para los meses más fríos.

PARA LA PASTA

350 g (2³⁄₄ tazas/12 onzas) de harina

1 pizca de sal

1 huevo

1 cda. de vinagre

60 ml (¹⁄₄ de taza/2 onzas) de aceite de girasol

125 g (¹⁄₂ taza/4¹⁄₂ onzas) de mantequilla, derretida, más algo extra para barnizar

125 ml (¹⁄₂ taza/4 onzas) de agua tibia

125 ml (¹⁄₂ taza/4 onzas) de caldo o vino blanco, para bañar

PARA EL RELLENO

250 g (1²⁄₃ tazas/9 onzas) de tocino ahumado

600 g (2 tazas/1 libra 5 onzas) de col en salmuera

1 cda. de semillas de comino

125 ml (¹⁄₂ taza/4 onzas) de caldo o vino blanco seco

PORCIONES 15 piezas

TIEMPO DE PREPARACIÓN 1 hora

TIEMPO DE COCCIÓN 40 minutos

1 Engrasa con mantequilla un recipiente para hornear. Pon la harina, la sal, el huevo, el vinagre, el aceite, la mantequilla y el agua en un bol grande; amasa con las aspas de una batidora eléctrica por 5 minutos o a mano. Cubre y deja reposar por 30 minutos. Precalienta el horno a 220°C (425°F, marca 7). Pon un recipiente con agua caliente en el piso del horno para conservar la humedad.

2 Para el relleno, fríe el tocino en una cacerola grande. Pica la col en salmuera, agrégala al tocino y sazona con las semillas de comino. Vierte el caldo, tapa y cuece la col a fuego lento por 10 minutos. Sazona con sal y pimienta; cuela en un colador.

3 Amasa la pasta en una superficie de trabajo enharinada. Divide en 4 porciones, barniza con mantequilla derretida. Extiende cada una en un lienzo enharinado y con el dorso de las manos, estira en rectángulos tan delgados como papel. Barnízalos con mantequilla derretida. Esparce el relleno sobre las hojas dejando libres las orillas laterales y de atrás. Humedece las orillas con caldo.

4 Enrolla el strudel ayudándote con un lienzo. Corta rebanadas de 6 cm (2¹⁄₄ de pulgada). Colócalas en un recipiente, separadas. Barniza con mantequilla derretida. Hornea por 40 minutos: bañando con caldo o vino blanco cada 10 minutos. Sirve caliente.

para
hornear
mejor

Para hornear mejor

Una guía paso a paso y de consejos prácticos para las técnicas básicas para hornear, esta sección ayudará a crear confianza y a allanar el camino hacia el éxito.

Hornear tiene sus reglas igual que cualquier otro proceso, pero cuanto más aprendes, más fácil y agradable se vuelve. En las siguientes páginas encontrarás consejos sobre cómo preparar masas para pastel, pan, tartaletas y pizzas. También hallarás sugerencias para otras versiones de las recetas básicas. Las fotografías paso a paso ilustran las técnicas claramente. Los cuadros Consejos para el éxito ayudan a agilizar el proceso de horneado y las Preguntas y Respuestas sobre el Horneado dan información de ingredientes y técnicas, y se enfocan en las preguntas generales de cómo evitar y resolver problemas.

En lo que toca al equipo para cocinar, empieza por lo básico: papel para horno, moldes para hornear de diferentes tamaños y formas según los vayas necesitando, una taza de medir, cuchillos de buena calidad, unos cuantos recipientes para batir, algunas cucharas de madera, y un rodillo. ¡Feliz sesión y buen provecho!

Conversiones

Las conversiones usadas en este libro son sólo aproximaciones y se deben hacer ajustes dependiendo del sistema de medición. En general, los hispanohablantes utilizamos el sistema métrico decimal: gramos, kilos, centímetros y grados centígrados. Existen otras medidas que se usan en la cocina: una taza tiene 235 ml y 235 g; la cucharada, 15 ml. Una cucharadita tiene solamente 5 ml. Sin embargo, algunos lectores que viven en Estados Unidos se han acostumbrado ya a usar el sistema imperial.

Glosario

Azúcar glass es un polvo fino de azúcar blanca mezclada con una pequeña cantidad de fécula de maíz, que impide que se formen grumos y se seque.

Cacao molido es el producto de los granos de cacao secos, sin azúcar y tostado que luego se muelen.

Fécula de maíz es una harina hecha de los granos de maíz finamente molidos. Se usa para hacer muffins y pan de maíz.

Gougère es una pasta para chous condimentada con un queso como emmentaler y que se hornea en forma de rosca.

Grenetina es un agente endurecedor hecho del colágeno extraído de los huesos y cartílagos de animales. Está disponible en polvo o en hojas o láminas. En este libro se usa grenetina en polvo. Debe reconstituirse antes de usarse. Pon una medida de agua tibia en un bol y espolvoréala en la superficie. La grenetina absorberá el líquido y se esponjará, luego se volverá aguada y clara. Asegúrate de que el agua no esté muy caliente.

Mezcla de especias Una tradicional mezcla de especias que por lo general incluye nuez moscada, canela y clavos de olor y algunas veces jengibre. Si no la consigues la puedes sustituir con la pimienta inglesa. La mezcla de especias se usa en pasteles de frutas, galletas y budines.

Moldes de pastel Es importante usar el tamaño y tipo correctos para un resultado exitoso. Si el molde es demasiado grande para la mezcla, el pastel será plano y se encogerá. Si es demasiado pequeño, el pastel excederá los bordes del molde. Sin embargo, la mezcla para un molde redondo quedará bien en un molde cuadrado de unos 2 cm (¾ de pulgada) menos; por ejemplo, la mezcla diseñada para un molde redondo de 20 cm (8 pulgadas) de diámetro se puede usar en un molde cuadrado de 18 cm (7 pulgadas).

Pimienta inglesa Miembro de la familia de los mirtos, se usa en grano o molida. Su aroma y sabor son una combinación de clavo, canela y nuez moscada. Si no la consigues, puedes usar la mezcla de estas especias.

Polvo de hornear es un agente para levantar, compuesto de bicarbonato de sodio, un ácido (crémor tártaro por lo común) y fécula de maíz. El bicarbonato de sodio y el ácido reaccionan, produciendo dióxido de carbono que hace que la masa se alce.

Prehorneado Este proceso se usa para hornear parcial o totalmente la base de masa antes de agregar el relleno. El horneado parcial de una base de masa se hace antes de agregar un relleno que necesita cocinarse y que la humedecería. Una base de masa totalmente cocida se usa para frutas y rellenos cremosos que no necesitan cocinarse. El prehorneado asegura que la base permanezca lisa y que los lados no caigan. Extiende la masa para cubrir el molde de tarta y cubre la base y los lados con papel para hornear. Pon encima una capa delgada de granos de frijoles o arroz secos. Prehornea la pasta según la receta, luego quítalos. Enfríalos y guárdalos en un recipiente hermético para volver a usarse. Una vez usados en el horno no se deben cocinar.

Suero de leche Alguna vez fue un subproducto de crema batida para hacer mantequilla; ahora el suero de leche se hace al adelgazar leche descremada con un cultivo de bacterias. Se usa en la elaboración de quesos y en la panificación.

Stollen es una tradicional pasta de levadura alemana que se come en el periodo navideño. Contiene frutas secas y almendras molidas.

Strudel se caracteriza por su pasta muy ligera y delgada. La pasta se estira con el dorso de las manos hasta que se puede ver a través de ella. Se usa para envolver rellenos salados o dulces.

Tarta es un rico pastel para postre que con frecuencia tiene capas de fruta, crema, un relleno tipo natilla y frutos secos.

Mezcla básica para pastel

Rosca de chocolate

160 g (5½ onzas) de azúcar blanca

250 g (9 onzas) de mantequilla

4 huevos

500 g (1 libra 2 onzas) de harina

2 cditas. de polvo de hornear

125 ml (4 onzas) de leche

55 g (2 onzas) de chispas de chocolate o chocolate en trocitos

55 g (2 onzas) de chocolate oscuro (semidulce) derretido, para glasear

PORCIONES 12

TIEMPO DE PREPARACIÓN 15 minutos

TIEMPO DE COCCIÓN ver Tiempos de cocción

● Usa un molde acanalado de rosca de 24 cm (9½ pulgadas). Precalienta el horno a 180°C (350°F, marca 4).

● Sigue los pasos 1 al 6.

● Vierte la mezcla en el molde; hornea por 65 minutos (ver Tiempos de cocción). Prueba si ya está cocido (ver pág. 286).

● Retíralo del horno; deja enfriar en el molde por 10 minutos. Desmolda y déjala enfriar en una rejilla.

● Cuando se haya enfriado, cubre con chocolate derretido.

Tiempos de cocción

Pasteles horneados en charola
Temperatura de horno a 180°C (350°F, marca 4); en la rejilla de en medio; tiempo de cocción 15-20 minutos

Pasteles medianos en charola para hornear o molde para pan
Temperatura de horno a 180°C (350°F, marca 4); en la rejilla de en medio; tiempo de cocción 20-40 minutos

Pasteles altos en molde de rosca
Temperatura de horno a 180°C (350°F, marca 4); en la rejilla de en medio; tiempo de cocción 50-70 minutos

1 Pesa y mide los ingredientes. Saca del refrigerador todo ingrediente 1 hora antes de empezar.

2 Engrasa el molde; espolvorea la harina. Voltea el molde y sacude suavemente para distribuir la harina. Elimina el exceso.

También, prueba esto...

Para una rosca de frutas y frutos
mezcla 50 g (⅓ de taza/2 onzas) de almendras blanqueadas picadas, 50 g (¼ de taza/2 onzas) de cáscaras de limón y de naranja cristalizadas y picadas (de cada una) y 90 g (¾ de taza/3¼ onzas) de uvas pasas sultanas (sin semillas). Añade 2 cdas. de harina. Incorpora los ingredientes a la mezcla básica con las claras de huevo. Mezcla 90 g (¾ de taza/3¼ onzas) de azúcar glass con 2 cdas. de jugo de limón o ron y glasea el pastel ya enfriado.

3 Bate la mantequilla y el azúcar hasta que esté ligera y esponjada, y el azúcar disuelta. Separa claras y yemas de huevo e incorpora las yemas a la mezcla.

4 Agrega la harina y el polvo de hornear poco a poco, alternando con la leche. Mezcla hasta que todos los ingredientes estén bien combinados.

Para pastel de chocolate y nuez,
pica 100 g (⅔ de taza/3½ onzas) de chocolate y 50 g (½ taza/2 onzas) de nueces e incorpóralas en la mezcla básica con las claras de huevo. Cubre el pastel, cocido y frío, con chocolate oscuro derretido (semidulce).

5 Bate las claras de huevo a punto de turrón e incorpora con una espátula. Dependiendo de la receta, en este momento agrega ingredientes como nuez picada, chispas de chocolate o frutas secas.

6 Vierte la mezcla en el molde; debe cubrir tres cuartas partes de altura del molde, dejando de este modo espacio para que levante durante el horneado. Alisa por encima con una espátula.

Consejos para el éxito

Preparación de charolas y moldes para hornear

● Engrasa moldes y charolas con mantequilla; cubre todas las ranuras para evitar que la mezcla se pegue. Uniformemente espolvorea harina y quita el exceso. En vez de harina, puedes usar nuez muy picada, migas de pan o de pastel.

● Las charolas, los moldes de pan y los desmontables se pueden cubrir con papel para hornear cortado al tamaño. Generalmente, en este caso no es necesario lo anterior.

● No retires el papel hasta que vayas a cortar y servir el pastel, se conservará fresco por más tiempo.

Cubrir el molde con migas de pan o con harina después de engrasar, facilita la labor de desmontar el pastel cuando esté horneado. Los moldes para pastel con lados lisos se pueden cubrir con almendras laminadas o piñones enteros para agregar textura.

Para desmoldar el pastel

● Saca el pastel del horno cuando esté listo y enfría en el molde por 10 minutos. Luego despréndelo con cuidado con un cuchillo y voltéalo sobre una rejilla. Cuando uses un molde para pastel, deslízalo de lado para evitar que se rompa.

Para glasear el pastel

● Un pastel se debe glasear sólo hasta que esté totalmente frío. Para que quede más fresco, primero pon una ligera capa de mermelada de chabacano tamizada y luego aplica el glaseado.

Para mantener las cualidades

● Hornea la mezcla en cuanto esté lista. Si hay un retraso, cubre el bol con una envoltura autoadherente y refrigéralo. No dejes la mezcla cruda a temperatura ambiente; el calor activará antes el polvo de hornear.

● Algunos pasteles (ver las recetas) se mantienen frescos por 3-5 días, si los dejas en un lugar frío en una bolsa de plástico, el molde, o debajo de un molde invertido. Muchos pasteles se conservan congelados hasta por 6 meses.

Suben de más

Si el pastel se levanta mucho durante el horneado, su superficie se puede dorar mucho. Si es posible, bájalo de rejilla o cúbrelo con papel aluminio para protegerlo.

Si una esquina se rompe, es fácil pegarla con mermelada de chabacano.

● Para porciones congeladas, rebana el pastel y coloca las rebanadas una al lado de la otra en una charola. Cubre con envoltura autoadherente: congela por varias horas. Ponlas en una bolsa para congelar y sella herméticamente. Se pueden sacar según se necesiten y descongelarse rápidamente a temperatura ambiente.

Primero congela las rebanadas de pastel en una charola.

Para volver a usar un pastel

● Para hacer un postre, rebana el pastel seco y báñalo con jugo de frutas o una mezcla de jugo y licor. Pon las rebanadas en un bol, alternando con capas de natilla y bayas o frutas cocidas. Cubre con envoltura autoadherente. Refrigera por 5 horas por lo menos o toda la noche de preferencia, se suavizará y los sabores emergerán. Cubre con crema batida, decora con bayas o rebanadas de fruta fresca y sirve.

● Para un rápido y sencillo postre de helado, desmenuza ligeramente un pastel rezagado seco y bate con helado. Regresa la mezcla al congelador para que endurezca un poco. Sirve con fruta fresca o jarabe de chocolate.

● Desmenuza un pastel y mézclalo con mantequilla derretida. Úsalo para pasteles que requieran una base de migas. También para cubiertas.

Muffins rápidos de frutas

Por norma general, con los muffins no se tiene que mezclar mucho la masa. Es mejor batir los ingredientes con una cuchara de madera sólo hasta combinar; así, serán ligeros y levantarán bien.

200 g (1⅔ de tazas/7 onzas) de harina

2 cditas. de polvo de hornear

110 g (½ taza/4 onzas) de azúcar blanca

2 cdas. de ralladura de limón

2 cdas. de mantequilla, derretida y fría.

1 huevo

250 ml (1 taza/9 onzas) de leche o suero de leche o 250 g (1 taza/9 onzas) de crema agria

200 g (1 taza/7 onzas) de una mezcla de bayas frescas, o chabacanos o ciruelas rebanados

2 cdas. de azúcar glass

PORCIONES 12

TIEMPO DE PREPARACIÓN 15 minutos

TIEMPO DE COCCIÓN 20-25 minutos

1 Usa una charola para muffins de 12 piezas; cubre con moldes de papel. Precalienta el horno a 180°C (350°F, marca 4).

2 Mezcla harina, polvo, azúcar y ralladura. Aparte, mezcla la mantequilla, el huevo y la leche.

3 Integra los ingredientes secos y la fruta con los demás, una cucharada a la vez. Mezcla hasta que la masa esté humedecida.

4 Llena ⅓ de los moldes con la mezcla. Espolvorea azúcar; hornea por 20-25 minutos.

Básicos del pastel esponjado

Pastel de yogur

PARA EL PASTEL

4 huevos

120 g (½ taza/4½ onzas) de azúcar extrafina

1 cdita. de ralladura de limón

120 g (1 taza/4½ onzas) de harina

1 cdita. de polvo de hornear

PARA EL RELLENO

500 g (2 tazas/1 libra 2 onzas) de yogur natural

250 g (1 taza/9 onzas) de queso ricotta bajo en grasas

El jugo y ralladura de 1 limón

150 g (⅔ de taza/5½ onzas) de azúcar

3 cditas. de grenetina en polvo

250 ml (9 onzas) de crema batida

● Usa un molde desmontable de 26 cm (10½ pulgadas). La mezcla de ingredientes es crucial para la textura final. Con una batidora, bate a velocidad media por 1-2 minutos hasta que esté esponjada. La mezcla debe ser muy pálida, casi blanca.

● Vierte la mezcla en el molde y alisa. Para eliminar las burbujas, golpéalo en una superficie unas cuantas veces. Para tartas, esparce la mezcla algo más alto a los lados.

● No abras la puerta del horno durante la primera mitad del tiempo de cocción.

● Si haces una tarta (como la muestra), se recomienda que hagas el pastel esponjado un día antes. Rebana y rellena al día siguiente.

● Para rellenar, mezcla el yogur, el ricotta, el jugo, la ralladura y el azúcar. Disuelve la grenetina en agua tibia. Añade a la mezcla de yogur. Incorpora la crema y úsala como relleno del pastel.

PORCIONES 16

TIEMPO DE PREPARACIÓN 30 minutos

TIEMPO DE COCCIÓN Ver Tiempos de Cocción

Tiempos de cocción

Galletas y pasteles bajos
Temperatura de horno 200°C (400°F, marca 6); rejilla media, tiempo de cocción 10-15 minutos

Pasteles altos
Temperatura de horno 200°C (400°F, marca 6); rejilla media; tiempo de cocción 18-35 minutos

1 Humedece la base del molde y cubre con papel para hornear. Precalienta el horno según las indicaciones de la receta.

2 Bate los huevos con el azúcar y la ralladura de limón, hasta que la textura esté ligera, casi blanca y cremosa. Usa un batidor manual.

También, prueba esto...

Para un esponjado vienés, vierte 2 cdas. de mantequilla derretida, fría, en la mezcla del esponjado después de agregar la harina y el polvo de hornear.

Para un esponjado Munich, vierte 60 ml (¼ de taza/2 onzas) de crema batida dura en la mezcla del esponjado.

Para un esponjado dorado, sustituye los 4 huevos por 8 yemas de huevo y 3-4 cdas. de agua.

Para un esponjado plateado, sustituye los 3 huevos por 8 claras de huevo.

3 Cierne la harina y el polvo de hornear sobre la mezcla de huevo e incorpora con cuidado para mantener el aire que se logró al batir. Cubre ⅘ partes del molde con la mezcla. Alisa la superficie

4 Saca el pastel del horno. Después de 5 minutos, sepáralo del molde con un cuchillo. Voltéalo sobre una superficie cubierta con papel para hornear, pon algo pesado sobre el pastel y deja enfriar.

5 Quita la base del molde del pastel frío y retira el papel para hornear. El pastel estará suave y elástico debido al agua condensada y al azúcar en la mezcla.

6 Con un cuchillo, corta horizontalmente la base de 1-3 veces, según la receta. Rellena. Si el relleno necesita soporte mientras se asienta, usa un anillo de pastel.

Consejos para el éxito

Ingredientes

● Huevos: Si estás batiendo una mezcla de esponjado a mano, separa claras y yemas. Bate las claras a punto de turrón y vacía en la mezcla al final de la etapa 2.

● Harina: Cierne la harina en la mezcla de esponjado. Las que usan harina integral no son muy ligeras. Agrega 1 cda. de agua por cada 30 g (1 onza) de harina integral.

Preparación de moldes para esponjado

Humedece la base con agua y cubre con papel para hornear. No tapes ni engrases porque la mezcla encogerá.

Horneado

Para que el tiempo de cocción sea lo más corto posible y el pastel no se seque, pon la mezcla en el horno precalentado. Hornea la mezcla tan pronto como esté lista.

Un pastel esponjado alto es fácil de dividir horizontalmente. Haz una incisión alrededor de 1 cm (½ pulgada) de profundidad, luego pasa un hilo resistente por el corte y lentamente empuja las dos puntas a lo ancho.

Revisa la cocción

En pasteles altos, inserta un palillo de metal o madera en el centro. Debe salir limpio. Cuando está cocido, el pastel tiene una ligera textura porosa y está dorada y no seca. También, debería rebotar rápidamente al tocarla.

Deja enfriar

● Para roscas esponjadas; voltea el pastel esponjado cocido sobre una superficie de trabajo cubierta con papel para hornear. No quites el molde ni el papel, de esta manera, la mezcla permanecerá húmeda y elástica. Cuando el pastel esté frío, retira la cubierta de papel y recorta cualquier orilla dura. Rellénalo según la receta. Para voltear el pastel, levanta el papel por abajo para ayudarte, el rollo no debe estar muy holgado.

● Para tartas, voltea el esponjado sobre papel para hornear, no quites la base del molde. Pon una taza pesada encima para que el peso haga que permanezca plana.

Guarda y refrigera

● Mezcla cruda. La mezcla restante se descompone muy rápido, no sirve para refrigerarse. Deséchala.

● Bases esponjadas sin relleno: guárdalas en un lugar frío en un molde sellado por 3-4 días (si no hace mucho calor). Las bases pueden congelarse, bien envueltas, hasta por 6 meses.

● Pasteles rellenos: Roscas o tartas que tienen mermelada, cubierta de

Es mejor poner un aro de pastel alrededor de la base esponjosa para contener el relleno de la tarta hasta que se asiente.

fruta o rellenos cremosos se suavizan y descomponen con rapidez. Se deben comer rápido. Mantén el sobrante cubierto en el refrigerador.

● Los pasteles rellenos de crema fresca, mezclas cremosas o frutos secos, no se deben mantener en refrigeración por más de 4 meses.

● Precongela sin envolver las roscas o los pasteles rellenos en una charola. Una vez congelados, envuélvelos. Mientras estén congelados, los pasteles se pueden cortar fácilmente con un cuchillo eléctrico.

● Precongela las piezas de rollos o tartas preparadas sobre una charola y guárdalas en bolsas herméticas en el congelador.

Esponjado de nuez y manzana

El sabor a nuez es más marcado si se tuesta la nuez en una cacerola seca antes de molerse.

PARA EL ESPONJADO

2 huevos

80 g (⅓ de taza/3 onzas) de azúcar extrafina

1 pizca de sal

60 g (½ taza/2 onzas) de harina

½ cdita. de polvo de hornear

115 g (1 taza/4 onzas) de nueces molidas

PARA CUBRIR Y DECORAR

500 g (1 libra 2 onzas) de manzanas suaves

16-20 nueces en mitades

2-3 cdas. de mermelada de chabacano o de naranja

1 cda. de licor de chabacano o naranja

Azúcar glass, para espolvorear

PORCIONES 12

TIEMPO DE PREPARACIÓN 20 minutos

TIEMPO DE COCCIÓN 20-30 minutos

1 Usa un molde desmontable de 26 cm (10½ pulgadas). Humedece la base del molde; cubre con papel para hornear. Precalienta a 200°C (400°F, marca 6).

2 Prepara la mezcla del esponjado como se describe en la página 280, agrega ½ cda. de agua y una mezcla de nueces con sal, harina y polvo de hornear. Vierte en un molde y alisa.

3 Corta las manzanas en cuartos, pélalas, quita el corazón y ralla los lados redondos. Colócalas juntas sobre el esponjado y llena los espacios con mitades de nueces. Hornea por unos 25 minutos.

4 Derrite la mermelada con el licor en una cacerola pequeña a fuego lento. Barniza el pastel aún caliente. Espolvorea azúcar glass.

287

Básicos de la masa de levadura

Bollos comodín

80 ml (⅓ de taza/2½ onzas) de aceite de girasol o canola

½-1 cdita. de sal

500 g (4 tazas/1 libra 2 onzas) de harina blanca para pan

2 cdas. (7 g/¼ de onza) de levadura en polvo

1 cdita. de azúcar

250 ml (1 taza/9 onzas) de suero de leche, leche o agua

1 huevo

PORCIONES 10 bollos o 1 hogaza

TIEMPO DE PREPARACIÓN 40 minutos, más 1-1½ horas de reposo

TIEMPO DE COCCIÓN ver Tiempo de cocción

● Los ingredientes deberán estar a temperatura ambiente, excepto el suero de leche, la leche o el agua. Entibia estos líquidos. Con el dorso de la mano prueba la temperatura. Si está muy caliente, la levadura "morirá" y la masa no levantará.

● Amasa y golpea la masa, a mano, de preferencia, por 5-10 minutos hasta que esté elástica. Sólo agrega la suficiente harina o líquidos para suavizarla y que no esté pegajosa.

● Pon la masa en un bol, cubre con una toalla de cocina y deja alzar en un lugar tibio lejos de corrientes de aire. Cuando levante lo suficiente, estará suave y sedosa al tacto.

Tiempo de cocción

Bollos
Temperatura de horno a 220°C (425°F, marca 7); rejilla media; tiempo de cocción 10-15 minutos

Panes planos
Temperatura de horno a 220°C (425°F, marca 7) rejilla media; tiempo de cocción 20-35 minutos

Hogazas de pan y pasteles horneados en moldes hondos
Temperatura de horno a 200°C (400°F, marca 6); segunda rejilla más baja; tiempo de cocción 40-60 minutos

1 Pon aceite o mantequilla derretida y la sal en un bol para preparar la mezcla. Agrega la harina y con ella forma un volcán.

2 En un tazón, espolvorea la levadura sobre el suero de leche, la leche o el agua tibios; deja por unos 5 minutos para disolver y que esponje. Vierte en el hueco del volcán e incorpora el huevo.

3 Engrasa una charola para hornear. Amasa a mano el "esponjado" (mezcla de levadura) de harina, huevo y líquido. Cubre y deja que levante en un lugar tibio hasta duplicar su tamaño.

4 Método rápido: Incorpora el líquido, el azúcar y el huevo, mezcla la levadura para disolver, vierte en el hueco. Amasa con batidora eléctrica por 4-5 minutos. Cubre y deja alzar por 30 minutos.

5 Para hacer los bollos, antes de que levanten haz un cilindro largo con la masa. Déjalo en un lugar tibio, cubierto, hasta que duplique su tamaño. Vuelve a amasar a conciencia. Corta 10 piezas.

6 Forma los bollos y ponlos en una charola para hornear. Si se ponen muy juntos sus lados serán suaves, pero si se dejan 2.5 cm (1 pulgada) entre ellos, serán crujientes. Deja que levanten y hornea.

También, prueba esto...

Para un focaccia con hierbas y aceitunas, amasa 500 g (4 tazas/1 libra 2 onzas) de harina blanca para pan, 2 cditas. de sal, 100 ml (3½ onzas) de aceite de oliva, 2 cditas. (7 g/¼ de onza) de levadura en polvo y 250 ml (1 taza/9 onzas) de agua tibia en la masa. Cubre y deja que levante por 30 minutos. Incorpora a la masa 2 cditas. de romero, tomillo y orégano picados (de cada uno) y 150 g (1 taza/5½ onzas) de aceitunas finamente picadas. Forma una barra oval, deja que levante y hornea.

Para bollos dulces, prepara la masa básica con mantequilla, 1 cdita. de ralladura de limón, 1 cdita. de canela molida y 3 cdas. de azúcar. Si deseas, agrega a la masa 90 g (¾ de taza/3 onzas) de uvas pasas sultanas (sin semilla) remojadas en ron y bien escurridas, avellanas tostadas, fruta cristalizada en cubos, nueces picadas o trozos de chocolate. Forma los bollos, deja alzar, barniza con una mezcla de 2 cdas. de leche y 2 cdas. de azúcar antes de hornear.

Consejos para el éxito

Trabaja una masa de levadura empujándola y estirándola para desarrollar el gluten; mientra amasas, la mezcla cambiará gradualmente de textura, volviéndose elástica, lisa y casi lustrosa.

Amasado

● Una vez que la levadura, la harina y el líquido (y los demás ingredientes) se han mezclado para hacer una masa que cae de los lados del bol, es tiempo de amasar. Amasar da elasticidad a la pasta, desarrolla y fortalece el gluten y asegura que el pan levante parejo.

● Pon la masa en una superficie de trabajo un poco enharinada. Con la palma de la mano, empuja la masa lejos de ti para estirarla, dobla el lado más lejano hacia ti, enrollando la masa en una bola floja. Voltéala un poco, luego extiende otra vez. Sigue este proceso. (De otro modo, puedes usar una batidora eléctrica con aspas para masa.)

Duplica el tamaño

Forma una bola lisa con la masa: ponla en un bol aceitado y cubre para que no se seque; deja que levante hasta duplicar su tamaño.

Esto se puede hacer en un lugar caliente (30°C/86°F), que es la forma más rápida, o a temperatura ambiente. O se puede dejar toda la noche en el refrigerador.

Da forma de hogaza

● Pon la masa que ya levantó en una superficie un poco enharinada. "Golpéala" –es el término usado– con los puños para nivelarla y expulsar el exceso de aire. Amasa por 2-3 minutos para volverla a su textura lisa original; ya está lista para formar barras o bollos.

● Las formas más simples son círculos y óvalos para hogazas, o

Cubre la masa con papel auto-adherente y refrigérala toda la noche.

bolas para bollos, se hornean en una charola engrasada. Para que quepa en un molde, aplástala para tener un rectángulo, haciendo los lados cortos del mismo tamaño del molde; enrolla por un lado corto. Voltéala con las juntas hacia abajo y mete las puntas. Para una trenza, divide la masa en 3 piezas iguales, haz tiras largas. Presiona las puntas de arriba, luego trenza muy suelto.

Para probar si la masa ha alzado bien, presiona un dedo en el centro, el hueco debe permanecer visible después de quitar el dedo.

'Levanta' y hornea

● Después de darles forma, la mayoría de las masas de levadura se dejan "levantar" otra vez, antes de meterlas en un horno precalentado. Para probar si el pan está listo, golpea la base con los nudillos. Si suena hueco, ya está cocido. Si no lo está, sólo mételo de nuevo en el horno (sin molde) por unos minutos y prueba otra vez.

Pan congelado

● Los panes de levadura y los rápidos se pueden congelar sólo si están bien envueltos, para impedir que se sequen. Los panes sencillos se pueden congelar por 6 meses y los enriquecidos por 3 meses. Descongela en su envoltura a temperatura ambiente. Los panes planos se deben calentar después de descongelar. Envuélvelos holgadamente en papel aluminio y calienta un poco en el horno.

Bollos de centeno

Las masas de centeno necesitan más que levadura para levantar. Se debe añadir extracto de fermentación.

1 cda. de aceite de girasol o canola

1 cdita. de sal

250 g (2 tazas/9 onzas) de harina de centeno

250 g (2 tazas/9 onzas) de harina

25 g de extracto de fermentación

2 cditas. (7 g/¼ de onza) de levadura en polvo

1 cdita. de azúcar

250 ml (1 taza/9 onzas) de agua tibia

Semillas de cilantro o de ajonjolí, para espolvorear.

PORCIONES 12 bollos

TIEMPO DE PREPARACIÓN 45 minutos más 1½ horas de reposo

TIEMPO DE COCCIÓN 20-25 minutos

1 Cubre la charola para hornear con papel para hornear. Pon aceite, sal y las harinas en un bol. Mezcla el azúcar, el extracto de fermentación y la levadura en agua tibia; incorpora al bol. Amasa hasta que ya no se pegue al bol. Cubre, y deja en un lugar caliente por 30 minutos.

2 Amasa por 10 minutos, luego forma un cilindro de 6 cm (2½ pulgadas) de diámetro. Corta 12 piezas parejas y forma los bollos. Ponlos en la charola con 2.5 cm (1 pulgada) de separación. Barniza con agua; espolvorea el cilantro y las semillas de ajonjolí.

3 Cubre los bollos, deja que levanten por 1 hora. Precalienta el horno a 220°C (425°F, marca 7). Hornea los bollos por 20-25 minutos hasta que doren.

También, prueba esto...

Para bollos de queso, combina 2 cdas. de queso parmesano rallado y 4 cdas. de emmentaler y cheddar (de cada uno). Amasa con 1 cdita. de pimienta negra recién molida; divide en 10 partes iguales y haz los bollos. Barniza con leche y espolvorea semillas de ajonjolí y de amapola. Ver Tiempo de cocción.

Para pan trenzado de hierbas, prepara una masa usando aceite de girasol. Incorpora 60 g (½ taza/2 onzas) de semillas de girasol y 2 cdas. de eneldo, perifollo, cebollín y perejil (de cada uno) a la masa. Córtala en 3 piezas, dales una forma de salchicha larga y plana. Barniza con crema y hornea. Ver Tiempo de cocción.

Básicos de masa de crema agria

Lámina de Streusel

185 g de crema agria o queso ricotta

400 g de harina, más extra para amasar

2 cditas. de polvo de hornear

5-6 cdas. de azúcar

1 cdita. de ralladura de limón

1 huevo

2 cdas. de aceite de girasol

4-5 cdas. de leche

Cubierta de Streusel (ver abajo)

PORCIONES 12-16 piezas

TIEMPO DE PREPARACIÓN 15 minutos

TIEMPO DE COCCIÓN ver Tiempo de cocción

● Hornea la masa tan pronto como esté lista, de otro modo el polvo de hornear pierde su potencia. Por esto siempre prepara la cubierta y el relleno antes de hacer la masa.

● Para la cubierta del Streusel, amasa 200 g (7 onzas) de harina, 115 g (4 onzas) de azúcar, 100 g (3½ onzas) de mantequilla suavizada, y 1 pizca de canela hasta tener una masa desmoronada; agrega más harina si es necesario.

Tiempo de cocción

Pasteles planos y pequeños Temperatura de horno 180°C (350°F, marca 4); en la rejilla media; tiempo de cocción 15-20 minutos

Pasteles altos Temperatura de horno 200°C (400°F, marca 6); segunda rejilla más baja, tiempo de cocción 25-30 minutos

1 Presiona el queso ricotta en un cernidor. Cubre una charola con papel para hornear o engrasa bien con mantequilla.

2 Pon harina, polvo de hornear, azúcar y ralladura en un bol. Añade crema agria, huevo, aceite y leche; amasa a mano.

3 Pon la masa en una superficie un poco enharinada y amasa para tener una bola; trabaja sólo con una pequeña cantidad de harina o la lámina se secará.

4 Extiende con rodillo en una superficie enharinada o en la charola. (Para bollos o bocadillos, haz un cilindro, divide en piezas y da forma).

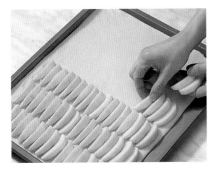

5 Esparce la cubierta sobre la masa, como rebanadas de manzana, superpuestas como tejas. Precalienta el horno a 180°C (350°F, marca 6).

6 Esparce la cubierta Streusel uniformemente sobre la fruta. Hornea por 15-20 minutos. Saca del horno y enfría en una rejilla por 20 minutos.

Básicos de pasta de hojaldre

Tartaletas de fruta

250 g (2 tazas/9 onzas) de harina

1 pizca de sal

2-4 de azúcar extrafina o azúcar glass

125 g (½ taza/4½ onzas) de mantequilla, refrigerada y en cubos

1 huevo o 2 yemas de huevo

1 cdita. de ralladura de limón

2-3 cdas. de vino blanco o agua

PORCIONES 8

TIEMPO DE PREPARACIÓN 15 minutos, más 30 minutos de refrigeración

TIEMPO DE COCCIÓN ver Tiempos de cocción

● La grasa y el líquido de la receta deben estar fríos.

● Mójate las manos con agua fría y sécalas. Amasa con rapidez.

● Antes de agregar el relleno, la base de pasta cruda se cuece "en seco". Para esto, cubre la base con papel para hornear y llena a la mitad con granos de frijol o arroz, sin cocer. Calienta el horno a la temperatura requerida (ver Tiempos de cocción) y hornea por 12-15 minutos. Quita frijoles y papel. Enfría en el molde sobre una rejilla.

● Haz el relleno como el del Flan de bayas mixtas (ver pág. 88). Espárcelo en los moldes; con fruta de tu elección.

Tiempos de cocción

Pasteles planos
Temperatura de horno a 180°C (350°F, marca 4); en la rejilla media; tiempo de cocción 7-20 minutos.

Pasteles altos
Temperatura de horno a 180°C (350°F, marca 4); segunda rejilla más baja; tiempo de cocción 35-40 minutos

1 Para hacer la pasta hojaldrada, pon harina, sal, azúcar, mantequilla, huevo o yemas de huevo, y ralladura de limón en un bol. Agrega vino o agua.

2 Con las aspas de una batidora, mezcla por 1 minuto, primero a nivel bajo, luego en el alto, hasta tener una fina masa desmoronada. Luego amasa a mano. Alternando con la punta de los dedos.

También, prueba esto...

Para pasta hojaldrada salada, amasa 300 g (2½ tazas/10½ onzas) de harina, 1 cdita. de sal, 185 g (¾ de taza/6½ onzas) de mantequilla, 1 huevo y 4-5 cdas. de agua con 4 cdas. de queso parmesano rallado o 1 cda. de una mezcla de hierbas secas y 1 pizca de páprika y una de pimienta.

Para pasta hojaldrada con frutos secos, tuesta 100 g (¾ de taza/3½ onzas) de avellanas en un sartén. Deja enfriar; quita la piel. Muele frutos secos finamente. Reemplaza los 90 g (¾ de taza/3 onzas) de harina con los frutos molidos y agrega 2-3 cdas. de licor almendrado en lugar de vino o agua.

3 Forma un círculo con la masa o divídela en bolitas. Aplánala un poco, cubre con envoltura autoadherente y ponla en el refrigerador por lo menos por 30 minutos o, de preferencia, toda la noche.

4 Extiende con rodillo la masa en una superficie de trabajo enharinada hasta tener 5 mm (¼ de pulgada) de espesor. Levántala con un cuchillo paleta y cubre el molde o los moldes de tartaleta.

5 Pica la pasta varias veces con un tenedor. Refrigera por 30 minutos, la pasta se "hará más pequeña", y no encogerá.

6 Si quieres que la orilla quede más alta que los lados del molde y la base permanezca plana, prehornea los moldes en seco (con los frijoles secos). Ver pág. 279.

Consejos para el éxito

Amasado a mano

● Este método se usa para combinar la grasa y la harina de pastas hojaldradas y para pan. Mientras que la grasa debe estar fría cuando se trabaja a mano, se debe sacar del refrigerador un poco antes; si está demasiado fría, es difícil de amasar.

● Usa sólo la punta de los dedos para amasar la grasa con harina cernida. Levanta la mezcla del bol al amasar, para incorporar aire. Cuando la mezcla parece migas finas, agrega un poco de agua fría u otro líquido. Vierte despacio, pues mucha resultará en una masa pegajosa que durante el horneado encogerá y se endurecerá. Si la masa está muy seca, se quebrará al extenderse y será difícil de manejar. Además se desmoronará después de hornearse y se secará.

Para cubrir un molde, pon la masa estirada sobre el molde, con suavidad déjala caer y luego recorta el exceso.

● Se puede tener una masa muy buena usando un procesador de alimentos con aspas de metal. Aquí, la grasa se usa directamente del refrigerador; debe estar muy fría y firme. Córtala en pedacitos y con la harina cernida ponlos en el bol del procesador. Mezcla o presiona por unos 3 segundos o hasta que la mezcla parezca migas de pan. Con el motor prendido, poco a poco vierte las dos terceras partes del líquido frío por el tubo alimentador: bate por unos segundos, hasta que la mezcla forme una bola. Apaga el procesador de inmediato o la pasta será difícil de manejar. Si la masa no está compacta, agrega el resto del líquido. Necesitarás menos líquido con un procesador, ya que la acción de las aspas hace la masa pegajosa.

Para cubrir un molde

● Si haces un molde de tarta, usa un molde de metal, de preferencia con base desmontable para que sea

Adelantando

Tener la pasta en las manos es un regalo para un cocinero ocupado, es una buena idea preparla cuando se tiene tiempo libre. Una masa se puede guardar en un recipiente hermético en un refrigerador hasta por 2 semanas y sólo necesitas agregar un poco de líquido para humedecerla, en una envoltura autoadherente, y se conservará 2-3 días en el refrigerador o congelada por hasta 3 meses. Otra idea para cuando no hay tiempo es congelar moldes de pasta en un molde. Hornea del congelador, unos 5-10 minutos más; no necesitarás papel para hornear, ni frijoles.

fácil sacar el molde de masa, o un anillo de flan sobre una charola para hornear. Como los utensilios cerámicos no conducen bien el calor, la pasta queda húmeda.

● Estira la pasta con un rodillo a unos 5 cm (2 pulgadas) más grande que el molde. Levanta la masa con cuidado, enrollándolo en el rodillo y

Al revolver, usa la yema de los dedos sólo para impedir que el calor de tus manos suavice la grasa. Incorpora poco a poco el líquido; mezcla con un cuchillo. Agrega el líquido necesario para convertir la mezcla en una masa.

Haz rizos para decorar la orilla.

colócalo en el centro sobre el molde; así es menos probable que se parta y más fácil de colocar. Empezando por el centro, trabaja hacia la orilla, deja caer la masa con cuidado sin jalar ni estirar; presiónala contra la base y los lados del molde. Cuando esté en su lugar, voltea el exceso sobre el borde del molde y rueda el rodillo por encima para recortarla. Pica la base varias veces con un tenedor para que el aire no levante la pasta durante el horneado.

Para prehornear

● Los moldes de tarta se hornean antes de agregar el relleno, o sólo para asentarla y secar la base. Cuando se hornee sin relleno o "en seco", primero cubre el molde de pasta con papel para hornear o papel aluminio; presiona bien, hasta las orillas. Pon frijoles secos o arroz sin cocer sobre el papel para que el peso impida que se levante la pasta y pierda su forma. Mete al horno caliente por 15 minutos, o según la receta; quita el papel y los granos. Hornea otros 5 minutos para secar o 15 minutos para cocer por completo.

Ruedas de mazapán

La masa tiene muchas formas. Esta versión se hace con pasta de mazapán. El sabor de almendra se acentúa por el licor de almendra y el aceite de almendra amarga.

200 g (7 onzas) de mantequilla

150 g (5½ onzas) de pasta de mazapán

55 g (2 onzas) de azúcar

1 pizca de sal

2-3 gotas de aceite de almendra amarga

1 huevo

90 g (3 onzas) de hojuelas de almendras

200 g (7 onzas) de harina

200 g (1⅔ tazas/7 onzas) de azúcar glass

1 clara de huevo

1-2 cdas. de licor de almendra

Cerezas cristalizadas y pistaches, para decorar

PIEZAS 70

TIEMPO DE PREPARACIÓN 30 minutos, más 2 horas de refrigeración

TIEMPO DE COCCIÓN 20-30 minutos

1 Cubre 2 charolas con papel para hornear. Amasa la mantequilla y la pasta de mazapán hasta alisar. Agrega la sal, el azúcar, el aceite de almendras amargas y las hojuelas de almendras y bate.

2 Cierne la harina sobre la mezcla y amasa. Forma 2 cilindros de 4 cm (1½ pulgadas) de diámetro, cubre con papel autoadherente y refrigera por 2 horas.

3 Precalienta el horno a 180°C (350°F, marca 4). Corta los cilindros en piezas de 5 mm (¼ de pulgada) de espesor y ponlos en las charolas. Hornea por 10-15 minutos por charola. Haz un glaseado grueso con el azúcar glass, la clara de huevo y el licor; cubre las galletas con él, y decora con cerezas cristalizadas y pistaches.

Básicos de pasta para chous

Profiteroles

150 g (5½ onzas) de harina

250 ml (1 taza) de leche o agua

1 pizca grande de sal

65 g (2½ onzas) de mantequilla o 4 cdas. de aceite de oliva o girasol

4-5 huevos

PIEZAS 12 grandes/20 pequeñas

TIEMPO DE PREPARACIÓN 25 minutos

TIEMPO DE COCCIÓN Ver Tiempos de cocción

● Cubre una charola con papel para hornear.

● No abras la puerta del horno durante la primera parte del tiempo de cocción (*temperatura de horno 1*), o los profiteroles colapsarán. Baja la temperatura (*temperatura de horno 2*); hornea hasta que estén listos.

● Ya fríos, corta los profiteroles en dos, horizontalmente, con tijeras de cocina; rellena con crema.

Tiempos de cocción

Bocadillos grandes
Temperatura de horno 1: 220°C (425°F, marca 7); rejilla media; tiempo de cocción 20 minutos; *Temperatura de horno 2:* 180°C (350°F, marca 4); tiempo 5-10 minutos

Bocadillos pequeños
Temperatura de horno 1: 220°C (425°F, marca 7); en rejilla media; tiempo de cocción 8-10 minutos, *Temperatura de horno 2:* 180°C (350°F, marca 4); tiempo de cocción 2-5 minutos

1 Esparce harina en un papel para hornear. Pon leche, agua o vino en una cacerola, agrega sal y mantequilla o aceite. Pon a hervir y cubre.

2 Apaga el fuego al empezar a hervir. Vierte la harina y bate mientras se calienta otra vez hasta que la mezcla espese y luego se forme una masa.

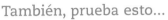

También, prueba esto...

Para un relleno de salmón y cangrejo con especias, mezcla unos 50 g (2 onzas) de salmón ahumado en tiras finas, 115 g (4 onzas) de carne de cangrejo, 1 cda. de jugo de limón, 1 cda. de eneldo y cebollín picados (de cada uno), 140 g (⅔ de taza/5 onzas) de queso mascarpone, 90 g (⅔ de taza/5 onzas) de yogur natural y 125 ml (½ taza/4 onzas) de crema espesa. Sazona con sal y pimienta de Cayena. Rellena los profiteroles fríos con la mezcla.

3 Retira la cacerola del fuego tan pronto como se forme una capa blanca en el fondo (después de unos 2 minutos). Pon la mezcla en un bol; deja enfriar hasta que esté tibia.

4 Con una cuchara de madera o las aspas de una batidora de mano, bate 1 huevo en la mezcla tibia. Luego agrega 3 huevos más, uno a la vez y bate bien.

5 Tan pronto como la masa esté brillante y caiga de la cuchara o de las aspas en picos medio sólidos, ya está lista. En este caso no se necesita añadir más huevos.

6 Con dos cucharas, forma ovales de pasta en la charola, deja unos 3 cm (1¼ de pulgada) entre una y otra. Usa cucharas soperas para profiteroles grandes y cucharitas para los pequeños.

Básicos de pasta de strudel

Strudel de fruta

350 g (12 onzas) de harina

1 huevo grande

80 ml (⅓ de taza/2½ onzas) de aceite de girasol o canola

¼ de cdita. de sal

1 cda. de vinagre o jugo de limón

Unos 160 g (⅔ de taza/5½ onzas) de mantequilla, para barnizar

Unos 185 ml (¾ de taza/6 onzas) de leche o crema, para barnizar

PORCIONES 1 strudel grande o 2 pequeños

TIEMPO DE PREPARACIÓN 50 minutos

TIEMPO DE COCCIÓN ver Tiempos de Cocción

● Llena un recipiente de cerámica con agua hirviendo; resérvalo. Después de amasar por primera vez, tira el agua y pon el recipiente invertido sobre la masa. Déjalo 30 minutos. El calor del bol ayudará a asegurar que la masa permanezca suave y elástica.

● No uses anillos ni reloj de pulsera, pues pueden atorarse y romper la pasta, delgada como oblea, cuando la estires.

● Recorta las orillas gruesas de la pasta estirada, corta un rectángulo. Barniza con mantequilla derretida; esparce la mitad del relleno encima (consulta Strudel de chabacano, pág. 301) o usa la fruta que desees.

● Hornea el strudel en un horno precalentado (ver Tiempos de cocción), baña con mantequilla cada 10 minutos y con leche cada 20 minutos. Cuando esté cocido, déjalo enfriar unos 5 minutos.

Tiempos de cocción

1-3 strudels en el recipiente
Temperatura del horno a 220°C (425°F, marca 7; rejilla media; tiempo de cocción 35-40 minutos

Strudels servidos individualmente
Temperatura del horno a 180°C (350°F, marca 4); rejilla media; tiempo de cocción 15-20 minutos

1 Pon los ingredientes y unos 125 ml (½ taza/4 onzas) de agua tibia en un bol. Amasa por 5 minutos con las aspas de una batidora eléctrica o un procesador de alimentos.

2 Amasa, luego deja bajo un bol caliente por 30 minutos. Amasa por 5 minutos en una superficie enharinada. Haz 1-3 bolas. Barmiza con 1 cda. de mantequilla para evitar que se seque.

También, prueba esto...

Para un Strudel de chabacano, parte en mitades y deshuesa 500 g (1 libra 2 onzas) de chabacanos. Rebana las mitades y mézclalas con 60 g (⅓ de taza/2¼ onzas) de azúcar. Esparce la fruta en una mitad de la pasta y espolvorea 100 g (⅔ de taza/ 3½ onzas) de nueces, pistaches o almendras.

3 Espolvorea harina en una toalla de cocina y en la bola de masa. Extiende rápido con un rodillo, forma un rectángulo. Luego, sobre la toalla con el dorso de las manos, estírala trabajando desde el centro.

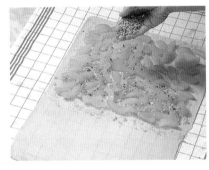

4 Barniza un molde con mantequilla. Esparce el relleno sobre la mitad de la pasta, dejando unos 2 cm (¾ de pulgada) libres en los lados largos. Barniza las orillas ligeramente con agua.

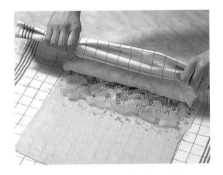

5 Levanta la orilla de la toalla hacia la orilla más estrecha de la pasta y, usando el lienzo, enrolla holgadamente la pasta. Dobla hacia dentro las puntas, presiona firmemente para sellar.

6 Pon el strudel en el recipiente para hornear, con la unión hacia abajo. Barniza con mantequilla y baña con leche o crema. Pica la superficie varias veces con la punta de un cuchillo.

Básicos de merengue

Merengues

4 claras de huevo

1 pizca de sal

1 cda. de jugo de limón o 1 cda. de vinagre blanco

115 g (½ taza/4 onzas) de azúcar extrafina

115 g (1 taza/4 onzas) de azúcar glass

1 cda. de fécula de maíz

Azúcar extrafina para espolvorear, si se desea

PORCIONES 12 merengues grandes o 32 pequeños

TIEMPO DE PREPARACIÓN 20 minutos

TIEMPO DE COCCIÓN (secado) ver Tiempos de cocción

● Usa sólo claras de huevo directas del refrigerador. También es bueno refrigerar de antemano el bol. Hasta el más pequeño rastro de grasa o de yema de huevo impedirá que las clara de huevo levanten.

● Cuando pongas la mezcla con una dulla en la charola, evita dejar picos, ya que se dorarán demasiado rápido durante el proceso de secado.

● Ponlos en una rejilla cuando estén listos. Es fácil separarlos de un papel para hornear. Deben estar crujientes al tacto, secos por dentro y no dorados.

● Retira los merengues que se van a rellenar con crema, 1 hora antes

del horno. Con suavidad haz un hueco en la parte de abajo, luego mételos al horno para terminar el secado. Para servir, con una dulla pon crema en el hueco.

Tiempo de cocción

Método de secado lento
Temperatura del horno 200°C (400°F, marca 6); en la rejilla media; tiempo de cocción 2-3 minutos, apagar el horno y dejar secar por 8-12 horas.

Método de secado rápido
Temperatura del horno 100-120°C (235°F, marca ½-1); en la rejilla media, tiempo de secado 2-3 horas

1 Bate las claras de huevo y la sal a punto de turrón. Primero usa una batidora eléctrica a velocidad baja, después aumenta a velocidad alta.

2 Gradualmente añade jugo de limón y el azúcar extrafina. Sigue batiendo las claras hasta que esté muy brillosa y se haya disuelto el azúcar.

3 Mezcla el azúcar glass y la fécula de maíz y ciérnelas en la mezcla. Incorpora, usando una espátula. No batas para mantener el aire sellado en la mezcla.

4 Cubre una charola con papel para hornear. Pon la mezcla en una dulla. Sostenla vertical y vierte la mezcla en porciones individuales en la charola.

5 Pon la charola para hornear en el horno precalentado. Cierra la puerta de inmediato. Después de 2-3 minutos, apaga el horno y no lo abras por las próximas 8 horas.

6 Para los merengues que se van a rellenar, con el dedo pulgar haz un hueco abajo cuando aún están húmedos, 1 hora antes de que finalice el tiempo de secado.

También, prueba esto...

Prueba diferentes figuras con la dulla: rosetas, anillos o estrellas, o en líneas onduladas sobre una tarta de frutas. También se puede pintar la mezcla con 1-2 gotas de color vegetal a tu gusto. La mezcla adquiere un atractivo color café pálido si se le agregan 1-2 cdas. de café instantáneo o cacao molido disuelto en 1 cda. de agua, junto con el azúcar glass y la fécula de maíz.

Prueba disminuir su tamaño. Usando la receta básica, haz 40 merengues pequeños. Con la dulla pon puntos de la mezcla en una charola y deja secar por 1-2 horas.

303

Básicos de pan de jengibre

Galletas festivas

500 g (1 libra 2 onzas) de harina

150 g (5½ onzas) de almendras finamente picadas o molidas

¼ de cdita. de sal

½ cdita. de cardamomo y clavos de olor molidos (de cada uno)

1 cdita. de canela molida

½ cdita. de polvo de hornear y bicarbonato de sodio (de cada uno)

250 ml (1 taza/9 onzas) de miel

175 g (6 onzas) de azúcar morena

PORCIONES 120

TIEMPO DE PREPARACIÓN 50 minutos, más 2 horas de reposo

TIEMPO DE COCCIÓN ver Tiempo de cocción

● El sabor del pan de jengibre viene de la miel y las especias. Se pueden usar especias ya preparadas para pan de jengibre.

● Retira las galletas de la charola tan pronto como estén horneadas. Debido al alto contenido de azúcar, el pan de jengibre se seguirá oscureciendo si se deja en una charola caliente, y amargará.

● Se puede presionar fruta cristalizada o mitades de almendras en las galletas después de barnizarse con agua o leche. Las galletas brillan como laqueadas si se barnizan con una mezcla de agua y fécula de maíz antes de finalizar el tiempo de cocción. Agrega 1 cda. de fécula en 125 ml (½ de taza/4 onzas) de agua y hierve.

Tiempo de cocción

Galletas planas de pan de jengibre

Temperatura del horno 160-180°C (315-350°F, marca 2-4); en la rejilla media

Tiempo de cocción 15-25 minutos

1 Humedece la base de la charola de hornear y cubre con papel para horno. Pon los ingredientes secos en un bol.

2 Calienta miel y azúcar, revolviendo, hasta que la miel esté líquida y el azúcar derretida. Retira del fuego y deja enfriar, agrega la mezcla de harina.

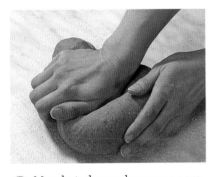

3 Mezcla todo con las aspas para masa de una batidora eléctrica o con una cuchara de madera. Luego amasa con fuerza en una superficie de trabajo enharinada con la palma de las manos.

4 Con un rodillo ligeramente enharinado, extiende las porciones de masa entre dos papeles para horno. Recorta las galletas para darles la figura que deseas.

5 Pon las galletas en las charolas a 2 cm (¾ de pulgada) una de otra. Si es posible, deja por 2 horas antes de hornear, para que el azúcar se combine uniformemente con la harina.

6 Barniza las galletas con agua. Asegúrate de que no se oscurezcan demasiado al hornearse, pues amargarán. Pásalas a una rejilla para enfriar. Decora como gustes.

También, prueba esto...

Para galletas de miel y jengibre, agrega 1 cdita. de jengibre fresco finamente picado a la harina con las especias.

Para galletas crujientes de frutos secos, calienta 250 g (1 taza/9 onzas) de mantequilla, 200 g (1 taza/7 onzas) de azúcar morena y 125 ml (½ taza/4 onzas) de miel hasta que se disuelva el azúcar. Deja enfriar. Agrega 80 g (½ taza/3 onzas) de almendra finamente picada, 100 g (½ taza/3½ onzas) de cáscara de limón cristalizadas a la mezcla derretida. Añade 500 g (4 tazas/1 libra 2 onzas) de harina llana y / cdas. de polvo de hornear y bicarbonato de sodio (de cada uno); amasa y forma cilindros de 2.5 cm (1 pulgada) de diámetro. Cubre con una envoltura autoadherente y refrigera por 6 horas. Precalienta el horno a 200°C (400°F, marca 6) . Corta la masa en tiras de 5 mm (¼ de pulgada) de espesor. Hornea por unos 10 minutos. Retira de las charolas de inmediato y ponlas en una rejilla para enfriar.

Preguntas y respuestas

Siempre hay algo que aprender que ayudará a mejorar las habilidades de los cocineros más expertos. A continuación encontrarás algunos consejos clave sobre ingredientes y técnicas, además de consejos para resolver problemas en esos momentos en que las cosas no salen como deberían.

¿El azúcar blanca puede sustituir a las azúcares morenas?
Las azúcares morenas se distinguen por un delicioso aroma a caramelo. Si la receta requiere de 1 a 2 cdas. de azúcar morena, no habrá problema si se usa azúcar blanca en su lugar; es la dulzura y no el aroma lo que aquí importa. Mientras que el azúcar blanca puede usarse para sustituir a la morena, a partir de dos cdas. el resultado no tendrá el sabor acaramelado y la mezcla será más pálida de lo que debería.

¿Qué galletas son mejores para hacer el molde de pasta para el pastel de queso? Las galletas dulces de harina integral son las mejores. Si la receta que estás preparando requiere migas de chocolate, usa galletas con sabor a chocolate y no las que están cubiertas de chocolate.

¿Hay alguna diferencia en usar levadura fresca o en polvo?
La levadura en polvo es casi dos veces más concentrada que la fresca. Viene en dos tipos: la activa (usada en las recetas de este libro) y la que levanta rápidamente. La primera es una levadura granulada deshidratada que se debe rehidratar en agua tibia antes de usarse. La segunda también es granulada y deshidratada, pero no necesita rehidratarse antes. Eleva la masa 50% más rápido que la activa.

Pero los cocineros creen que no da el tiempo suficiente para que los sabores destaquen. Cualquiera que uses, es importante recordar que la levadura es un organismo vivo y es muy sensible a la temperatura: prolifera entre los 32°C y 46°C (90°F y 115°F, respectivamente) y muere a temperaturas superiores a los 60°C (140°F). La levadura fresca tiene una vida corta en los estantes. Muchos cocineros la prefieren. Puede encontrarse en cubos o en bloques y debe refrigerarse.

¿Que significa "golpear"?
Este término se usa para golpear la masa de levadura con el puño cuando ha duplicado su tamaño original. Esto ayuda a dispersar las burbujas de aire que la levadura produce por toda la masa.

¿Por qué se debe reposar la pasta en el refrigerador?
El gluten, la proteína presente en la harina, reacciona al entrar en contacto con el agua de la mezcla; en reposo se vuelve firme y elástica. Esto la hace más fácil de extender. Dejar que repose en el refrigerador es más importante durante el amasado y extendido para hacer pastas como la del pan esponjado y el hojaldre, pues endurece la grasa en la masa y facilita el extendido. También ayuda a que las capas levanten uniformemente al cocerse.

¿Qué hacer si no se tiene un rodillo para amasar?
Una botella (sin etiqueta) es el sustituto para el rodillo. Si tienes que conservar fría la masa durante la preparación, llena la botella con agua fría y refrigérala por dos horas. Si extiendes una masa de levadura con una botella, llena ésta de agua tibia; ya que este tipo de masa necesita calor.

Consejo práctico

Si tienes prisa, es fácil cubrir moldes para pastel rectangulares y redondos con papel para hornear sin molestarse en hacer trazos ni cortar. Arruga un papel a la medida con fuerza y extiéndelo. Esto hace que sea mucho más plegable y fácil de que cubra las curvas y las esquinas.

¿Qué tipo de masa o pasta sin cocer se puede congelar?
La pasta de hojaldre, y de hojaldre de crema agria, de tarta y de strudel pueden congelarse sin cocer. La pasta o masa se debe descongelar antes de hornearse. Si es posible, sólo descongela la que necesites. No vuelvas a congelarla.

¿Cómo pelar frutos secos?
Pon almendras o pistaches sin cáscara en un recipiente con agua, cúbrelos y hiérvelos. Deja los frutos secos unos minutos. Luego

escúrrelos. Oprime cada uno con los dedos para forzar el desprendimiento de la piel. Para pelar cacahuates, nueces y avellanas, tuéstalos primero en un sartén, luego déjalos enfriar un poco. Aún calientes, ponlos en una toalla de cocina y frótalos para quitar la piel lo más posible. Retira la restante con los dedos.

¿Se debe precalentar el horno?

Aunque casi siempre es necesario precalentar, sigue las instrucciones de la receta. Algunas mezclas, como la masa de pastel, forman grumos de grasa por encima si se meten en un horno que no ha alcanzado la temperatura requerida. Sin embargo, ciertas masas, como algunas para pan, se deben poner en un horno frío para que levanten mientras éste se calienta

¿Por qué es esencial el suero de leche en el pan de soda?

El suero de leche es alto en ácido láctico y cuando se mezcla con el bicarbonato de sodio, que es un alcalino, la reacción química resultante produce dióxido de carbono. Esto tiene el efecto de oxigenar la masa y hacerla más ligera. Se puede usar crema agria en su lugar, que también es ácida.

¿Por qué algunas veces los pasteles tienen agujeros, o se quiebran y pican?

Los agujeros se hacen por mezclar de más o por una incorporación de harina desigual o insuficiente. La mezcla debe estar suave y gotear después de mezclarse, si está muy seca, es posible que los huecos de aire queden atrapados. Esto

también sucede si la harina y el agente alzador no se ciernen bien juntos. Para impedir que se rompa, usa un molde de la medida correcta y verifica que el horno no esté muy caliente. Pon los pasteles en el centro del horno, no muy arriba donde existe más calor y el pastel puede levantarse y romperse.

¿Cómo se puede saber si un pastel está cocido?

Inserta en la parte más alta del pastel un palillo de madera o metal y sácalo de inmediato. Si sale con el mínimo residuo de masa, el pastel aún no está listo. Si el palillo no tiene nada, o sólo migas, el pastel puede sacarse del horno. Ten cuidado si el pastel tiene pedazos de chocolate. Éste siempre se pega al palillo; no cuaja hasta enfriarse.

¿Cuál es la mejor forma de sacar un pastel del molde?

Primero deja que el pastel recién salido del horno repose en el molde por un momento. Cuando se enfría, el pastel encoge y forma un pequeño espacio entre él y el molde. Con un cuchillo sepáralo de los lados del molde. Pon una rejilla encima del molde y voltéalo, retira el molde del pastel.

Consejo práctico

Las claras de huevo que tienen algunos días fuera del cascarón se baten mejor que las recién sacadas, pues ya se avaporó algo del agua. Esta evaporación hace más concentrada a la albúmina. Las claras descongeladas también se baten mejor.

¿Qué hacer cuando el pastel no se separe del molde?

Rodea el molde con una toalla húmeda y caliente, y voltéalo. Evita que el pastel se enfríe mucho, ya que esto puede impedir que se desprenda. Si pasa esto, métalo otra vez al horno caliente por poco tiempo y vuelve a intentarlo.

¿Cuándo se debe espolvorear un pastel con azúcar glass?

Justo antes de servir. Si los pasteles aún están calientes, el azúcar glass se fundirá y decolorará.

¿Cómo se endurece la crema?

Entre más grasa contenga, más rápido espesará. Es más fácil batir la crema hasta que espese, si el bol y los batidores están bien fríos. Bate la crema hasta que empiece a espesar. Sigue batiendo más lento hasta que forme picos suaves. Si se bate de más, la crema forma grumos y aparecerán copos de grasa.

¿Qué hacer si las galletas están muy duras?

Ponlas en un contenedor de plástico o en un molde con tapa hermética. Agrega una manzana, una naranja o pedazos de pan fresco. Déjalos por unos días.

¿A qué temperatura es mejor almacenar huevos?

Mantenlos en el refrigerador. Se deben sacar una hora antes de usarse. Los huevos a temperatura ambiente pueden batirse a mayores volúmenes que los fríos.

¿Se debe engrasar un molde o cubrir con papel para hornear?

En general, no existe diferencia. En la práctica, cubrir con papel para hornear ha probado ser mejor, ya que acorta el tiempo de limpieza de los moldes, y también es más fácil retirar lo horneado en el molde.

¿Son confiables los tiempos de cocción que dan los libros de cocina?

Las temperaturas y los tiempos de cocción dados son sólo una guía. Es necesario que sepas cómo funciona tu horno y hagas ajustes. Si tienes dudas, es mejor elegir primero un tiempo de cocción menor que el dado, prueba la cocción y, si es necesario, alarga el tiempo de horneado.

¿Cómo deben usarse las vainas de vainilla?

La vainilla es la vaina de una orquídea colgante y crece en los trópicos. Las vainas se curan y ennegrecen. El sabor más intenso está en las semillas pequeñas y en la pulpa que las rodea, así que para sacarlas se debe abrir la vaina y raspar, para agregarse a natillas o helados. Una forma económica de extraer el sabor es mojar la vaina en agua caliente, luego exprimirla, secarla y usarla dos o tres veces más. Una buena manera de guardar las usadas, en particular cuando se han reciclado un par de veces, es en un frasco de azúcar extrafina o blanca. Ésta absorbe el sabor de las vainas y lo conservará por mucho tiempo. Vuelve a llenar el frasco conforme uses el azúcar. También puedes usar las vainas para dar sabor a una botella de brandy o ron oscuro. Entre más se dejen ahí, su sabor será más concentrado. Las vainas frescas se pueden guardar en papel aluminio o en bolsas de celofán.

¿Qué se necesita saber para hacer y usar un glaseado?

Para una porción normal, mezcla 200 g (7 onzas) de azúcar glass bien cernida con 4-5 cdas. de líquido: agua, jugo de limón o naranja, o ron para un glaseado blanco. Usa jugo de grosellas o cerezas frescas para darle un color rosado. El glaseado no penetrará mucho en el pastel si primero lo cubres con una capa fina de mermelada de chabacano. Prepáralo justo antes de que lo uses para que no forme una costra dura.

¿Qué hacer si no tienes una dulla o manga de repostería?

Si decoras pasteles con frecuencia, es indispensable una dulla. Si la usas poco, existe una sencilla herramienta. Llena un tercio de una bolsa sellable con crema o glaseado y tuércela por encima. En el fondo haz un corte diagonal en una punta. Es mejor si primero haces un orificio pequeño en la punta y pruebas si el glaseado fluye bien. O Agrándalo, si es necesario.

¿Puede el polvo de hornear descomponerse, y por qué hace ligera a la masa?

Si se guardó en un lugar húmedo y se han formado grumos, habrá perdido su potencia. Se trata de bicarbonato de sodio y ácido carbónico, que forman dióxido de carbono cuando la humedad y el calor los afectan. Esta reacción química ocurre dentro de la mezcla al hornearse. De hecho, "estalla" y hace que la mezcla levante y sea ligera. Si el proceso se perturba al abrir el horno en la primera fase del horneado, el pastel colapsará. Esto se debe a que la mezcla no es tan

estable como para rodear las burbujas firmemente.

¿Cómo impedir que se quemen las orillas de las galletas?

Las temperaturas del horno varían. Si crees que el horno está un poco más caliente de lo necesario, revísalo con un termómetro. Uno o dos minutos de más pueden ser cruciales al hornear galletas delgadas; es posible que necesites usar menos calor del indicado en la receta. Vence la tentación de cocer de más. Las galletas horneadas pueden parecer suaves al salir del horno, pero cuando enfríen estarán crujientes y firmes.

Consejo práctico

Si el azúcar morena se hace piedra en la alacena, envuelve el paquete en una toalla de cocina húmeda y métela al horno de microondas a nivel medio por 1-2 minutos hasta que suavice. Luego lo puedes usar normalmente.

¿Cómo impedir que la mezcla de pastel se corte, y cómo salvarla?

Se corta cuando la mantequilla y el azúcar no se han batido lo suficiente (hasta que la mezcla esté ligera y esponjosa) como para formar una fuerte emulsión que absorba los huevos. También, la separación ocurrirá si se agregan huevos fríos directo del refrigerador a la masa demasiado rápido. Una mezcla cortada tiene menos aire, así que el pastel será plano. Los huevos deben estar a temperatura ambiente e incorporarse uno a uno. Añadir la harina cada vez puede ayudar a impedir que se corte. Si la mezcla empieza a cortarse, sumerge brevemente la base del bol en agua caliente y bate hasta restaurar la consistencia ligera.

¿Por qué se baja un pastel?

Un pastel se baja cuando no se ha horneado lo suficiente, así que respeta el tiempo que indica la receta y usa un reloj. Vence la tentación de abrir el horno durante la cocción. Usar un horno muy frío o abrir y cerrar la puerta del horno provocará que se bajen el pastel y el agente alzador de la mezcla del pastel. Un pastel estará listo cuando el centro esté firme y haya encogido un poco de los lados; los pasteles esponjados deben recuperarse cuando se oprimen con el dedo.

¿Existe alguna forma para rescatar un pastel cuando ha salido mal?

Disimula el daño como sigue:
• Si el pastel se ha roto, es fácil pegar los pedazos con mermelada. Luego cubre con un glaseado o esparce coco picado encima.
• Si el pastel se hunde en el centro, córtalo y conviértelo en un anillo. Cubre con crema batida y llena el hueco con fruta.
• Si un esponjado queda plano, córtalo en figuras decorativas, haz sándwiches rellenos de crema y espolvoréalos con azúcar glass.
• Para un pastel un poco quemado, rebánalo por encima y raspa los lados con un pelador de papas. Pon una capa de mermelada caliente y cernida, y cubre con glaseado.

¿Cómo hacer un buen chocolate?

La clave está en los sólidos de y la mantequilla de cacao. Cuantos más

Consejo práctico

Si tu pasta shortbread tiende a romperse cuando la sacas del horno, la próxima vez asegúrate que al mezclar no trabajes mucho la masa; un excesivo trabajo con las manos la hace quebradiza y difícil. Esto también puede pasar al hornearla por mucho tiempo.

sólidos contenga el chocolate, más intenso será su sabor. La envoltura debe listar la cantidad de sólidos de cacao. Menos del 50% tiene poco sabor. Uno con el 70% o más tendrá un sabor más fuerte y fino. Entre más mantequilla de cacao, será más suave y fácil de derretir el chocolate. Como regla general, entre más finas y pequeñas sean las piezas de chocolate, su calidad será mejor. También, puedes identificar al chocolate por la tersura que tiene en tu boca. Un chocolate de buena calidad indica que ha tenido un largo periodo de batido durante su preparación, lo que contribuye a su fina textura. Un chocolate muy fino con un sabor superior es caro, pero no se requiere tanto para conseguir un sabor intenso, así que vale la pena pagar un poco más por lo mejor.

¿Qué es el chocolate blanco y cómo se usa?

A algunos tipos de chocolate blanco se les ha remplazado una parte o toda la mantequilla de cacao por manteca vegetal, lo que hace difícil derretirlos. Técnicamente, el chocolate blanco no es chocolate, porque no contiene sólidos de cacao. Si una receta incluye chocolate blanco que tenga que derretirse, compra

uno que contenga un alto nivel de mantequilla de cacao y manténlo refrigerado; luego rállalo antes de derretirlo a fuego lento, si se pega ya no podrá recuperarse.

¿Cómo se evita que la base de las pizzas hechas en casa salgan blandas y no crujientes?

Lo más probable es que esto se deba a que la superficie de horneado no esté lo suficiente-mente caliente. Ésta y el horno deben precalentarse a la máxima temperatura. Lo ideal es que se meta la pasta en una piedra o teja para pizza precalentada (disponible en algunas tiendas de utensilios de cocinas) o en una teja grande no vidriada. Esto es lo más parecido a un horno de pizza tradicional.

¿Qué hace mejor a una pasta: la mantequilla, la margarina o un producto equivalente bajo en grasa?

La mantequilla da a la pasta un sabor fino, un color dorado y una textura crujiente. Para las pastas más ricas como el hojaldre salado y dulce (pâté sucrée), donde el sabor es importante, es mejor usarla. Las margarinas finas se pueden usar para hacer tipos de pasta más sencillos, pero no agrega mucho sabor. Estos productos se pueden usar para hacer pasta para chous, crujiente y ligera. Se derrite a fuego lento con la cantidad de agua de la receta, luego se añade a los ingredientes de la masa. Para una base de pastel de queso (que por lo general se hace mezclando mantequilla con migas de galleta), derrítela con cuidado a fuego lento y añade las migas.

Índice

Delicias

del horno con amor